Creación de empresas

Guía del emprendedor

FRANCISCO JOSÉ GONZÁLEZ

Creación de empresas

Guía del emprendedor

EDICIONES PIRÁMIDE

COLECCIÓN «EMPRESA Y GESTIÓN»

DIRECTOR DE LA COLECCIÓN:
Juan Mascareñas Pérez-Íñigo

Diseño de cubierta: Anaí Miguel

Fotografías de cubierta: Marín E./Anaya
Grupo Anaya

Juan Ignacio Luca de Tena, 15. 28027 Madrid
Teléfono: 91 393 89 89
www.edicionespiramide.es
Depósito legal: M. 219-2006
ISBN: 84-368-2011-8
Printed in Spain
Impreso en Lerko Print, S. A.
Paseo de la Castellana, 121. 28046 Madrid

A Macarena. Con amor.

Que cada uno busque el modo de ser más útil a los demás.
Valora siempre la utilidad de las cosas, no su ornato.
Todo esfuerzo debe responder a algo, tener una finalidad.

SÉNECA

Índice

PARTE TERCERA
De la idea a la empresa

PARTE CUARTA
Constitución y puesta en marcha de la nueva empresa. Aspectos formales

PARTE QUINTA
La financiación crediticia de la empresa

PARTE SEXTA
La empresa familiar

PARTE SÉPTIMA
Instituciones de interés empresarial

Prólogo

Estimado lector, qué difícil resulta hacer un prólogo original, interesante, y que además aporte algo. Para mí es imposible alcanzar semejante meta. Por tanto, no voy a pretender más que escribir lo que pienso del libro y del mismo Francisco José. Si me lo permiten, empiezo por su autor, creador de la obra que tiene en sus manos. Francisco José es de esas personas que no abundan, desgraciadamente. En cualquier reunión de trabajo, cuando los ánimos se exaltan, los intereses se contraponen, las posturas se radicalizan... Francisco mira expectante en silencio, y sólo al final tiene la habilidad de aunar las posiciones localizando el consenso. Conociéndole se comprende lo que hemos dicho. En el plano científico es minucioso, y se toma el trabajo de fundamentar todo lo que va escribiendo. Estudioso infatigable, compagina ese sabio equilibrio entre la atención a la familia y a la ciencia; qué gran fracaso esas personas que absorbidos por la vida profesional descuidan el tesoro que es la familia. Es un gran conocedor del mundo empresarial y experto en creación de empresas. Sirva de ejemplo que en el grupo de investigación que dirijo, fue él quien tuvo la idea de trabajar sobre el espíritu emprendedor; y en un consorcio europeo con veinticinco instituciones, también europeas, la idea del tema de trabajar sobre emprendedores también fue de Francisco José. En honor a la verdad he de decir que mi incursión en el mundo emprendedor se lo debo a él. Podría seguir hablando de Francisco José sin ambages, pero mejor me detengo porque la vanidad es mala compañera de viaje en esta vida.

Cualquier libro sobre creación de empresas es bienvenido siempre, máxime cuando es una guía metódica para marcar el rumbo de los emprendedores que se empeñan en sacar adelante una empresa, libro que hoy prologamos. Los resultados son más que satisfactorios: visión global, rigor y sentido práctico. Lo logra una persona con la experiencia de Francisco José González, al que no le falta conocimiento práctico, fruto de una vida empresarial llena de vicisitudes; conocimiento teórico, fruto de una vida dedicada al estudio tanto de la empresa como a su creación; y conocimiento científico, fruto de pertenecer a tres grupos de investigación, tanto a nivel regional (Andalucía), como nacional e internacional.

Como resultado ¿qué se consigue? Un libro que presenta la empresa en su relación con el entorno, con esa visión sistémica que sólo los expertos saben conjugar; la idea de empresa la presenta con todos sus elementos: el proceso, la propia idea empresarial y el plan tanto de viabilidad como de la empresa. No se omite el plan estratégico que debe acompañar a toda la empresa, resultando dos funciones que son básicas: el subsistema comercial y el subsistema financiero en el que, dicho sea de paso, Francisco José es un experto. El autor cierra el libro con tres temas que me parecen esenciales desde el sentido práctico de la creación de empresas: el área jurídica, las instituciones de interés empresarial para la creación de empresas y la empresa familiar.

De manera sintética, el autor, facilitándome esta oportunidad, me ha permitido exponer un pensamiento sobre la creación de empresas en Andalucía concretamente, y de forma más general en España.

El momento en que aparece el libro no puede ser mejor porque no es fácil ser emprendedor. Principalmente por razones de tipo contextual, concretadas en que no existen tantas ayudas como se dice, y en la complejidad de los trámites burocráticos. Sin embargo, frente a esta realidad, de talante negativo, aparecen datos que llevan a la paradoja, por cuanto reflejan que la creación de empleo se da gracias a los creadores de empresas. En mi opinión significa que los emprendedores, a pesar de todo tipo de dificultades, consiguen desarrollar sus proyectos, eso sí, sin la ayuda que se les podría brindar. Esto no quita la necesidad de fomentar el espíritu emprendedor como vía fundamental para seguir creciendo. Pienso que en este sentido aún hay que realizar un esfuerzo importante.

Desde mi faceta de investigador, creo que puede ser interesante aportar una serie de datos de un estudio en el que estamos trabajando a nivel internacional, junto a Italia, Alemania y Arabia Saudí. El tópico del trabajo versa sobre «las capacidades en el espíritu emprendedor». Los resultados fueron obtenidos sobre la base de 125 casos de emprendedores, dándose en todos ellos las circunstancias de lo importante que es el valor de la experiencia y la formación como factores de peso a la hora de sacar adelante una iniciativa empresarial, a la vez que todos lo definen como una ayuda relevante para perfeccionar y mejorar los proyectos, fundamentalmente en términos globales de gestión. En un tono esperanzador y claramente positivo, debo señalar que el emprendedor español posee una serie de cualidades que lo hacen especialmente valioso. Entre ellas sobresalen su mentalidad global, afán de servicio, preocupación por la calidad, capacidad para relacionarse y su mentalidad «visionaria», por cuanto sabe adelantarse a lo que va a demandarse en el mercado y tener éxito.

Hace exactamente un año me hicieron una entrevista para una revista en la que me preguntaron: «como experto, ¿qué opinión le merece la actual realidad para crear empresas?», y respondí: «sinceramente, no veo un contexto favorable para que los empresarios se decidan a crear empresas, básicamente por la ausencia de garantía y de un entorno adecuado. No veo datos que generen expectativas; ahora mismo existe incertidumbre y habrá que esperar. Me encantaría, en este sentido, leer en la prensa que se va a incentivar la creación de empresas y fomentar el espíritu emprendedor con medios adecuados, potenciando las pymes y llevando a cabo medidas concretas». Un año después leo en una prestigiosa revista sobre emprendedores: «Según datos del informe Global Entrepreneurship Monitor (GEM), en 2004 se registran 1,3 millones de emprendedores, 650.000 menos con relación al año 2003. Para los expertos, esta caída de la actividad empresarial estaría motivada por la incertidumbre del entorno económico y político».

Sólo me resta para terminar, estimado lector, decirle que si es emprendedor ¡felicidades!, y que si no lo es, admire y estime en mucho a estas personas que son el motor de la economía y el desarrollo. Y a ti, Francisco José, te admiro y estimo por quien eres, y te felicito por el trabajo que has realizado.

Sevilla, enero de 2006.

JULIO GARCÍA DEL JUNCO
Catedrático de Organización de Empresas.
Universidad de Sevilla

Introducción. Estructura y uso

El presente libro es una revisión, actualización y ampliación de *Creación de empresas. Guía para el desarrollo de iniciativas empresariales,* también editado por Pirámide y que ha visto dos ediciones. Como en él, aquí he pretendido trasladar mi experiencia personal y profesional con emprendedores en diversas áreas: asesorándoles y enseñándoles (tanto en el ámbito universitario, mayoritariamente, como fuera de él), y recogiendo aquellas cuestiones que más les preocupan a lo largo de su trayectoria emprendedora, desde que les nace la inquietud y la curiosidad por emprender y saber cómo crear una empresa, hasta que deciden hacerla realidad y se enfrentan a cuestiones empresariales básicas pero fundamentales para el buen desarrollo de la nueva empresa. Y es precisamente sobre estas cuestiones sobre las que pretendo arrojar una cierta luz o fijar un norte para que el emprendedor tenga una base sobre la que tomar decisiones de gran trascendencia.

He pretendido que este libro sea sobre todo una guía que acompañe al emprendedor y al estudioso de este fascinante mundo a lo largo de mucho tiempo. Cada capítulo se ha seleccionado y desarrollado en base, como dije, a las inquietudes y dudas que durante muchos años me han planteado futuros emprendedores, jóvenes empresarios y los numerosos alumnos a los que he tenido el privilegio de transmitir mi fascinación, y lo que humildemente conozco del mundo emprendedor. Sobre esta base, y sin prescindir del necesario rigor académico, pero evitando caer en el empantanamiento, he procurado que en cada capítulo el emprendedor encuentre elementos útiles que le ayuden a tomar decisiones y a orientar su futuro, y que el estudioso tenga una plataforma que le permita entender mejor el mundo emprendedor en su realidad y lanzarse hacia estudios e investigaciones más profundas.

La obra se estructura en siete partes. La primera parte se dedica a la empresa y su entorno. Cualquier emprendedor debe saber qué es una empresa y la importancia que tiene el entorno en su vida, y por tanto lo imprescindible que resulta conocerlo para poder crear y hacer marchar la nueva empresa. El emprendedor debe saber que toda empresa debe crearse y desarrollarse sobre unos principios universales y debe fijarse unos objetivos, y que el hecho de que vaya a ser una pequeña empresa no debe hacerle sentir menos útil e importante sino todo lo contrario, pues si se crea sobre sólidos cimientos las pequeñas empresas presentan una serie de ventajas que hay que saber aprovechar; pero para ello hay primero que conocerlas, al igual que los inconvenientes, como también debe conocer sin llevarse a engaño el papel que las administraciones públicas juegan en el fomento emprendedor.

La segunda parte se dedica al protagonista de todo este proceso. De una manera u otra siempre surge la eterna pregunta, ¿el emprendedor nace o se hace? Creo que lo que importa es desear algo, en este caso poner en marcha una empresa, y que hay que conocer qué aptitudes y actitudes hay que desarrollar para ello. Conocer cuáles son estos atributos para desarrollarlos coadyuvará al emprendedor a la creación de su empresa, como también le será de gran utilidad conocer cuáles son los errores más comunes de los emprendedores para no intentar caer en ellos, y cuáles son las causas más comunes que les han llevado a fracasar o a tener éxito. También me han planteado en muchas ocasiones que cómo se comporta un emprendedor en su proceso creador, y yo intento plantear un modelo global apoyado en muchos otros modelos previos y en mi propio conocimiento real del tema. Por último hay que avisar al emprendedor de que no deja de serlo una vez creada la empresa, todo lo contrario; si quiere llevarla al futuro deberá ser un gerente o directivo emprendedor, y la suya una empresa emprendedora.

La tercera parte se dedica al proceso de creación de la empresa, que comienza con la aparición de la idea de negocio. Una cosa es tener una idea de negocio, otra cosa que esta idea se pueda materializar en un producto y cómo, y un último elemento es la empresa que habrá que crear para elaborar ese producto y venderlo. Pero el eje de todo es la solidez de la idea; si ésta no se tiene clara y si tampoco se tienen claras las tres fases señaladas, difícilmente se creará una empresa con futuro. En este apartado indicamos cuáles son las vías de acceso más comunes a la actividad empresarial, decantándonos por la creación. Para ello hay que tener una buena idea; por eso proporcionamos algunas pistas para la búsqueda de ideas. Una vez elegida ésta el emprendedor debe concienciarse de su importancia, y debe saber cómo analizarla para determinar su viabilidad como producto y empresa antes de dedicar esfuerzos y dinero a desarrollar un plan de empresa o a crearla directamente. Dedicamos varios capítulos al análisis de la idea (plan de viabilidad de la idea o «preplan») y a proponer una estructura del plan de empresa y analizar cada uno de sus apartados.

Para que la empresa sea una realidad ante todos, ha de coronar su creación con el proceso legal de constitución. La parte cuarta la dedicamos a exponer de manera práctica las distintas formas jurídicas que puede adoptar una empresa, a los trámites legales para su constitución, y a dar a conocer las obligaciones que desde ese instante tendrá que afrontar.

Sin duda la búsqueda de financiación es el problema que más preocupa a un emprendedor, y sobre todo la financiación que ofrecen las instituciones financieras. El emprendedor debe poseer ciertos conocimientos básicos sobre el sistema financiero en que se desenvolverá su empresa, sus instituciones e instrumentos, y cómo negociar para obtener recursos financieros. A ello dedicamos la quinta parte.

Es una realidad que la mayoría de las empresas españolas son pequeñas y además familiares. Es muy común que una nueva empresa termine «familiarizándose», con sus ventajas e inconvenientes. Para aprovechar las ventajas e intentar evitar los inconvenientes el emprendedor debe conocer la realidad de la empresa familiar, cómo analizarla y cómo elaborar un protocolo familiar, herramienta de utilidad para evitar en lo posible los males que acechan a las empresas familiares. A ello se dedica la sexta parte.

La séptima y última parte tiene una pretensión informativa sobre agentes e instituciones de interés empresarial, que cada día juegan un papel más importante en el desarrollo de nuevas empresas, pero que son aún desconocidos por la mayoría de los emprendedores. Nos referimos a las cámaras de comercio, las organizaciones empresariales y los sindicatos.

En suma, espero que este libro ayude al emprendedor a conocer mejor el mundo en que se adentra y a tomar decisiones más reflexivas, y al estudioso a interesarse más por este campo tan apasionante. A todos, suerte.

Sevilla, enero de 2006.

PARTE PRIMERA
La empresa y su entorno

1 La empresa

1. Concepto, clasificación y situación

No podemos concebir nuestra sociedad sin empresas; de hecho pocas son las actividades que realizamos que no estén relacionadas de una manera u otra con alguna empresa. Éstas producen los bienes y servicios que cubren nuestras necesidades, desde las más primarias y perentorias hasta las más suntuarias. Existen multitud de empresas que abordan los más variados negocios. En efecto, en la propia naturaleza de la empresa está el emprender negocios, ya que el atender nuestras necesidades poniendo a disposición bienes y servicios no se realiza de una manera altruista sino con ánimo de lucro, buscando una ganancia lícita que le permita sobrevivir y crear riqueza para sus promotores, empleados y la sociedad en general. Las empresas, por tanto, forman el entramado productivo de nuestra economía y juegan también una importante y trascendente **función social,** pero cuyos aspectos más relevantes son el empleo de recursos humanos (da trabajo) y el ser elemento dinamizador y distribuidor de riqueza (renta).

En términos estrictamente económicos, podríamos definir una empresa como **una unidad económica que reúne una serie de factores de producción: recursos materiales (edificaciones, maquinaria, mobiliario, etc.) e inmateriales (patentes, marcas, propiedad industrial, etc.), humanos y financieros (que posibilitan la adquisición de los anteriores), que organiza y gestiona conforme a su entorno para producir bienes y/o servicios, y que vende —negocio— a otras empresas, a las familias o a las Administraciones públicas, lo que le permite alcanzar sus fines y objetivos, donde el principal es el del beneficio o ganancia.**

Las empresas podemos clasificarlas siguiendo diferentes criterios, siendo los principales actividad, tamaño y forma jurídica.

A) Atendiendo a la **naturaleza de su actividad** (de lo que producen) agrupamos las empresas en **sectores:** ***primario, secundario, construcción*** y ***terciario* o de *servicios*.**

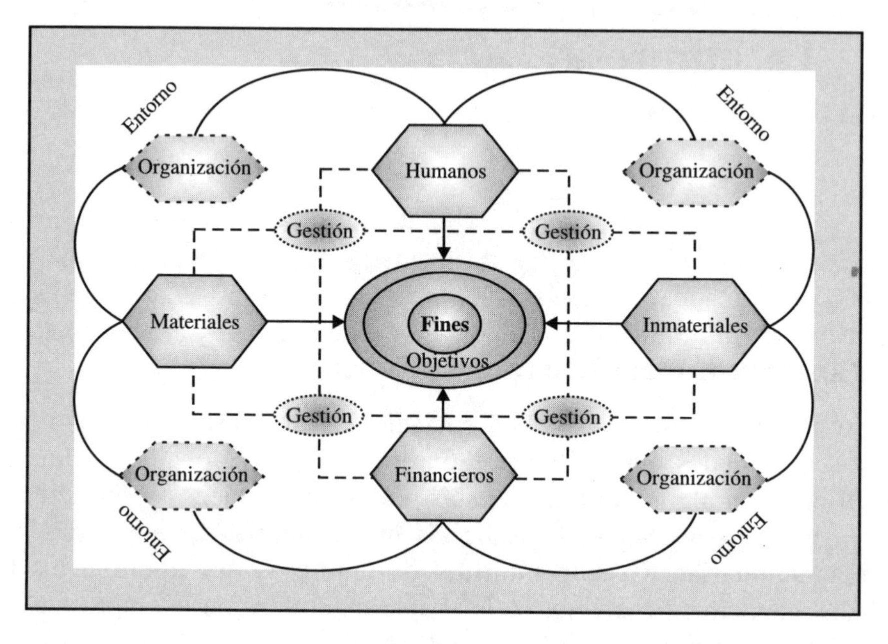

Figura 1.1

El ***sector primario*** es el que abarca las actividades que suponen una extracción de la naturaleza. Se entiende que forman parte del sector primario la minería, la agricultura, la ganadería, la pesca y la silvicultura.

El ***sector secundario*** comprende todas las actividades que implican la transformación de materias primas u otros productos a través de procesos industriales. Aquí se suelen incluir la siderurgia, la industrias mecánicas (automóvil, maquinaria, etc.), química, textil, etc. La ***construcción,*** aunque forma parte del sector secundario, suele considerarse aparte, pues su importancia le confiere entidad propia.

El ***sector terciario,* o de *servicios,*** agrupa un amplio y diverso elenco de actividades cuyo común denominador es que utilizan distintas clases de equipo y de trabajo humano para atender las demandas de transporte, comunicaciones, turismo, banca, seguros, salud, y así un largo etcétera. Las economías más desarrolladas se caracterizan por una mayor importancia o peso de aquellos sectores con un mayor valor añadido: *servicios,* en primer lugar, *construcción* e *industria*. De hecho, en las últimas décadas se ha producido en nuestro país un crecimiento del sector servicios (principalmente debido al desarrollo turístico) y una merma muy considerable en las actividades propias del sector *primario.*

B) Otro criterio de clasificación, y también un factor de peso a la hora de analizar el desarrollo e importancia de las empresas, es su **tamaño.** La unidad de medida más universalmente aceptada a la hora de medir el tamaño de las empresas es la del *número de empleados*, ya que de hecho son las principales creadoras de empleo.

Se consideran ***microempresas*** aquellas con menos de 10 empleados, ***empresas pequeñas*** cuando no alcanzan los 50 trabajadores en plantilla (hasta 49 empleados), ***medianas*** las que están entre 50 y 250 empleados, sin alcanzar esta última cifra (de 50 a 249 empleados)[1], y ***grandes*** aquellas con 250 o más empleados.

La clasificación de las empresas por su tamaño tiene gran importancia práctica, pues muchas medidas y ayudas que afectan y benefician a las empresas lo hacen en virtud de su tamaño. Ahora bien, las nuevas tecnologías han distorsionado de alguna manera la objetividad de este criterio, pues gracias a ellas el potencial de ventas y beneficio de una empresa puede crecer sin que lo haga (e incluso disminuya) el número de sus empleados. Es por esto que la Unión Europea ha establecido, sobre todo a efectos de ayudas y medidas empresariales, junto al criterio de número de empleados, tres criterios discriminantes más que actúan de forma complementaria y excluyente, como se muestra en el cuadro siguiente (tabla 1.1).

Tabla 1.1. Clasificación de la Unión Europea

CRITERIO	TIPO DE EMPRESA		
	MICROEMPRESA	PEQUEÑA EMPRESA	MEDIANA EMPRESA
Número de empleados.	Menos de 10 empleados.	Menos de 50 empleados.	Menos de 250 empleados.
Volumen anual de negocio.		Menos de 7 millones de €.	Menos de 40 millones de €.
Balance total.		Menos de 5 millones de €.	Menos de 27 millones de €.
Independencia.	Como máximo el 25 por 100 de su capital o de sus derechos a voto pueden pertenecer a una o varias empresas que no respondan a esta definición de pyme.		

Conforme a esto, para que una empresa pueda ser considerada micro, pequeña o mediana, además de no sobrepasar el número de empleados

[1] Algunos autores consideran que las *empresas medianas* son las que tienen más de 50 hasta 500 empleados (50 a 499), y *empresas grandes* las que tienen 500 o más empleados. Nosotros optamos por establecer el límite entre medianas y grandes en 250 empleados, a tenor de la realidad de nuestro país y de la Unión Europea.

establecido, no debe incumplir ninguno de los criterios subsiguientes, pues dejaría de tener dicha consideración.

En España, en 2004, según datos del Directorio Central de Empresas (DIRCE) del Instituto Nacional de Estadística (INE), existían casi tres millones de empresas (2.942.583) de las que 2.765.745 (93,99%) no alcanzaban los diez asalariados (microempresas), y las pequeñas suponían el 5,15 por 100 del total (151.512); es decir, el 99 por 100 de nuestro tejido empresarial está compuesto por micro y pequeñas empresas (mypes), lo que nos da una idea de su importancia cuantitativa y cualitativa.

Esta tónica la encontramos en los países de nuestro entorno inmediato, más concretamente en la Unión Europea, que globalmente considerada presenta una distribución muy similar a la española.

La realidad nos pone de manifiesto la importancia creciente de las *mypes* en nuestra economía y la de nuestro entorno natural (la Unión Europea). De hecho, en el nuevo ***escenario global*** en que ya nos movemos, donde sigue siendo acuciante el problema del desempleo, el desarrollo de nuevas tecnologías y otros factores están propiciando políticas de empleo que ponen un especial énfasis en el desarrollo de una cultura empresarial y una formación que favorezca el autoempleo y la creación de empresas, fundamentalmente micro y pequeñas. Esto nos lleva a orientar la presente obra hacia la micro y la pequeña empresa, que serán sin lugar a dudas las auténticas protagonistas del futuro, como lo han venido siendo hasta ahora, si bien teniendo muy en cuenta que por su tamaño ninguna empresa puede sustraerse de la realidad que la circunda y que es igual para todas; es decir, no podemos obviar el hecho de la ***globalización*** que está afectando y afectará con mayor intensidad a todo tipo de actividad económica y en todo territorio sin excepción.

C) Otro aspecto de interés que conviene abordar es el de la **forma jurídica** bajo la cual se desarrolla la actividad empresarial, que va desde el empresario individual o autónomo hasta la empresa con personalidad jurídica propia, y que abordaremos con más detenimiento y detalle en su capítulo correspondiente de esta obra.

En España predomina el ***empresario individual*** (1.738.456 en 2004, según el DIRCE del INE). Siguen en importancia las ***sociedades de responsabilidad limitada*** (839.958 empresas, mismas fuentes), que en los últimos años han experimentado un gran auge, sobre todo a partir de la última reforma mercantil en la que además se regulan las sociedades unipersonales tanto anónimas como limitadas, coincidiendo con la implementación de las políticas de empleo con énfasis en la creación empresarial. Esta forma jurídica es sin duda la preferida en las empresas de reciente creación por varios motivos: su capital social, a partir sólo de 3.005,06 €, y la simplicidad de sus trámites.

Las ***sociedades anónimas,*** debido al capital mínimo exigido para su constitución (60.101,21 €) y a sus requisitos y exigencias de tipo legal y fiscal, se están orientando hacia empresas medianas y grandes. En 2004 había en España, según fuentes citadas, 122.579 empresas de este tipo. Las ***cooperativas*** y otras formas de marcado carácter social (sociedades laborales, anónimas y de responsabilidad limitada) no acaban de cuajar a pesar de las ayudas que reciben en su constitución y primeros años de vida, destinadas a su promoción para la recolocación en sectores en reconversión.

El elevado porcentaje de autónomos y sociedades de responsabilidad limitada nos refuerza la evidencia comprobada del elevado número de pequeñas empresas que componen el tejido empresarial de nuestro país.

2. Principios y objetivos de la actividad empresarial

Toda empresa, desde la más pequeña hasta la más grande y de cualquier sector de actividad, debe tener en cuenta a la hora de su creación y puesta en marcha y a lo largo de su vida una serie de **principios** que constituyen el propio fundamento del mundo de los negocios y que representan las normas básicas de obligado cumplimiento, pues en caso contrario peligra su propia supervivencia, ya que difícilmente alcanzaría sus objetivos. Estos principios son: *beneficio, equilibrio financiero, eficiencia* y *calidad.*

El *beneficio* es el excedente de los ingresos obtenidos por la venta de los productos y servicios de la empresa sobre los costes que le ha ocasionado producirlos y venderlos. El beneficio garantiza la supervivencia de la empresa, es su razón de ser como inversión, pues si no se esperase obtener un beneficio nadie crearía empresas.

El *equilibrio financiero* consiste en la adecuación cuantitativa y temporal de las corrientes de cobros y pagos de la empresa, y entre los derechos de cobro y propiedades de la empresa (activo) con sus obligaciones de pago y deudas (pasivo). Si una empresa no guarda este equilibrio en su actividad diaria corre el riesgo de tener graves problemas de liquidez y solvencia e incluso de desaparecer.

La *eficiencia* supone que la empresa debe alcanzar sus objetivos de la mejor manera posible y con los menores costes. Medidas de la eficiencia

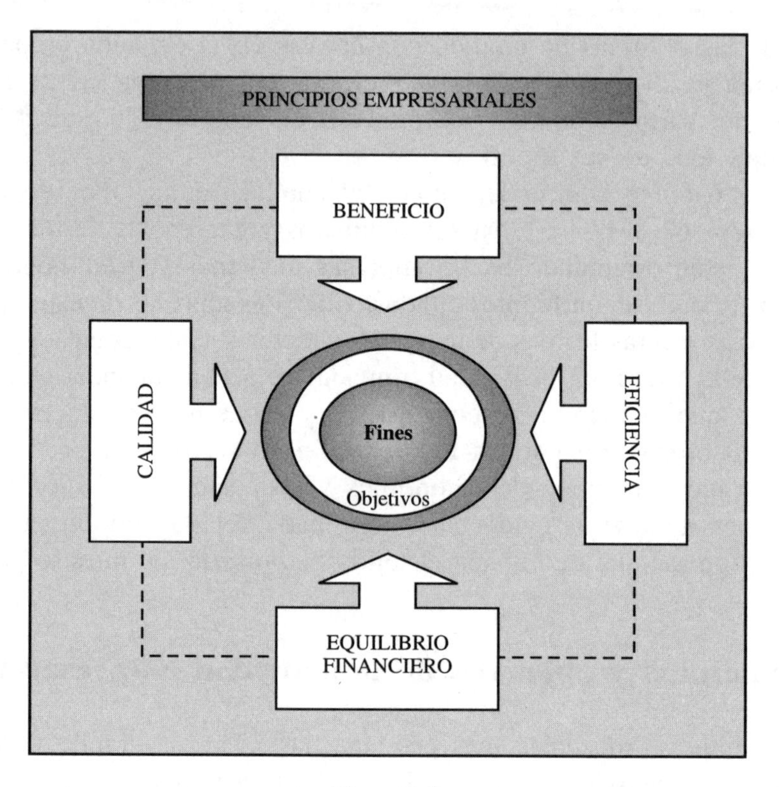

Figura 1.2

empresarial son la rentabilidad y la productividad, que son índices o medidas relativas. No debe confundirse la eficiencia con la eficacia; esta última hace referencia al logro de un objetivo, mientras que la eficiencia tiene además en cuenta los recursos empleados en ello.

La *calidad* es un principio que últimamente está alcanzando gran relevancia, pues se ha convertido en uno de los principales factores de competitividad, sobre todo en las economías desarrolladas como la nuestra. Además, en estas sociedades se imponen por ley unas cotas de calidad en todos los productos, como fácilmente podemos observar cuando nos informan de su composición, caducidad o nos ofrecen un plazo de garantía de funcionamiento.

A lo largo de su vida una empresa puede plantearse múltiples objetivos, todos ellos sustentados sobre los principios que acabamos de ver. Toda empresa debe tener desde el principio muy claros los objetivos que desea alcanzar en un determinado horizonte temporal (anual o superior), pues en caso contrario su gestión sería errática, sin rumbo. Por ello es conveniente conocer los tipos de objetivos que se puede plantear una empresa. Estos objetivos pueden ser muy diversos, por lo que los podemos clasificar según distintos criterios: por su *naturaleza,* según su *ámbito de influencia* y según su *alcance temporal.*

Según su *naturaleza* los objetivos de una empresa pueden ser:

— *Económicos:* beneficio (en términos absolutos), rentabilidad y dividendos (remunerar con ellos a los accionistas o propietarios), principalmente.
— *Financieros:* liquidez, solvencia, endeudamiento, capitalización, etc.
— *Técnicos:* productividad, capacidad instalada, calidad, etc.
— *Sociales*: respeto ecológico, imagen, etc.
— *Crecimiento:* participación en el mercado, tasa de crecimiento de las ventas, etc.

Según su *ámbito de influencia* en la empresa los objetivos pueden ser:

Generales, cuando afectan a toda la empresa.
— *Funcionales,* si sólo atañen a un departamento o área funcional de la empresa.

Según su *alcance* u *horizonte temporal,* los objetivos de una empresa pueden ser:

— *Estratégicos,* cuando están relacionados con las grandes líneas de actuación de la empresa, de manera que orientan su evolución a largo plazo.
— *Tácticos,* cuando obedecen a planteamientos a corto plazo y su logro continuado contribuye a la consecución de los objetivos estratégicos.

3. Las pequeñas empresas: ventajas e inconvenientes

No debe desalentar al emprendedor el hecho de que vaya a poner en marcha una empresa de reducida dimensión. Ya hemos visto el importante peso que las *mypes* tienen en nuestro tejido económico, y como veremos ahora aquí las empresas de pequeño tamaño presentan una serie de peculiaridades que pueden, bien gestionadas, ser auténticas ventajas; pero también como consecuencia de su tamaño se enfrentan a ciertos obstáculos y dificultades.

En los últimos años las pequeñas empresas han ido adquiriendo una importancia creciente en la dinámica económica y social por muy diversos motivos que se irán apuntando. Bien es cierto que a mediados de la recién terminada centuria, los economistas predijeron el predominio de las grandes empresas, y así fue durante décadas, ya que era necesario un gran tamaño para conseguir economías de escala, acceder a mercados foráneos y mantenerse en la vanguardia de las oportunidades, la normativa y las tecnologías; de hecho, durante los años sesenta y setenta las grandes corporaciones dominaban el escenario económico mundial. Pero a partir de mediados de la década de los ochenta la tendencia empieza a cambiar debido a los desarrollos tecnológicos y de la información que marcan el ritmo de la globalización. Las grandes empresas entonces comienzan a reestructurarse, subcontratan, ajustan sus dimensiones y van dejando un espacio cada vez mayor a las pequeñas empresas. Actualmente la importancia de las empresas pequeñas es increíble, ya que *«en la Unión Europea existía, hasta el año 2000, un tejido productivo de unos veinte millones de empresas, sin contar el sector agrario, de las cuales el 93,2 por 100 cuenta con menos de 9 asalariados; el 5,8 por 100 de 10 a 49 asalariados; sólo el 0,8 por 100 cuenta con 50-249 asalariados y el 0,2 por 100 se consideran grandes empresas. Ello implica que el 98,8 por 100 de las empresas europeas, excluidas las agrarias, según Eurostat, son definibles como pequeñas empresas».* (Comité Económico y Social Europeo, 2003; p. 4). Estos porcentajes agregados son muy similares en cada uno de los miembros actuales de la UE, con muy escasas diferencias. Pero es que la importancia de estas empresas va más allá de las simples cifras estadísticas, ya que económicamente en la UE *«las pequeñas empresas y las microempresas componen un entramado extenso y generalizado de la economía europea y constituyen una fuente importante de empleo. De hecho, las PYME proporcionan dos tercios de los puestos de trabajo»* (ídem, p. 7); y es una tendencia creciente y que se consolida pues *«en términos dinámicos, las grandes empresas perdieron puestos de trabajo entre 1988 y 2001, mientras que el empleo aumentó en el sector de las PYME.* [Y en este período, aunque ahora se aprecia una ralentización] *la mayor parte del empleo de Europa lo crearon las microempresas, en tanto que las grandes empresas perdían puestos de trabajo»* (ibídem, p. 7). Junto con la generación de empleo, la propia UE reconoce otros motivos que hacen interesante la creación de empresas de reducida dimensión (Comité Económico y Social Europeo, 2003, p. 10):

— Para ampliar la base productiva.
— Para industrializar las zonas más atrasadas.
— Para regenerar un sector o una región en lo que se refiere a personal, métodos de producción y organización, innovaciones, etc.
— Para modificar o diversificar la estructura económica y productiva de un país o de una región.

Todo esto hace que las políticas orientadas a favorecer la creación de nuevas empresas, sobre todo microempresas y pequeñas empresas, sea una prioridad de la UE en su conjunto y nacional de cada uno de sus estados miembros.

Las pequeñas empresas presentan una serie de peculiaridades (algunas verdaderas ventajas si se saben aprovechar por el emprendedor) que las hacen cada vez más interesantes como instrumento de dinamización económica por parte de las políticas estatales, sobre todo en lo que se refiere a la estabilidad de una determinada zona y a la creación de empleo (Neck, 1978). Entre estas **peculiaridades** destacamos:

— **Empleo.** En general requieren menos inversión en capital fijo para crear un nuevo puesto de trabajo (Neck, 1978), por lo que son las que más trabajo directo e indirecto crean por unidad de capital invertido y por tanto las más intensivas en trabajo (Kenneth, 1988).
— **Mercados especializados.** Existen numerosos mercados muy especializados que no son atractivos para las grandes empresas pero sí son idóneos para las pequeñas (Kenneth, 1988): en productos de demandas muy concretas, en mercados muy localizados, etc. También su especialización en determinadas actividades (construcción, obras públicas y servicios fundamentalmente), junto con la actual regulación normativa, les está permitiendo aprovechar cada vez mayores oportunidades en el mercado de la contratación pública, como se señala en el *Sexto Informe del Observatorio Europeo para las PYME.*
— **Atención directa.** Son muy útiles para atender las demandas de proximidad, produciendo para aquellos mercados más próximos (Neck, 1978).
— **Dirección.** Precisan de una dirección más sencilla y menos costosa que la de las grandes empresas (Neck, 1978).

— **Tecnología.** No suelen verse sometidas a la adquisición y uso de tecnologías sofisticadas, tan propias de las grandes empresas (Neck, 1978).
— **Flexibilidad y dinamismo.** Para adaptarse a nuevas situaciones y a la competencia, tomar decisiones (al existir menos niveles jerárquicos), efectuar cambios, etc. (Gales, 1996).
— **Estabilidad y compromiso.** Aportan a las zonas en que operan estabilidad, y debido a su proximidad con el mercado y la población en general adquieren mayores compromisos éticos, medioambientales, etc. (Kenneth, 1988), mejorando en suma el bienestar de la región.
— **Popularidad y empatía.** Suelen ser más aceptadas por el público en general que las grandes empresas, debido a su *cara* más humana y a su proximidad. Además, a sus empleados y clientes les resulta más fácil identificarse con la empresa, empatizar con ella (Reid y Jacobsen, 1988).

No obstante, las pequeñas empresas se enfrentan a una serie de **obstáculos e inconvenientes** que conviene conozca el emprendedor. Según el estudio realizado para la UE y materializado en el *Sexto Informe* ya referido, los principales obstáculos e inconvenientes a los que se enfrentan las empresas de la Unión son:

— **Liberalización de horarios comerciales minoristas.** Son realmente las grandes redes comerciales las que se benefician más de esta medida, ya que a las pequeñas a veces les supone un coste excesivo que no compensa el abrir fuera del horario habitual.
— **Normativa específica,** tal como la de protección al consumidor, regulación del trabajo y ciertos trámites necesarios en determinadas actividades, que suponen unos costes excesivos a estas empresas en relación con su dimensión.
— **Falta de mano de obra cualificada.** La mayoría del personal cualificado prefiere trabajar en empresas grandes que pequeñas por muy diversos motivos (remuneración, perspectivas de carrera profesional, estabilidad laboral, etc.). Esto hace que las pequeñas empresas tengan auténticos problemas cuando se trata de reclutar y emplear este tipo de mano de obra, y que también sufran una mayor tasa de rotación de personal.
— **Financiación exterior.** La búsqueda y obtención de financiación ajena, sobre todo crediticia, es más difícil para las pequeñas empre-

sas. Se les exigen garantías que en muchas ocasiones trascienden del ámbito empresarial y afectan al propio patrimonio personal de sus propietarios.

— **Capacidad de negociación con proveedores.** Éstos suelen imponer condiciones más rígidas a las empresas pequeñas: al ser menor su volumen de compras tienen menos acceso a descuentos y condiciones especiales en precios y formas de pago.

— **Morosidad.** Ésta afecta más a las pequeñas empresas. Por un lado, muchas de estas empresas para competir tienen que hacerlo vía condiciones de pago a sus clientes, y éstos en caso de falta de liquidez deciden dejar de pagar a un proveedor pequeño antes que a uno grande. También las pequeñas empresas suelen contar con menos medios para luchar contra la morosidad, y sus clientes lo saben.

Como hemos dicho es muy importante que el emprendedor que vaya a iniciar la fascinante aventura de poner en marcha su empresa conozca de antemano esta realidad a la que se va a enfrentar para que tome las precauciones que pueda considerar necesarias.

4. Recomendaciones para crear empresas que duren y crezcan

Ante este panorama para una pequeña empresa, ¿qué se puede hacer? No existe un catálogo único de consejos o recomendaciones, pues la realidad empresarial es tan diversa y compleja que dependiendo de cada caso y desde dónde se analice podemos tener unas u otras recomendaciones, eso sí, todas válidas. Por ello consideramos conveniente ofrecer al futuro emprendedor unas cuantas relaciones de consejos y recomendaciones efectuadas por diversos investigadores y conocedores de la materia en las que encontrará muchas que se ajusten en cada momento a su realidad.

Una característica común entre las nuevas empresas (sobre todo entre las más pequeñas) es su alto índice de mortalidad. La mayoría de las empresas que desaparecen son de nuevo cuño, encontrándose dentro de sus treinta y seis primeros meses de actividad. Las razones de tan elevada mortandad son muy diversas. Ahora pretendemos revisar algunas de las principales recomendaciones que desde el terreno de la investigación se ofrecen a los nuevos emprendedores para que su empresa sea sustentable, es decir, consiga sobrepasar la barrera *psicológica* de los 36-42 meses de vida y se proyecte con expectativas de futuro. Estas recomendaciones surgen, como veremos, del estudio de las causas de fracaso más recurrentes contrastadas con el análisis de aquellas empresas similares que han tenido éxito.

Para Brandt (1982), los motivos de la desaparición de las empresas jóvenes se encuentran en su misma génesis y son de naturaleza muy diversa, de forma que son errores y falta de visión desde la misma concepción. Propone al emprendedor un decálogo de recomendaciones para crear una empresa con potencial de crecimiento (Brandt, 1982):

- I. Limitar el número de participantes en el negocio a aquellas personas que puedan estar de acuerdo y contribuir a aquello que la empresa debe hacer, para quién y cuándo.
- II. Definir el negocio de la empresa en términos de lo que alguien tendrá que comprar, quién tendrá que comprarlo y por qué.
- III. Concentrar todos los recursos posibles en alcanzar dos o tres objetivos operativos en un determinado período de tiempo.
- IV. Preparar y trabajar a partir de un plan escrito que establezca quién tiene que hacer cada cosa, cuándo y cómo.
- V. Emplear personas clave con un currículo de realizaciones exitosas que estén dispuestas a actuar de acuerdo con el sistema de valores de la empresa.
- VI. Premiar los resultados individuales que superen los estándares.
- VII. Ampliar metódicamente desde una base rentable a un negocio equilibrado.
- VIII. Proyectar, controlar y conservar la liquidez y la capacidad de crédito.
- IX. Mantener un punto de vista independiente y externo.
- X. Anticipar continuamente el cambio sometiendo periódicamente a test los planes de negocios adoptados para comprobar su congruencia con las realidades del mercado.

Resumiendo, podemos decir que para crear una empresa hace falta *a*) un grupo de gentes que compartan la misma visión y se sientan igualmente comprometidas (identidad de objetivos e intereses); *b*) tener muy claro a qué se va a dedicar la empresa y a quién va dirigido su producto; *c*) no improvisar, planificar objetivos y acciones en un tiempo determinado, y *d*) ser realista y estudiar la evolución del entorno para anticiparse a él, ser visionario (Brandt, 1982).

Allen (2002), apoyándose en sus experiencias personales como emprendedor y consultor, da una serie de claves, principios y prácticas para tener éxito en los negocios partiendo de cero. Según él, todo emprendedor de éxito es un *emprendedor visionario,* es decir, con una perspectiva integral y espiritual de la empresa o negocio que emprende. El éxito del emprendedor visionario se encuentra en trece claves o recomendaciones que propone el autor:

I. El emprendedor debe antes que nada imaginar su escenario ideal, y plasmarlo por escrito en su plan de empresa.
II. La redacción del plan de negocio o empresa ha de recoger la visión del emprendedor de forma clara y concisa.
III. Todo emprendedor debe perseguir un propósito más elevado que el simple hecho de alcanzar el éxito con su empresa. Éste es el vehículo para alcanzar esa misión.
IV. De la adversidad también se puede obtener un beneficio en términos de enseñanza para alcanzar el éxito.
V. No improvisar. Hay que planificar los objetivos concretos, las acciones, los recursos y las personas.
VI. Hay que evitar la dirección por crisis o acontecimientos, y establecer objetivos anuales claros y realistas.
VII. Hay que ser generoso con los empleados y recompensarles bien.
VIII. Amar el cambio.
IX. Las experiencias vividas nos marcan, hay que reflexionar sobre ellas y descubrir las convicciones fundamentales que nos han ido forjando.
X. La empresa, como las personas, tienen tres fases: infancia, adolescencia y edad adulta. Cada fase requiere una serie de elementos que le son propios.
XI. No ver en la empresa y sus negocios sólo el aspecto material y pecuniario; hay que considerar también su aspecto místico.
XII. El emprendedor debe hacer en su empresa lo que realmente le gusta hacer, creando así una empresa visionaria a su estilo y semejanza.
XIII. El propósito último, el objetivo elevado, la auténtica misión del emprendedor visionario, lo que le facilitará el éxito, es transformar el mundo haciendo lo que más le gusta hacer.

Este autor (Allen, 2002) viene a decirnos que toda empresa con éxito se basa en una visión y ha de tener un propósito superior al de ganar dinero. La visión no es más que imaginar con claridad el crecimiento y desarrollo de la empresa mucho antes de que el crecimiento se produzca en la realidad física (ídem). Si se parte de una idea clara y bien definida y se concreta esta visión en un plan de empresa adecuadamente redactado, se tienen mayores posibilidades de éxito, ya que, así planteados, no hay malos negocios sino únicamente malos gerentes (ibídem).

Bhide (1996), basándose en la observación de varios cientos de empresas pequeñas de reciente creación y futuro aleatorio durante casi una década, considera que con independencia de las razones tradicionalmente esgrimidas para explicar el fracaso o éxito de una nueva empresa, el auténtico problema al que se enfrentan éstas no es otro que el vasto y complejo mundo de retos y amenazas en que han de sobrevivir tomando decisiones. Para ello propone al emprendedor que antes que nada defina con claridad sus metas, la estrategia para alcanzarlas y la forma en que se materializará esa estrategia, y que periódicamente revise estos elementos en forma de preguntas: *«¿cuáles son mis metas?, ¿sigo la estrategia adecuada?, ¿puedo materializar esa estrategia?»*. Estas preguntas forman una secuencia, de forma que no se abordará una si la anterior no se ha respondido satisfactoria y afirmativamente.

A la hora de definir las metas el emprendedor debe tener presentes sus aspiraciones personales, la empresa que desea montar, su tamaño y duración en el tiempo y el riesgo que está dispuesto a tolerar. La estrategia debe estar claramente definida teniendo en cuenta la rentabilidad esperada, el potencial de crecimiento del sector y de la empresa, el tiempo de aplicación de la estrategia y la tasa de crecimiento esperada. A la hora de implementarla ha de conocer los recursos que necesita y de los que dispone, la estructura de la organización y el papel que en esta materialización va a jugar el propio emprendedor. Periódicamente, a fin de mantener a la empresa competitiva, ha de replantearse estos tres elementos. Por último, todo lo dicho debe quedar plasmado por escrito para facilitar su análisis y seguimiento.

El común denominador de estos autores está en la planificación, en la no improvisación, y la constatación documental de lo que se va a hacer, lo que se consigue efectuando un plan de empresa en el que se recojan de forma pormenorizada todos los elementos esenciales del proyecto empresarial. Y este plan debe partir de una idea clara y contrastada. En suma, idea y plan de empresa son los elementos clave en la ayuda del éxito emprendedor.

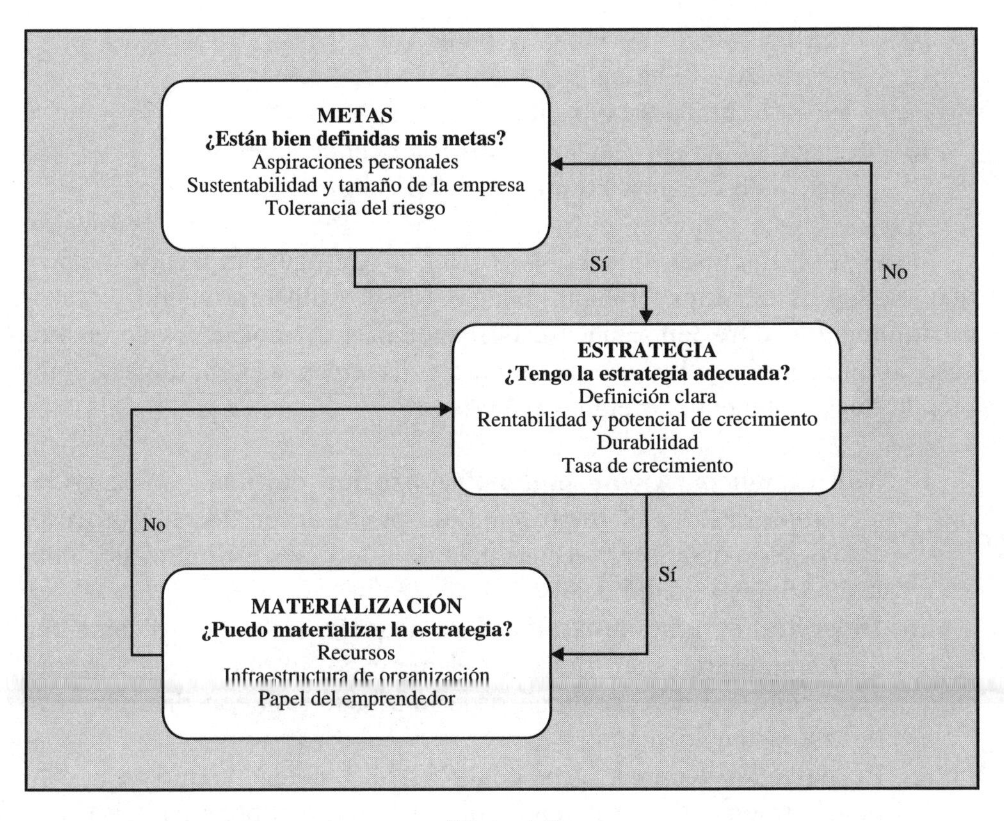

Figura 1.3

Un destacado estudioso del mundo emprendedor como es Jeffry Timmons (1989) también ofrece un conjunto de recomendaciones para lanzar una empresa exitosa, que pone el peso en el propio emprendedor y en las personas que le acompañarán:

1. Compromiso total, determinación y perseverancia.
2. Voluntad de conseguir y de crecer.
3. Iniciativa y responsabilidad personal.
4. Persistencia en la solución de problemas.
5. Conciencia de las propias limitaciones y sentido del humor.
6. Capacidad de buscar consejo y retroalimentación.
7. Confianza en las propias capacidades.
8. Capacidad de tolerar la ambigüedad, la tensión y la incertidumbre.
9. Saber tomar riesgos calculados y saber compartir el riesgo.

10. Poca necesidad de estatus y poder.
11. Integridad y fiabilidad.
12. Decisión, urgencia y paciencia.
13. Capacidad de superar los fallos y aprender de ellos.
14. Capacidad de crear equipos y hacer héroes.

Otra visión interesante es la que ofrece el **Centro Emprende** (2002), que, basándose en su experiencia de años (desde 1999) formando y asesorando emprendedores en España e Hispanoamérica, considera que el proceso de creación de empresas sustentables (viables y perdurables) comprende nueve elementos o etapas genéricas:

1. **Motivación para emprender-Preparación cultural.** El deseo de ser empresario es el imprescindible punto de partida del proceso; este deseo puede ser consecuencia de diferentes estímulos personales, sociales y culturales.
2. **Detección de una oportunidad de negocio.** Debe identificarse una idea empresarial con futuro en el mercado, lo que puede ser consecuencia de una casualidad o de una búsqueda con distintos grados de sistematización.
3. **Preparación técnica.** Debe conocerse el funcionamiento de la economía (elementos principales del sistema de libre mercado) y la empresa (gestión estratégica y operativa).
4. **Diseño del proyecto empresarial.** Los conocimientos anteriores deben aplicarse a la idea de negocio concreta para diseñar un concepto de negocio sólido y viable en el mercado objetivo. Este diseño puede realizarse con distintos grados de rigor metodológico: desde la definición informal (análisis de la idea a través del PVI, por ejemplo), hasta la estructuración de contenidos en torno a instrumentos como el plan de empresa o el más avanzado plan de viabilidad.
5. **Consecución de los recursos necesarios.** Diseñar el proyecto empresarial conlleva entre otras cosas identificar los recursos (materiales, humanos, financieros, etc.) necesarios para poner en marcha el proyecto.
6. **Puesta en marcha.** La apertura de una nueva empresa lleva asociada la consideración de toda una serie de cuestiones específicas (elección del momento comercial propicio, satisfacción de los trámites legales, fiscales y administrativos pertinentes, etc.).

7. **Primera gestión (fase de introducción): adaptación y supervivencia.** El proceso de creación de una empresa viable no termina con la apertura de la misma. A partir de entonces se inicia un período crítico de gestión cuya primera fase tiene como prioridades darse a conocer, adaptarse a la respuesta del mercado y sobrevivir.
8. **Segunda gestión (fase de consolidación): fijación de los conocimientos del negocio.** Una vez garantizada la supervivencia inicial, el paso siguiente es la consolidación de los cimientos básicos del negocio: asegurar que el concepto empresarial definido funciona en el primer entorno comercial explorado.
9. **Tercera gestión (fase de crecimiento): expansión productiva y/o geográfica.** Contrastada la viabilidad de la empresa en el mercado limitado, el paso siguiente es la expansión del concepto empresarial en términos productivos (nuevas líneas comerciales) o geográficos (nuevos mercados). Considerar el crecimiento como un objetivo empresarial es una garantía estratégica contra las amenazas del estancamiento y la debilidad frente a los competidores, circunstancias estas que en un mercado abierto a la competencia conducen frecuentemente a la desaparición de la empresa que no crece.

Pero no debemos olvidar que la empresa debe proyectarse en el futuro y que no basta con ser emprendedor en el momento de la creación y los primeros años de vida, hay que serlo siempre. Una empresa que sobrevive lo consigue porque es una empresa emprendedora, y lo será si tiene unos gerentes emprendedores. En este caso las recomendaciones anteriores también le son aplicables a las empresas que ya han sobrepasado la barrera psicológica de los tres años de supervivencia, si bien podemos indicar algún tipo concreto de recomendaciones para el desarrollo de nuevos negocios dentro de la empresa (Block y McMillan, 1993):

1. Diseñar un programa emprendedor que establezca las condiciones favorables para que se generen ideas emprendedoras y defina el proceso para su desarrollo.
2. Preparar un equipo directivo que se encargue de evaluar la viabilidad de las ideas y seleccionarlas.
3. Para cada idea planificar los aspectos básicos para su desarrollo: ubicación, calendario, personal, recursos, etc.

4. Monitorizar la nueva intra-empresa.
5. Destacar la nueva aventura.
6. Aprender de la experiencia.

Con todo esto tenemos una batería de consejos que serán de utilidad al emprendedor si los tiene presentes desde la propia gestación de su nueva (pequeña) empresa.

2 Conocer el entorno empresarial

1. El entorno: conceptos y elementos

Una de las primeras cosas que debe hacer un emprendedor y que le será de gran utilidad tanto para la creación de la nueva empresa como para su devenir como empresario, es aprender a conocer el entorno en que se desenvolverá la empresa. La empresa es un sistema vivo y muy permeable

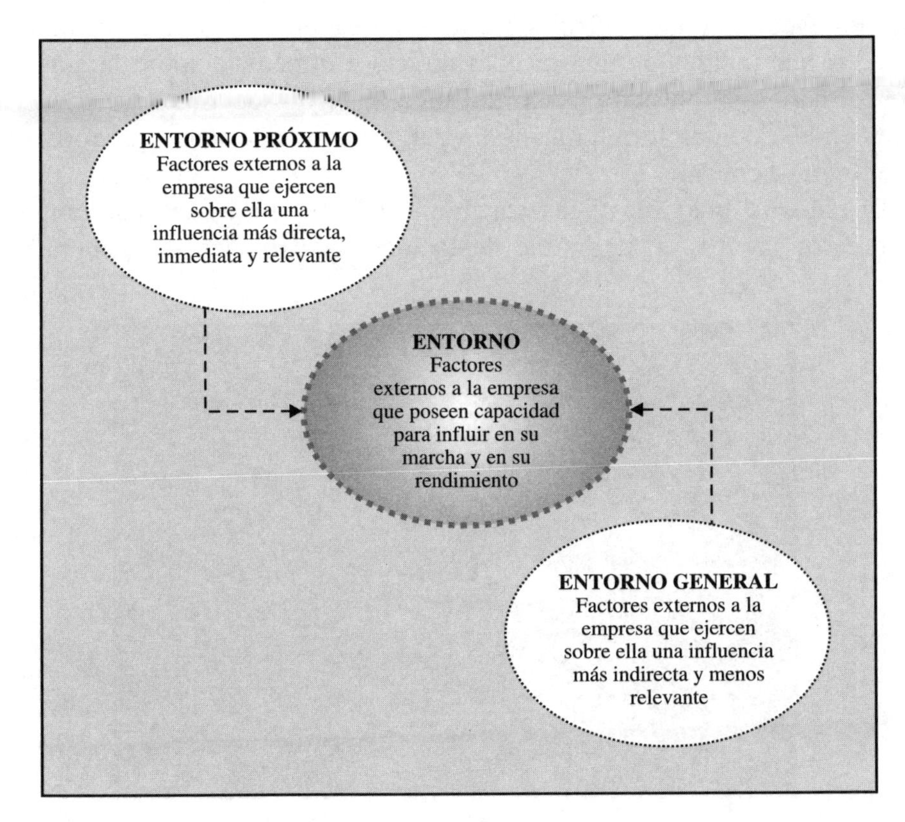

Figura 2.1

cuya supervivencia depende casi exclusivamente de su capacidad de adaptación al entorno donde actúa.

Conocer el entorno de la empresa no es tarea fácil, y supone saber identificar en cada caso los elementos que lo componen, sus relaciones y cómo actúan o pueden incidir sobre la empresa. Pero, ¿qué es el entorno de una empresa?; pues todo aquello que no es la empresa e incide en ella. Es decir, los factores externos a la empresa que no se pueden controlar (o sólo muy parcialmente en algunos, muy pocos, casos) y que poseen capacidad para incidir en su marcha y en su rendimiento.

Los factores o elementos que componen el entorno de una empresa pueden ser de naturaleza muy diversa, e incidir de muy distinta manera en la empresa. Además no todos los factores inciden de igual modo en todas las empresas, por lo que el análisis del entorno de una empresa debe realizarse de manera individualizada.

Podemos no obstante y con carácter general establecer un modelo de análisis que nos permita perfilar el entorno de una empresa. Así agruparemos los factores que inciden sobre la empresa en dos grandes categorías: aquellos que inciden de una manera directa e inmediata sobre la empresa, que formarían su **entorno próximo,** inmediato o específico, y los que inciden en ella de una forma más indirecta y menos relevante, que formarían su **entorno general.**

El **entorno próximo** (véase la figura 2.2) es propio de cada empresa, y en él se encuentran una serie de factores que inciden de manera muy

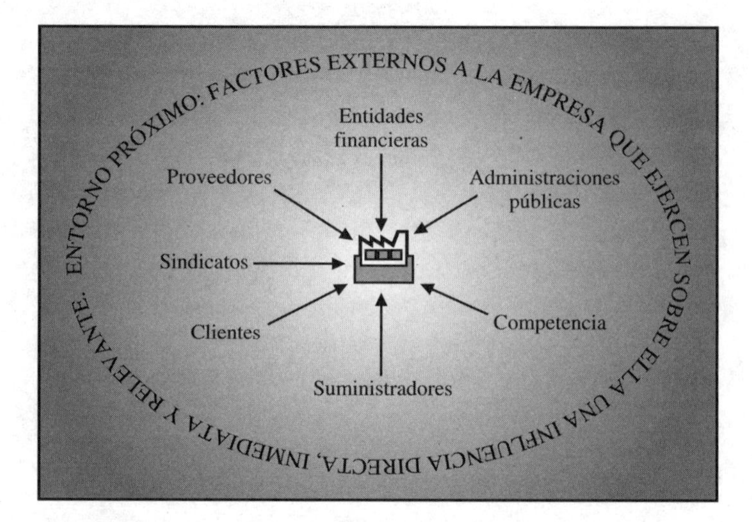

Figura 2.2

clara y directa sobre ella. Los elementos más comunes que forman este entorno son (García del Junco, 2002):

a) **Competencia:** todas las empresas que pueden ser tanto competencia directa (análogo producto y mismo mercado) como sustitutiva (ofertan productos sustitutivos) y complementaria (ofertan productos complementarios). También hay que considerar la competencia actual y la potencial.

b) **Proveedores:** las empresas que proporcionan o pueden proporcionar a la empresa en cuestión los recursos necesarios para su actividad principal.

c) **Clientes:** individuos, familias, instituciones, organizaciones y otras empresas que adquieren o pueden adquirir los productos de la empresa en cuestión.

d) **Suministradores:** empresas que proporcionan a la empresa en cuestión recursos necesarios para el desarrollo de su actividad general: eléctricas, telefónicas, de gas, de combustible, etc.

e) **Entidades financieras:** bancos y cajas, aseguradoras y otros intermediarios financieros a los que la empresa acude en busca de financiación.

f) **Administraciones públicas:** ayuntamientos, administraciones autonómicas, etc., a través de los organismos con los que la empresa tiene relación: delegaciones de Hacienda, Seguridad Social, Inspección del Trabajo, etc.

g) **Sindicatos:** en cuanto que como agrupaciones que representan legalmente a los trabajadores tienen capacidad de negociación con la empresa y pueden afectar a su marcha con ciertas medidas. También se pueden incluir aquí otros grupos de presión.

El **entorno general** (véase la figura 2.3) está formado por un conjunto de factores externos a la empresa que ejercen sobre ella una influencia indirecta y menos relevante e inmediata que los del entorno próximo; puede incluso que su influencia sea potencial, es decir, que pueda darse o no a lo largo del tiempo. Estos factores suelen agruparse por su naturaleza, y los grupos más destacables son (García del Junco, 2002):

a) **Factores económicos:** en general son todos aquellos que afectan al poder adquisitivo de la población y a sus hábitos de gasto o consumo: nivel de renta, tipos de interés, inflación, capacidad de ahorro, etc.

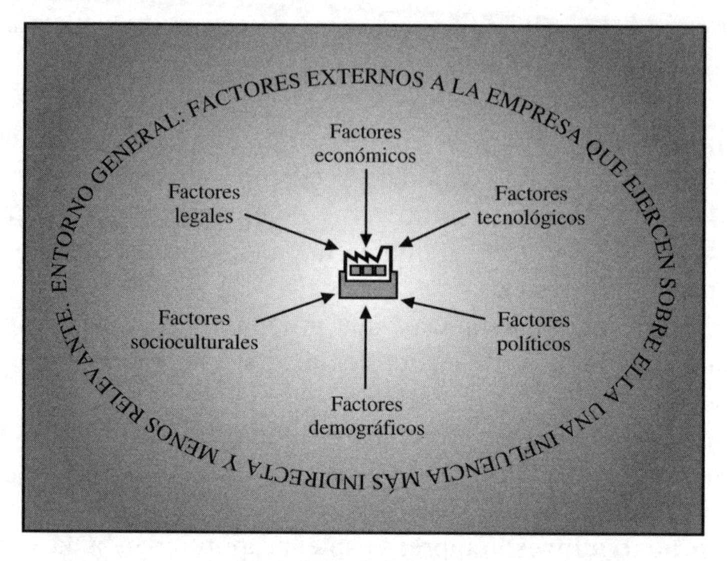

Figura 2.3

b) **Factores demográficos:** las características y evolución de la población, como pirámide de edad, natalidad, mortalidad, sexo, raza, densidad de población, localización espacial (urbana, rural), etc.

c) **Factores socioculturales:** conjunto de instituciones y otros aspectos que afectan a los valores, costumbres, conductas sociales, etc. (iglesia, creencias, asociaciones de todo tipo...).

d) **Factores políticos:** sistema político vigente y el clima que éste genera.

e) **Factores legales:** normativa existente que afecta a aspectos relacionados con la empresa en general (normas mercantiles, fiscales, laborales, medioambientales, de calidad de los productos, sanitarias, etc.).

f) **Factores tecnológicos:** elementos relacionados con conocimientos científicos y técnicos (nuevas tecnologías).

2. Tipos de entorno

Una vez identificados los elementos del entorno tenemos que ver cómo se comporta éste, de manera que podemos distinguir distintos tipos de entornos.

Una **primera clasificación** (véase la figura 2.4) identifica las siguientes clases de entornos:

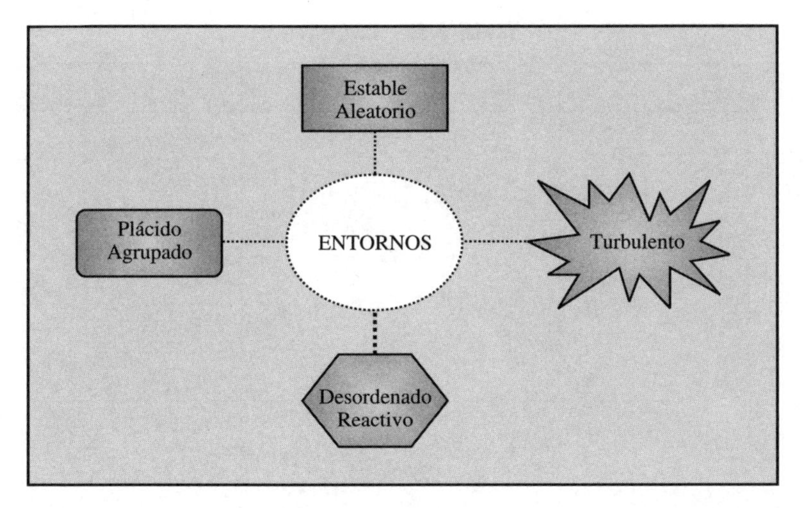

Figura 2.4

a) Entorno estable-aleatorio

En él los factores o elementos que lo integran están relacionados, de manera que con cierta facilidad pueden detectarse dichas relaciones. Además, dichos factores cambian poco y, si lo hacen, estos cambios son de tipo aleatorio. Son entornos con una alta previsibilidad.

b) Entorno plácido-agrupado

Los factores están aún más relacionados que en el caso anterior; casi inexistencia de cambios en los factores, y, por tanto, una muy alta previsibilidad.

c) Entorno desordenado-reactivo

En él existen factores muy diversos que están además muy dispersos. Son además factores muy sensibles a cualquier estímulo e imprevisibles.

d) Entorno turbulento

Una gran cantidad de factores, por lo que resulta muy difícil su identificación, y muy cambiantes por su elevada sensibilidad. Caos.

Una **segunda clasificación** es la que nos muestra la tabla 2.1. En ésta se contemplan tres dimensiones o características del entorno:

Tabla 2.1. Entornos

COMPLEJIDAD	DINAMISMO	INCERTIDUMBRE
Simple	Estático	Alta
		Moderada
		Baja
	Dinámico	Alta
		Moderada
		Baja
Complejo	Estático	Alta
		Moderada
		Baja
	Dinámico	Alta
		Moderada
		Baja

I. Complejidad

Hace referencia al número de factores y sus posibles interacciones; en este sentido los entornos pueden ser ***simples*** y ***complejos***.

II. Dinamismo

Hace referencia a los posibles cambios que se producen en los factores y por tanto en el entorno, y a la rapidez de dichos cambios; en este sentido los entornos pueden ser ***estáticos*** y ***dinámicos***.

III Incertidumbre

Referida al grado de no previsibilidad en los cambios del entorno; en este sentido los entornos pueden ser de una ***incertidumbre alta, moderada*** o ***baja***.

Combinando todas estas características de un entorno, tendremos hasta doce tipos de entornos diferentes.

Es muy importante que el emprendedor identifique los elementos que componen tanto el **entorno próximo,** principalmente, como el **entorno**

general de la futura nueva empresa, pues antes que nada deberá analizar el posible encaje de la empresa y su producto en el mismo (como veremos en el capítulo dedicado al plan de viabilidad de la idea).

3. La empresa en el nuevo entorno global

Será un error de fatales consecuencias que el emprendedor piense que la globalización es algo que no afectará a su futura empresa por ser nueva y pequeña. La globalización es un fenómeno universal que afecta a todo y a todos y que el emprendedor debe conocer en sus aspectos fundamentales.

La dinámica de la globalización es imparable y sus efectos fácilmente percibibles. Es un proceso del que no escapa ninguna faceta humana y que afecta de manera muy especial a las empresas y al empleo. Por tanto, no debemos perder el norte de lo que este proceso está suponiendo y va a suponer en la sociedad, en la economía y en las empresas y el empleo. Nadie es ajeno al mismo, tampoco ninguna empresa con independencia de su actividad y tamaño, por lo que ante cualquier iniciativa en este terreno debe tener presente el escenario global en que irremediablemente deberá desenvolverse el emprendedor y su nueva empresa.

Asistimos a cambios cada vez más rápidos y significativos en la política, en la familia, en las empresas, en las instituciones, etc., provocados por la irrupción sin precedentes de nuevas tecnologías, principalmente las de comunicación, y al surgir de la información, su tratamiento y procesamiento, como pilar fundamental y recurso estratégico en las nuevas **sociedad y economía globales.**

Las tecnologías de la información ***(infotecnologías)*** se han convertido en poco tiempo en las principales herramientas utilizadas por las empresas para sus negocios y decisiones, procesando la información como poderoso recurso estratégico. Esto está provocando la crisis de los modelos tradicionales de organización, en las formas de hacer negocios, y afecta a todas las empresas con independencia de su tamaño y en la práctica totalidad de actividades.

Hablamos ya del mundo como una **aldea global** en tanto que se reduce la distancia a la hora de obtener y trasmitir información, de acceder a mercados locales y puntuales, etc., gracias a las *infotecnologías,* pero paradójicamente (la *paradoja global*) asistimos a un resurgir de valores nacionalistas, étnicos y locales. En este sentido debemos tenerlos presentes

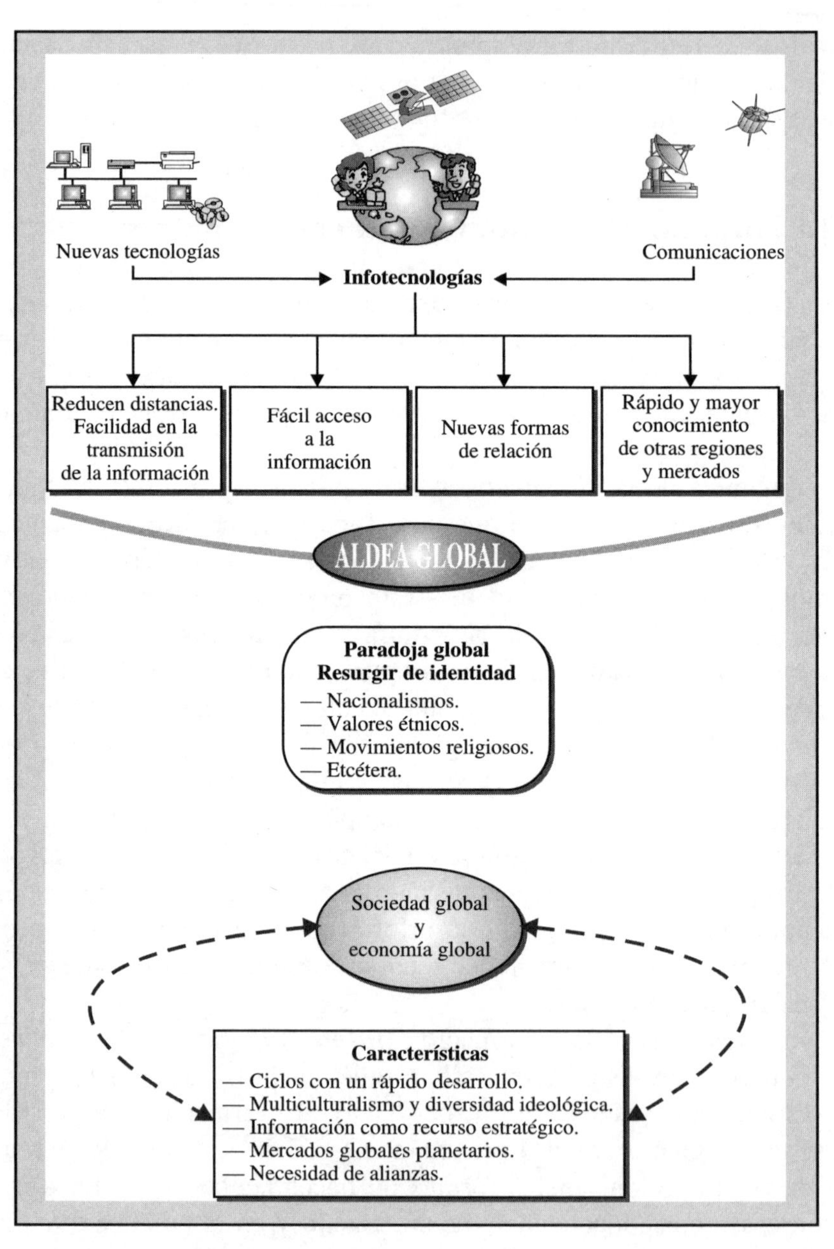

Figura 2.5

como contingentes que afectan ya al desarrollo de iniciativas empresariales. El entorno de las empresas estará también formado por el tejido ideológico y cultural de las sociedades y regiones donde desee desarrollar sus negocios.

Las empresas, desde sus comienzos, se ven abocadas hacia un mercado global que les supondrá tener en cuenta varias regiones, ideologías y culturas, de manera que la única forma de operar eficazmente es hacerlo con el reconocimiento y conocimiento de que estas diversidades imponen sus propias particularidades.

El **nuevo escenario o entorno global** en que las empresas deben ya acostumbrarse a moverse **se caracteriza** por:

1. Ciclos con un desarrollo cada vez más rápido.
2. Multiculturalismo y diversidad ideológica.
3. La información como recurso estratégico.
4. Mercados globales planetarios.
5. Necesidad de alianzas organizacionales.

En este escenario sólo podrán sobrevivir ***empresas globales:*** empresas en cambio permanente, donde la información y el conocimiento serán los recursos imprescindibles (el objetivo de la Unión Europea para el año 2010, planteado en la Cumbre de Lisboa y ratificado en cumbres sucesivas, es hacer de Europa la economía basada en el conocimiento mas competitiva

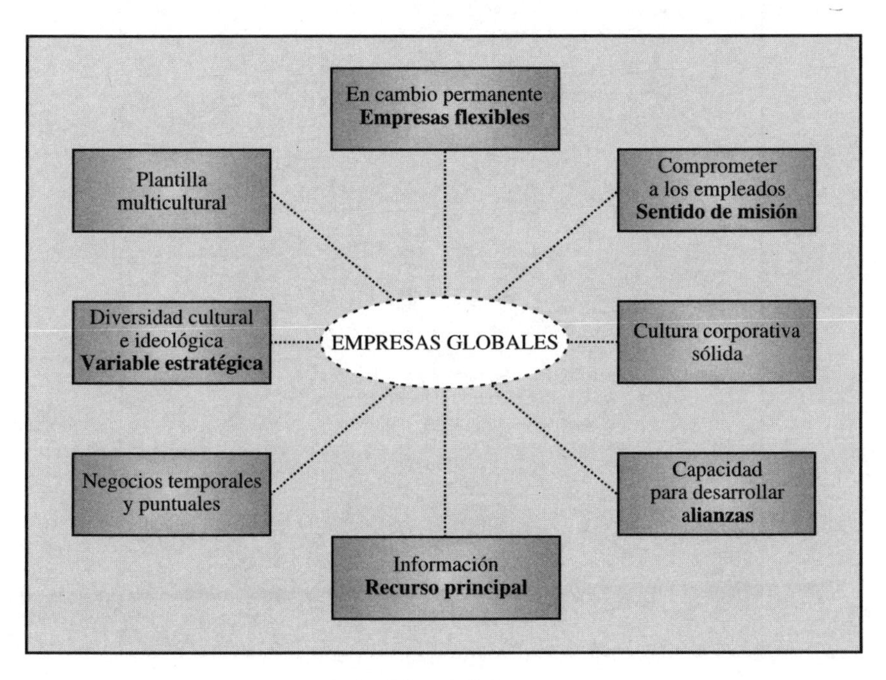

Figura 2.6

del planeta), y para las que la diversidad cultural e ideológica de los mercados será una de las principales variables determinantes de sus planteamientos estratégicos; empresas que desarrollan una cultura corporativa sólida pero flexible, capaces de promover una cierta coherencia y conseguir el compromiso de los empleados a través de una plantilla multicultural en negocios temporales y puntuales; donde se hace imprescindible la formalización de alianzas temporales que puedan suministrar sinergias, economías de escala y la flexibilidad y la velocidad de respuesta necesarias.

Esto está suponiendo un cambio profundo a nivel de organización: cambio de objetivos, misiones, formas de gobierno, diseño del trabajo, etc. Son muchos los expertos que coinciden en predecir que las empresas estarán formadas por un pequeño grupo de trabajadores fijos y una mayoría de temporales. El mundo de las empresas se moverá en torno a proyectos, sobre todo el de las pequeñas, micro y medianas, con asociaciones temporales con empresas complementarias, con una gran movilidad y dinamismo.

Las relaciones laborales se sustentarán en dos pilares fundamentales: **formación** y **flexibilidad.**

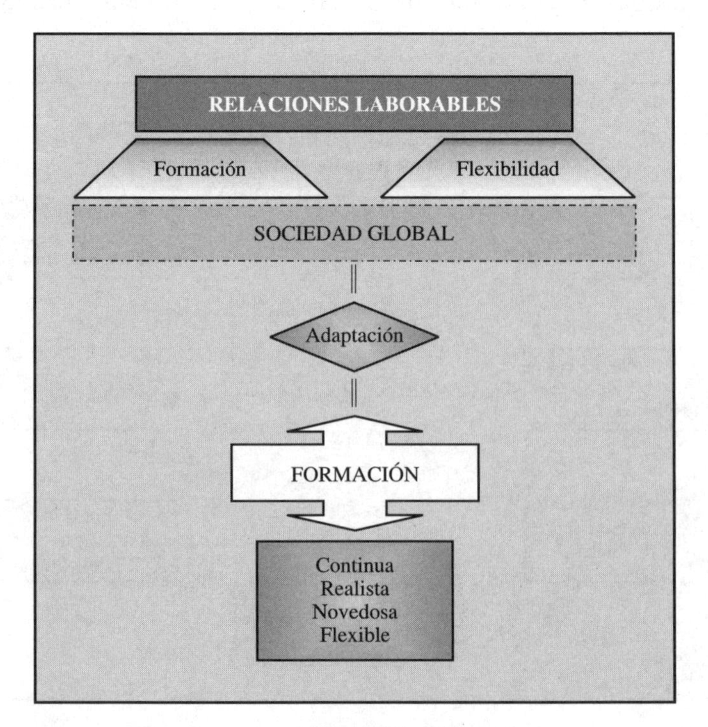

Figura 2.7

La **formación** de los empleados y responsables será imprescindible para la consolidación futura de la empresa como condición necesaria para su adaptación y supervivencia en un entorno cambiante donde el único recurso que se mantendrá como estratégico e imprescindible es el conocimiento (y por ende la información que lo suministra), y **flexibilidad de los recursos humanos** como condición suficiente para dicha supervivencia, tanto **interna** como **externa.**

La **flexibilidad interna** o **funcional** es cada vez más necesaria para abordar los retos de la globalización, y supone, por un lado, la capacidad de la plantilla para abordar nuevos retos y actividades, sustentándose en la formación, y por otro se refiere a la movilidad de los recursos humanos hacia donde se encuentren las oportunidades de negocio.

La **flexibilidad externa** o **numérica** supone el poder adaptar el volumen de las plantillas a las necesidades de cada situación, sin que ello su-

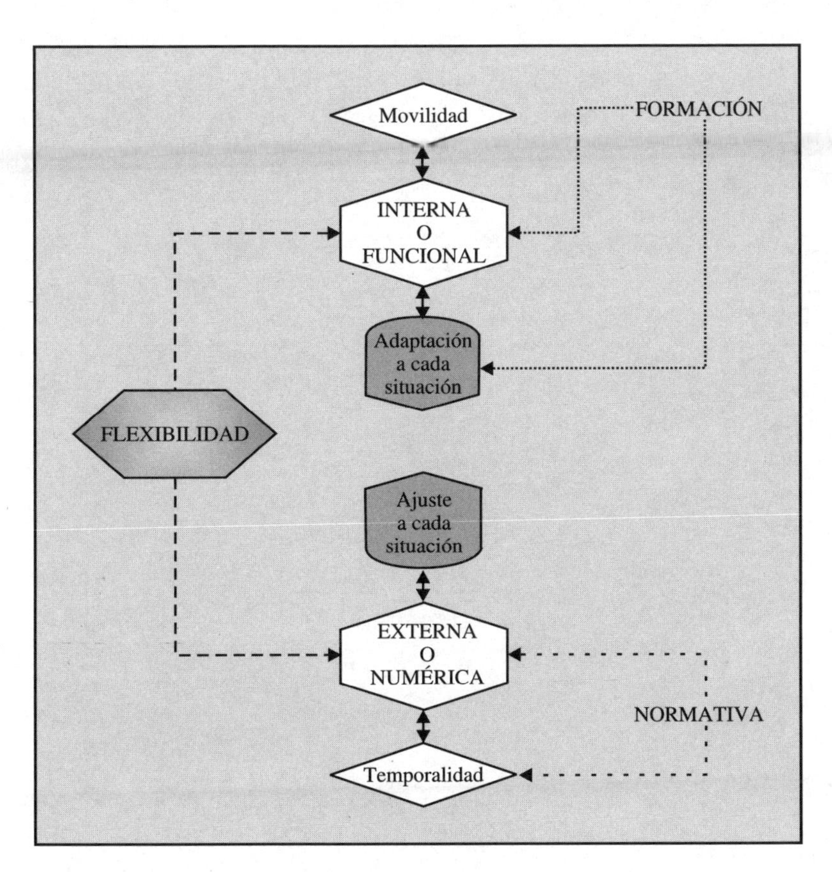

Figura 2.8

ponga un coste extraordinario a la empresa. La temporalidad será moneda común.

Todo esto está haciendo que nos replanteemos muchas cuestiones y creencias: el empleo de por vida, que parece que pasará a ser privilegio de una minoría; la rotación en el empleo, que será cada vez mayor; la distribución del tiempo de ocio y trabajo; las formas de trabajo; el tiempo que dedicamos a nuestra formación, que se prolongará; y así muchas otras cosas que formaban ya parte de nuestro sistema, de nuestras creencias cotidianas, y que nos debemos replantear ya como algo que está formando parte del pasado.

El emprendedor no debe ignorar esta realidad ni minusvalorarla a la hora de plantear sus proyectos y sobre todo de desarrollarlos.

3 El fomento emprendedor. Instituciones y medidas

1. El fomento emprendedor desde las administraciones públicas

Una de las principales preocupaciones de los nuevos emprendedores es la búsqueda y obtención de ayudas de las administraciones públicas. Es cierto que el fomento emprendedor para la creación de nuevas empresas es uno de los objetivos prioritarios de la política económica europea y nacional, y que todas las administraciones (europea, nacional, autonómica, provincial y municipal) tienen en marcha programas de este tenor. Es más, podemos incluso hablar de dispersión de medidas. Pero no nos llevemos a engaño: el emprendedor debe evitar la subsidiación y no debe esperar de las administraciones la entrega gratuita de dinero para su proyecto; las administraciones apoyan en cada momento proyectos de valor, que demuestren su viabilidad y su impacto positivo en lo económico y lo social.

El catálogo de medidas es, como hemos dejado dicho, muy diverso y cambiante, y pretender realizar un catálogo de las mismas se antoja labor tan ardua como inútil. Lo que realmente será de utilidad para el emprendedor es disponer de una cartografía que le permita conocer las instituciones que le pueden ayudar (contexto político administrativo) y los tipos de medidas que puede encontrar en un momento determinado. Éste es el propósito del presente capítulo.

En cuanto al **contexto político** administrativo distinguimos de forma global tres niveles imbricados. En el nivel superior, el más amplio, se encontraría la Unión Europea, la cual adopta sus propias medidas de apoyo a través de sus distintas instituciones, pero principalmente lo que hace es marcar las líneas maestras de las políticas comunitarias y distribuir fondos públicos a la Administración Central de España, y a sus administraciones autonómicas y a las distintas administraciones locales de nuestra región, así como a otro tipo de entes de carácter público y privado implicados en el proceso de fomento de creación de empresas, para que implemente las medidas a las que se han comprometido con tal fin y en las que se han basado sus peticiones de fondos a la Administración Europea. De forma similar actúa la Administración Central de España con respecto a los niveles inferiores, y las autonómicas respecto a las que le siguen, las administraciones locales y otras instituciones, tal y como se muestra en la figura 3.1.

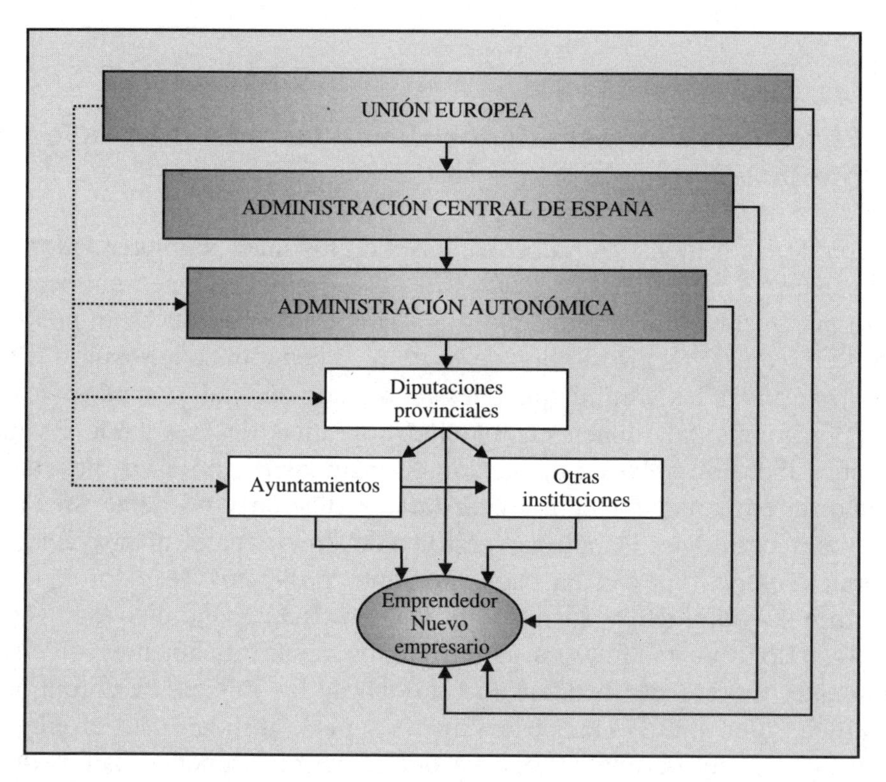

Figura 3.1.—Contexto político administrativo.

A partir de esta panorámica general vamos a identificar los organismos o instituciones que actúan en el fomento emprendedor y que debe conocer el futuro empresario.

El conjunto de organizaciones político administrativas y de otra naturaleza que formarían parte de nuestro contexto político administrativo podemos fragmentarlo en cinco bloques (Urbano y Veciana, 2001):

1. **Instituciones totalmente dependientes de las administraciones públicas.** Es decir, que los servicios que ofrecen se hacen y financian totalmente desde instituciones y agentes creados por estas ad-

ministraciones públicas y se financian totalmente por ellas. Estas instituciones a su vez se distribuyen al menos en cuatro ámbitos: europeo, nacional, autonómico y local. Hemos considerado como independiente, debido al rol cada vez más activo que ha tomado, al ámbito universitario.

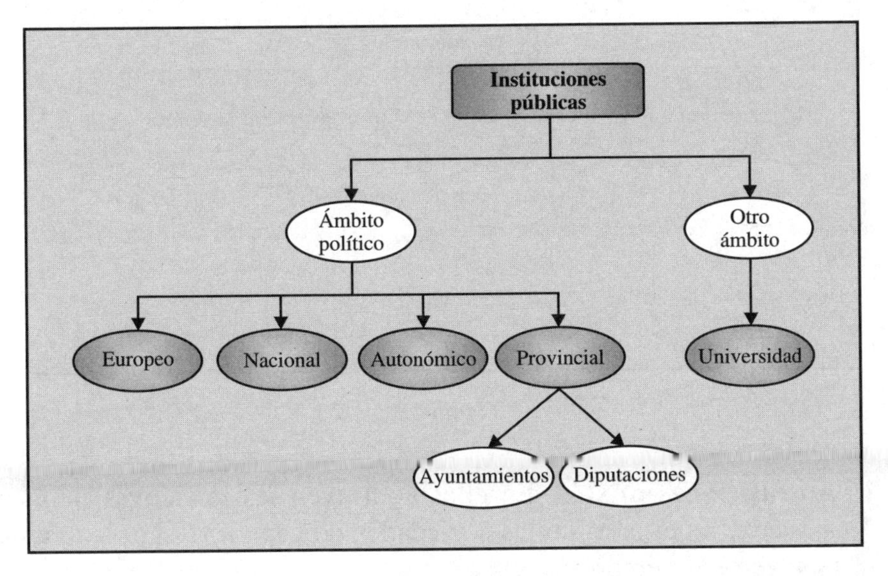

Figura 3.2

2. **Instituciones privadas no lucrativas.** De iniciativa exclusivamente privada, sin que en su gobierno intervengan las administraciones públicas, que sí pueden estar representadas, si bien su financiación puede provenir total o parcialmente de fondos públicos. Nos referimos a fundaciones y otro tipo de entidades que consideremos relevantes.

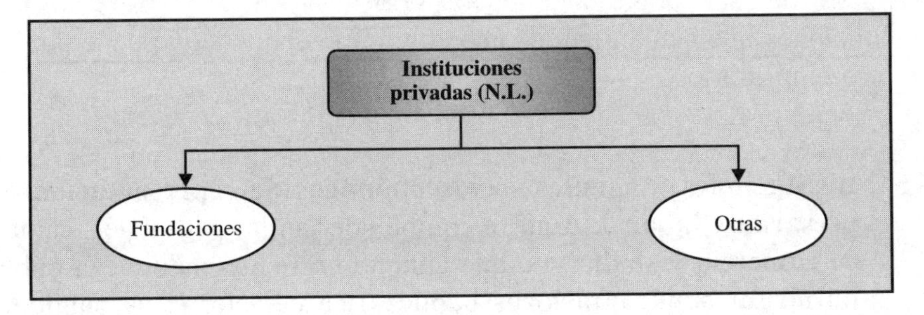

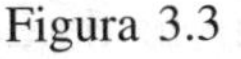
Figura 3.3

3. **Instituciones privadas sí lucrativas.** Son las que, como complemento a su oferta de servicios, ofrecen algún tipo de medida de apoyo a los emprendedores. Es el caso de bancos, cajas de ahorros, consultoras, centros de formación privados, etc.

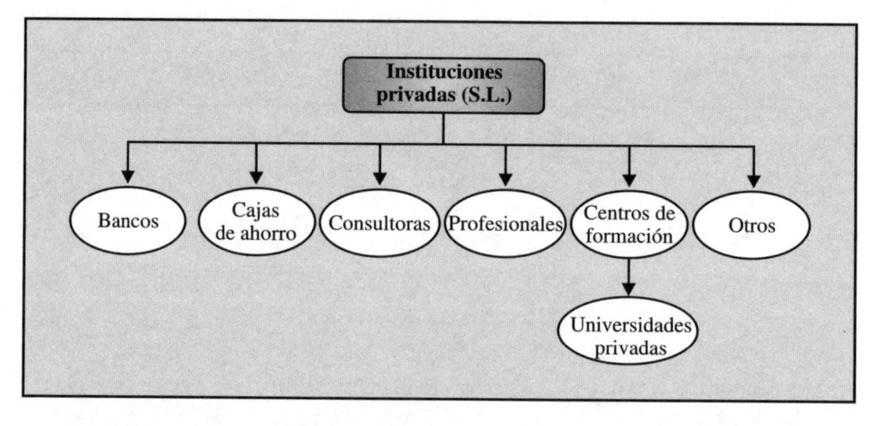

Figura 3.4

4. **Instituciones mixtas.** En ellas confluyen las iniciativas pública y privada. Es el caso de las sociedades de capital riesgo, los parques y viveros de empresas, etc.

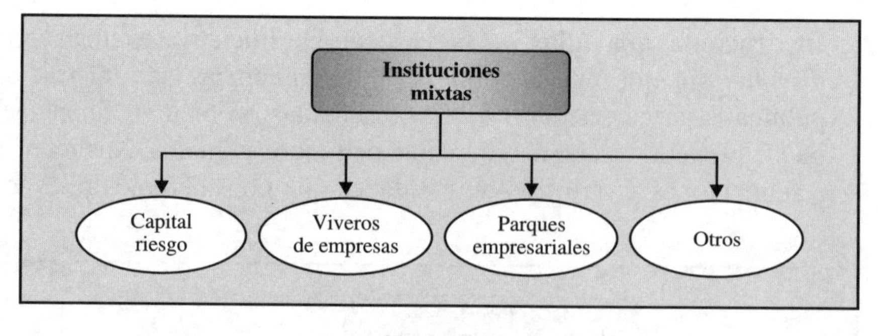

Figura 3.5

5. **Instituciones y agentes socioeconómicos de representación empresarial y laboral.** Aquí se comprenderían las patronales, cámaras de comercio y sindicatos, que aunque no tienen naturaleza pública (al no ser administraciones públicas) su carácter sí es público, al representar el interés general de amplios colectivos privados.

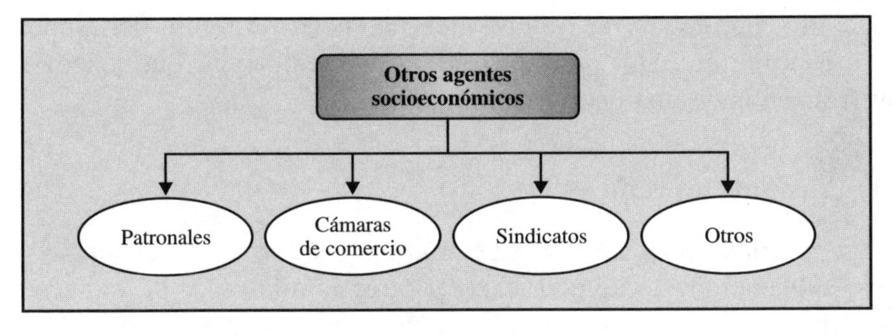

Figura 3.6

El esquema precedente nos ofrecería una panorámica completa de los actores formales (organizaciones) que junto con los empresarios intervienen en el marco institucional formal. Estas organizaciones conforman la oferta de medidas de apoyo a la creación de nuevas empresas. Es de suponer que la naturaleza y la intensidad de estas medidas dependerá de la percepción que dichas instituciones tengan de los emprendedores y del tipo de oportunidades que éstos puedan (o crean que deban) aprovechar.

2. Medidas de fomento emprendedor. Tipos

La cartografía del contexto político administrativo o marco institucional formal se completa con la identificación y clasificación de las medidas de apoyo que las instituciones ofertan, que se agruparán, siguiendo a North (1990) y a otros investigadores y conocedores del ámbito emprendedor (Urbano, 2002; Lerner y Haber, 2000; Veciana, 1999; Martínez y Urbina, 1998; Monroe, Allen y Price, 1995, entre muchos otros), en generales y específicas. En general comprenden una gran diversidad de actuaciones, pudiendo comprender desde medidas de apoyo concreto o global, hasta

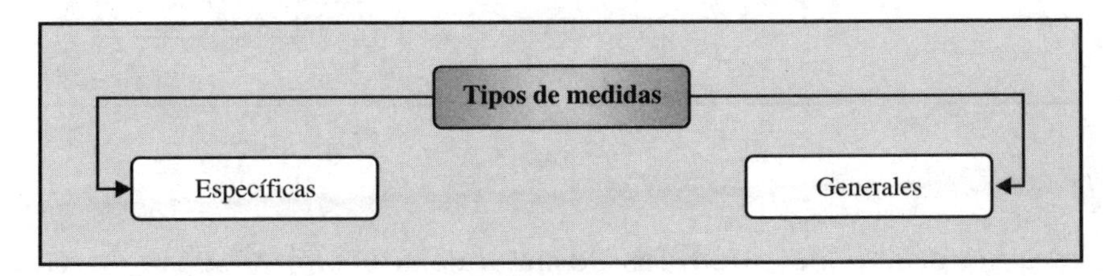

Figura 3.7

formación y promoción de valores que potencian la figura del emprendedor, su espíritu, etc. Son precisamente estas medidas las que tenemos que identificar en cada una de las instituciones.

A) Medidas específicas

Éstas pueden ser de **carácter económico** («duras»), como son los préstamos, subvenciones, capital riesgo y otras similares, y de **carácter no económico** («blandas»), donde se comprenden medidas del tipo de información y orientación, asesoramiento o acompañamiento, seguimiento, formación, viveros de empresas, etcétera.

En el caso español, las medidas específicas más representativas son las que se recogen en el cuadro siguiente, donde se plasman los principales instrumentos recogidos en diversos estudios (Urbano y Veciana, 2001).

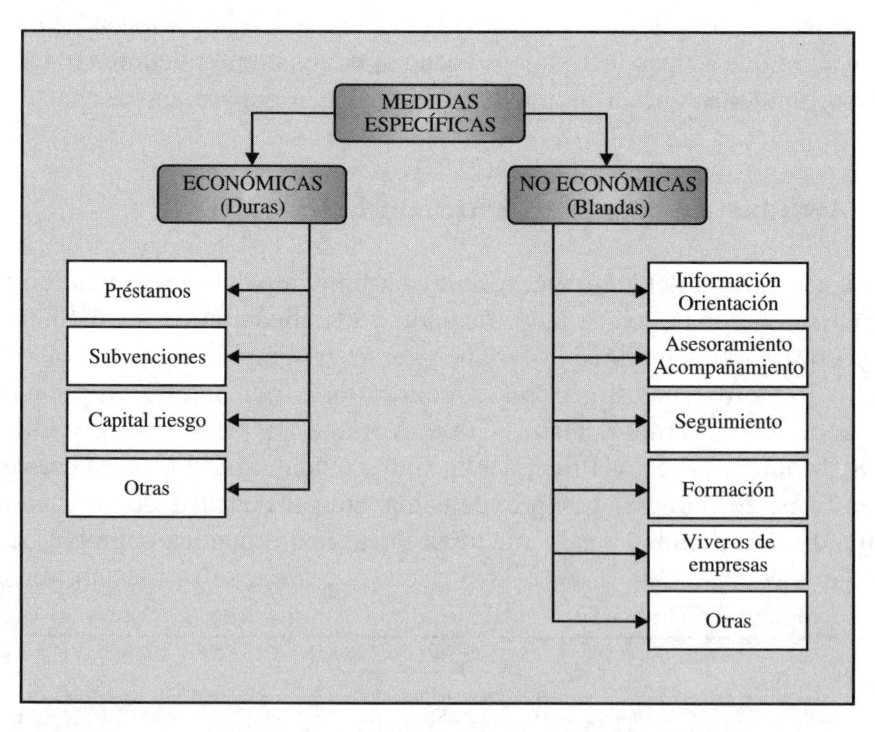

Figura 3.8

Entre las principales **medidas** de naturaleza **económica** que se dan en España podemos señalar:

Préstamos: suelen consistir en líneas de crédito preferentes para los nuevos empresarios y su emprendimientos, a partir de convenios firmados entre las administraciones públicas y determinadas entidades financieras.

Subvenciones a fondo perdido: suelen ser de dos tipos, *a*) **subvenciones sobre tipos de interés,** en las que se subvenciona un tramo de los mismos durante un cierto período de la vigencia del préstamo y su ahorro se deduce del principal inicial, o *b*) **subvenciones diversas,** que normalmente cubren los costos de formación de cursos para la creación de empresas y el asesoramiento para realizar algún plan de empresa.

Capital riesgo: en este caso intervienen las denominadas Sociedades de Capital Riesgo; éstas actúan suscribiendo y tomando con carácter temporal una participación, generalmente minoritaria, del capital de la nueva empresa (que no ha de cotizar en bolsa), transfiriéndola al emprendedor o emprendedores una vez transcurrido el plazo pactado y a un precio que normalmente también se pacta, al menos en cuanto a la forma de su determinación.

Otras medidas: entre las más destacables tenemos la **capitalización de la prestación por desempleo** y el ofrecer **garantías y avales de préstamos.** En el primer caso, si el o los emprendedores se encuentran percibiendo una percepción por desempleo, se capitaliza el importe de la misma, es decir, se percibe de una sola vez lo que aún le resta por percibir a fin de que esa cantidad se invierta en una nueva empresa. La otra medida consiste en que alguna administración pública o institución ofrece a las entidades financieras a las que el emprendedor ha solicitado financiación para su proyecto las garantías y avales de los que éste carece pero que sí le exige la entidad.

Las **medidas no económicas** suelen ser las más abundantes, encontrando una gran prodigalidad de las mismas procedentes de la práctica totalidad de las administraciones públicas. Una de las cuestiones que más preocupan, debido a su naturaleza y a que realmente pueden ser muy útiles, es la idoneidad de su prestación, es decir, si realmente se prestan por personal especializado o si su abundancia se debe a su bajo coste y al efecto cosmético tan preciado por los políticos. Dentro de cada uno de los tipos destacaremos:

Información y orientación, principalmente **sobre las medidas existentes** de apoyo a la creación de nuevas empresas; también son muy habituales las que se orientan **sobre la forma jurídica de la nueva empresa,** planteándosele al emprendedor las características, ventajas, inconvenientes y circunstancias de conveniencia de cada una de ellas.

Asesoramiento y acompañamiento sobre los trámites para la creación de la empresa y para la **elaboración del plan de empresa.**

Seguimiento: consiste en medidas de control de la evolución de la nueva empresa que previamente ha recibido ya algún tipo de ayuda para su creación.

Formación: abundan los **cursos y seminarios sobre creación de empresas,** que normalmente se centran en aspectos de tipo legal y cuya eficacia sería digna de estudio; también hay abundancia de **cursos diversos** sobre aspectos de lanzamiento de producto, contables, informáticos, etc. Estas actividades formativas suelen ser muchas y ofertadas por todo tipo de administraciones e instituciones de todo carácter (público y privado) debido a su facilidad para ponerlas en marcha y al efecto *visual* que provocan, sin entrar en el oportunismo económico para la entidad oferente.

Viveros de empresas y similares: estas iniciativas se están *popularizando* en municipios de una cierta dimensión promovidas por sus ayuntamientos. A veces se trata de **zonas industriales,** polígonos o parques, que se destinan a nuevas empresas a las que se les ofrece el suelo o las instalaciones básicas donde ubicarse y desarrollar su actividad en condiciones más económicas y favorables de las que encontrarías en el mercado. Otras son **espacios empresariales compartidos** por varias nuevas empresas, donde se encuentran una serie de servicios como oficinas de apoyo, redes informáticas, centros de presentación, etc.

Otras medidas no económicas: son aquéllas encaminadas a promover de alguna manera la actividad emprendedora. Así proliferan en los últimos años los **concursos de ideas,** los **premios** a nuevas empresas, la creación de **redes,** consistentes en actividades que permiten y facilitan contactos entre nuevos empresarios y otros agentes a fin de compartir experiencias, conocimientos, efectuar alianzas, etc.

B) Medidas generales de apoyo a la creación de empresas

Aquí nos referimos fundamentalmente a normas y regulaciones gubernamentales que afectan a la creación de empresas y que van destinadas a mejorar las condiciones en que las empresas se crean y desarrollan. Estas medidas se materializan en la actualidad en forma de beneficios fiscales, legislación, reducción de trámites administrativos en la creación de empresas (ventanilla única, etc.), incentivación y potenciación del espíritu empresarial en los ámbitos sociales (campañas informativas, charlas, etc.), creación de redes de empresas para aprovechar sinergias y ayudarse mutuamente, etc.

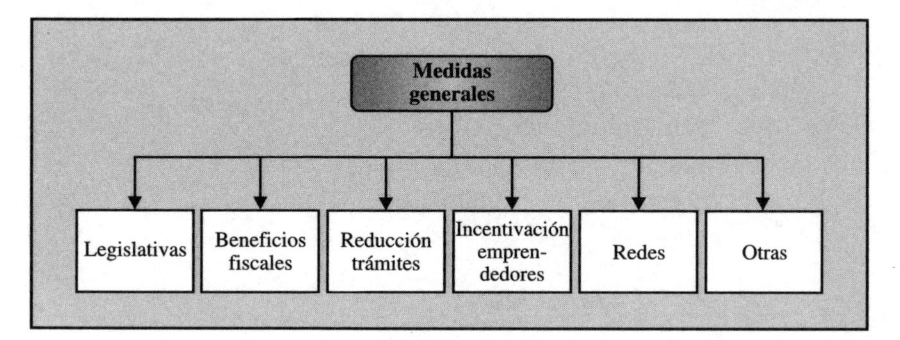

Figura 3.9

El cuerpo legislativo permite dar fundamento legal a todas las medidas de fomento. No obstante, periódicamente en distintos corpus legales o reglamentarios se recogen medidas como las de beneficios fiscales, tanto concretos para ciertos ámbitos y/o tipo de nuevas empresas como genéricos, también recientemente, y por recomendación de la UE, se están realizando considerables esfuerzos para la reducción de trámites relativos a la constitución y puesta en marcha de nuevas actividades empresariales. Los incentivos a emprendedores suelen consistir en medidas concretas de muy diversa naturaleza: tributarias, con la exención de ciertos tributos locales (IAE, licencias, etc.), de seguridad social, ahorro en las cuotas durante los primeros años de vida de la nueva empresa, capitalización de la prestación por desempleo, etc. Una de las asignaturas pendientes de nuestras políticas de fomento emprendedor es sin duda la creación de redes que puedan ser efectivamente aprovechadas por los emprendedores desde el mismo instante de gestación, creación e inicio de la nueva empresa.

Con esto el emprendedor dispone de un catálogo genérico del tipo de medidas que puede encontrar y en qué consisten básicamente las mismas.

PARTE SEGUNDA
El emprendedor

4 El emprendedor

1. Concepto y tipos de emprendedor

Todos más o menos tenemos una imagen mental de lo que es un emprendedor, pero paradójicamente resulta difícil dar una definición universal del mismo. Para hacernos con un concepto de emprendedor lo mejor es ver cuál es su papel en la economía y en la sociedad, ver a qué se dedica y qué tipos de emprendedores hay. Y para completar este concepto del emprendedor analizaremos también cuáles son sus principales atributos o capacidades esenciales; intentaremos conocer algunos mitos sobre ellos y cuáles son los principales errores en los que incurre; por qué fracasan unos y tienen éxito otros, y, por último, indagaremos sobre las claves de su comportamiento. A estos menesteres vamos a dedicar el presente capítulo.

El papel del emprendedor en el desarrollo económico y social es primordial, ya que éste es quien impele el proceso de creación de empresas, auténtico motor en la creación de riqueza entendida como creación de empleo, de innovación, de acceso a las rentas y de transformación de riesgos en oportunidades (Campos, 1997). Para este autor, la existencia de paro se debe más a la escasa creación de empleo que al propio incremento natural de la población laboral o a la propia destrucción de puestos de trabajo, con lo que un factor fundamental y difícilmente sustituible de la generación de empleo es la acción empresarial, y más concretamente a través de la puesta en marcha de nuevos proyectos empresariales como nuevas empresas; en cuanto a la innovación, añade el autor, el emprendedor, en su búsqueda sistemática de oportunidades, de crear un valor para el cliente, de mejorar la calidad y la disponibilidad, etc., precisa introducir novedades, mejorar, crear..., en suma, innovar; además, toda empresa crea riqueza para sí y para la sociedad, como se pone de manifiesto en la propia participación del empresario y de los inversores en los beneficios generados por la empresa y en el acceso a los puestos de trabajo y a sus rentas por parte de quienes son empleados en ellas, si bien hay que tener en cuenta que la creación de riqueza por parte de las empresas exige la asunción de riesgos y su transformación en realidades, y esta actuación también corresponde al empresario emprendedor (ídem). De hecho, no puede abordarse el estudio sobre creación de empresas sin el estudio simultáneo del emprendedor, en nuestro caso persona física sola o en grupo que se decide a crear una empresa, cuyo tamaño será en la mayoría de los casos pequeño o muy pequeño (microempresas).

La importancia del emprendedor creador de pequeñas empresas (y sobre todo microempresas y empresas individuales) se pone de manifiesto de muy distintas maneras. Como señala Gibb (1988), estos emprendedores juegan un papel destacado en el proceso innovador, porque actúan como vehículo de procesamiento de nuevas oportunidades, proporcionan un medio de acercamiento a mercados fragmentados, previenen la despoblación en zonas rurales evitando el éxodo de su población hacia las grandes urbes, son la base del surgimiento de una clase media que contribuye a la estabilidad económica y social realzando la uniformidad en la distribución de la renta, y contribuyen, con la creación y desarrollo de las nuevas empresas, sobre todo pequeñas, a distintos objetivos de la política económica tales como pleno empleo, crecimiento e innovación, estabilidad de precios, estabilidad en la balanza de pagos y equilibrio social y fomento de oportunidades.

Así pues, un emprendedor puede concebirse de muy diferentes maneras según las funciones que se le asignen, de ahí que podamos encontrar muy distintas definiciones o concepciones. No obstante, para nosotros, que nos centramos en el campo de creación de nuevas empresas y, por extensión, a la puesta en marcha de nuevos proyectos desde una empresa (emprendedora) ya existente, los emprendedores son *«individuos que innovan, identifican y crean nuevas oportunidades de negocios, reuniendo y coordinando nuevas combinaciones de recursos para extraer los máximos beneficios de sus innovaciones en un entorno incierto»* (Amit, Glosten y Muller, 1993: 817). Muchas de estas nuevas oportunidades de negocio se aprovechan a través de nuevas empresas creadas para tal fin.

Ahora bien, ¿todas las personas que han puesto en marcha su propia empresa son emprendedores?, es decir, ¿responden todos al arquetipo de ser capaces de detectar oportunidades y transformarlas en empresas (Nueno, 1994) con futuro y potencial de crecimiento? De hecho, existen muchos **tipos de emprendedores.** Patrick Liles, de la escuela de Harvard, afirmaba que no todos los que «vemos» como emprendedores lo son, y que una gran mayoría acaban fracasando en el intento o en los primeros años

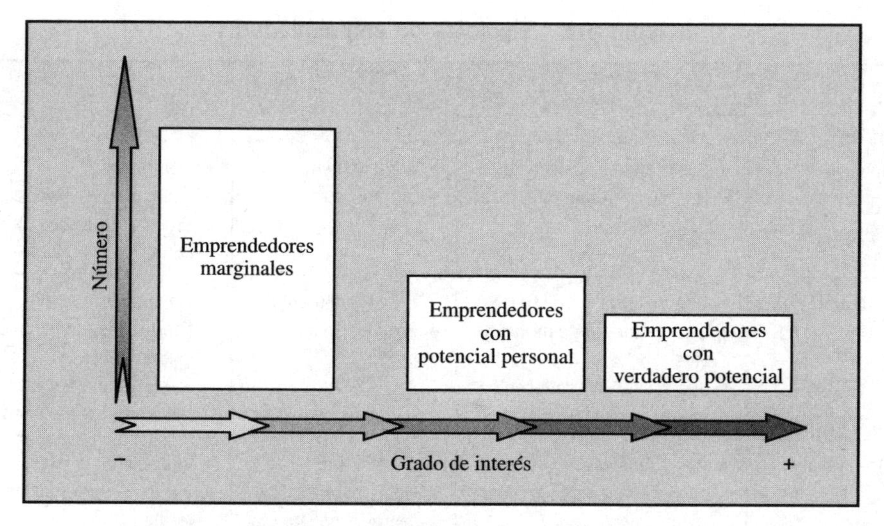

Figura 4.1.—Tipos de emprendedor según su grado de interés.

(Nueno, 1994). Para este autor existen los *emprendedores marginales,* que forman la inmensa mayoría y que son aquéllos cuyas iniciativas suelen fracasar o tener escasa repercusión; otra segunda categoría es para él la de los *emprendedores con potencial personal,* que no fracasan pero que crean y desarrollan su empresa en torno a sus capacidades personales, de manera que desaparece con ellos; y por último están los *emprendedores con verdadero potencial,* personas capaces de generar iniciativas con verdadero y propio potencial de desarrollo, empresas que sobrevivirán por sí mismas sin necesidad de la presencia del emprendedor. Es esta última categoría en la que más debe centrarse el interés del investigador, a pesar de ser la más escasa en número. El interés es menor para las otras dos categorías, a pesar de que su número es mayor.

¿Si el sujeto emprendedor en que debemos centrar la atención investigadora es aquél capaz de crear empresas con verdadero potencial, de qué depende ello? Bhide (1996) mantiene que depende de la propia actitud del emprendedor hacia su futuro y la nueva empresa y de la idea en que ésta se sustenta, distinguiendo entonces cuatro tipos de emprendedores: **especulativo, de forma de vida o superviviente, de plusvalía** y **de futuro,** cuyos elementos esenciales recogemos en la tabla 4.1.

Los **emprendedores especulativos** son aquellos sujetos que buscan beneficios rápidos en torno a un negocio claramente especulativo. La empresa en sí no tiene interés para ellos, pues es una simple cobertura o vehículo para controlar el negocio, darle una apariencia o incluso evitar

Tabla 4.1. Tipología de emprendedores

TIPO DE EMPRENDEDOR	ACTITUD DE EMPRENDEDOR	IDEA	EMPRESA
Especulativo	• Busca beneficios rápidos. • No busca realmente crear una empresa.	• Nada sustentable. • Sin importancia.	• «Tapadera». • Basada en el negocio. • Sin continuidad. Vida corta.
«Forma de vida»	• Una salida a una situación. • Una forma de ganarse la vida. • Aprovechar los conocimientos, la experiencia, situación.	• Poco sustentable. • Poco original.	• Vinculadas. • Fuerte dependencia del emprendedor. • Suelen desaparecer al retirarse el emprendedor.
«De plusvalía»	• Busca consolidar la empresa y venderla cuando alcanza un valor.	• Sustentable. • Oportunidades. Nuevas actividades. • Con futuro aparente.	• Vida media a larga. • Fuerte dependencia de la idea.
«De futuro»	• Busca crear empresas que se renueven a lo largo de varias generaciones.	• Muy sustentable. • Actividades con mucho futuro.	• Vida muy larga. • Importancia de la cultura corporativa. • Estrategias muy trabajadas.

sanciones. La idea para ellos no es importante en cuanto a su proyección futura, ni ésta ni la empresa son sustentables, y su vida será muy corta.

Los **emprendedores de forma de vida** o **supervivencia** buscan sobrevivir con la empresa. La idea sobre la que montan la empresa no suele ser muy original. La mayoría de las veces es recogida de su propia experiencia laboral previa o simplemente emulada, y en cualquier caso no requiere de capacidades muy especiales ajenas al sujeto para ponerse en marcha como empresa; es más, su continuidad depende principalmente de la dedicación personal del sujeto y de sus propias aptitudes. No suelen ser empresas que generen beneficios, sino más bien permiten un *modus vivendi* al sujeto y su familia. Normalmente estas empresas desaparecen con sus creadores, y su transmisión suele ser generacional y sobrevivirá si el nuevo empresario, como mínimo, no hace sino relevar tal cual al anterior.

Los **emprendedores de plusvalía** son sujetos que suelen aprovechar una oportunidad o una idea muy novedosa, creando y poniendo en marcha la empresa con el fin de explotarla y desarrollarla y venderla cuando esté en su mejor momento. Para este tipo de emprendedores la idea adquiere gran importancia, ha de ser sustentable y poderse desarrollar por su propio potencial sin depender de las cualidades y dedicaciones de ellos, ya que de esta manera se facilitará la transmisión de la empresa en su momento de mayor valor. Pero a pesar de lo dicho se corre el riesgo de que dependan estas empresas de sus creadores, y que a pesar de parecer muy *jugosas* a futuros nuevos propietarios, éstos luego no sean capaces de mantenerlas.

Por último, los **emprendedores de futuro** buscan crear una empresa sobre una idea innovadora y bien trabajada, realmente sustentable. Empresas que les sobrevivan, que se conviertan con el transcurso del tiempo en entidades autónomas e independientes de sus creadores, capaces de marchar por sí mismas gracias a una cultura y a un *know-how* propios y a una continua innovación.

Para Bhide (1996) está claro que este último tipo de emprendedor es el que realmente interesa desde una perspectiva económica y social, que en él se encuentra el emprendedor de éxito que contribuye al crecimiento de su economía y mejora de su sociedad, y por tanto la atención debe centrarse en el mismo. Añade que la idea adquiere en este tipo de emprendimientos un valor fundamental, y que su búsqueda, desarrollo y renovación son unas variables más a tener en cuenta dentro de la actividad emprendedora. En segundo lugar en cuanto a interés estarían los *emprendedores de plusvalía;* éstos y aquéllos coinciden en una de las principales cualidades del emprendedor, ser hábiles maestros en inspirar confianza (Jarillo, 1986).

2. Capacidades, cualidades y atributos del emprendedor

¿Qué caracteriza a un emprendedor?, ¿cuáles son sus principales capacidades, cualidades o atributos? Se han realizado a lo largo de los años infinidad de estudios que pretenden identificar las capacidades esenciales o atributos que debe poseer un emprendedor para tener más probabilidades de éxito en su actividad de creación y desarrollo de una empresa. Conocer estos atributos es de gran interés para el emprendedor tanto presunto o en ciernes como para el que ya ha emprendido nuevas acciones empresariales o de negocios, pues muchas de ellas se pueden desarrollar o potenciar con formación y entrenamiento adecuados.

Pero antes de entrar a enumerar y explicar cuáles son las capacidades o atributos «ideales» que ha de poseer un emprendedor, debemos hacer algunas advertencias. Con carácter general debemos tener en cuenta que los estudios sobre emprendedores que pretenden definirlos reflejan frecuentemente las preferencias personales de sus autores, y se realizan desde la perspectiva del objeto de la investigación (Sexton y Bowman-Upton, 1991); así, la mayoría de los estudios se centran exclusivamente en colectivos específicos de emprendedores, por ejemplo en emprendedores innovadores (March, 1998), mujeres (Moore y Buttner, 1997), colectivos universitarios (Koh, 1996) o, los más numerosos, en emprendedores de éxito (Olamendi, 1998; Garavan y O'Cinneide, 1994; Gray y Cyr, 1993; Nueno, 1994; Roberts, 1991; Gibb, 1988; Hawkins y Turla, 1987; entre otros). En este último caso, a pesar de los numerosos estudios e investigaciones que se han llevado a cabo y de la mejora de los instrumentos de medida, no podemos todavía afirmar que exista un vínculo entre un determinado perfil (conjunto de características o capacidades) y el emprendedor de éxito. Por eso, aun pudiendo pecar de exhaustivos, optamos por mostrar una gama de estudios y compendios de atributos del emprendedor, para después extraer aquellos que son más iterados y destacados por los distintos estudios.

Otro importante matiz que no debemos perder de vista, ya centrándonos en el estudio del emprendedor exitoso, es que la mayoría de los estudios se han llevado a cabo cierto tiempo después de que estos individuos hayan creado su empresa, por lo que no puede determinarse categóricamente si el emprendedor creó su empresa poseyendo esas características o si las adquirió como consecuencia de su experiencia como emprendedor y después empresario (Scherer, 1987).

Por último advertir que una revisión de la literatura nos proporciona tal número de capacidades que resulta difícil hacer una selección objetiva de aquéllas más relevantes sin caer en la parcialidad, ya que todas y cada una de las relaciones que podamos encontrar recoge en gran medida, y desde la perspectiva del autor, un conjunto de cualidades psicológicamente deseables (Muñoz, 1997).

A continuación exponemos gráficamente en la tabla 4.2 cuáles son, para algunos de los principales investigadores estudiosos del emprendedor, los atributos o capacidades más destacables y necesarias.

Podríamos ampliar aún más esta lista, e incluso agrupar por categorías los atributos o capacidades, de tal manera que podríamos señalar las siguientes capacidades o atributos del emprendedor:

Grupo 1. Capacidades personales:

1. Ambición.
2. Visión y proyecto de futuro.

Tabla 4.2 ·

AUTOR	ATRIBUTOS
DAVIDS (1963)	Ambición, independencia, responsabilidad, autoconfianza.
FILELLA (1997)	Extroversión, capacidad para detectar oportunidades, innovación, intuición, activo, flexible.
GARAVAN Y O'CINNEIDE (1994)	Comportamiento innovador, asunción de riesgos, resistencia, capacidad de análisis y síntesis.
GIBB (1988)	Iniciativa, capacidad de persuasión, predisposición al riesgo, flexibilidad, creatividad, independencia, autonomía, liderazgo.
HARTMAN (1959)	Autoridad.
HAWKINS Y TURLA (1987)	Independencia, autodisciplina, creatividad, deseo de alcanzar metas, predisposición a asumir riesgos.
MATEU (1997)	Ambición, independencia, responsabilidad, autoconfianza.
McCLELLAND (1961)	Tolerancia al riesgo y necesidad de logro.
MILL (1848)	Tolerancia al riesgo.
NUENO (1994)	Compromiso, responsabilidad, determinación, perseverancia, tolerancia a la ambigüedad y al riesgo, integridad, paciencia.
OLAMENDI (1998)	Autoconfianza, creatividad, entusiastas, visionarios, osados, alegres, líderes, poco tradicionales.
PRAT (1986)	Decisión y empeño, consciente de sus capacidades, percepción de oportunidades, autoridad, paciencia, autocrítica.
ROBERTS (1991)	Extroversión, necesidad de logro, independencia, compromiso con nuevos retos.
SCHERER (1987)	Necesidad de logro, responsabilidad, control personal, capacidad creativa, innovación, predisposición al riesgo.
SCHUMPETER (1934)	Innovación, iniciativa.
SEXTON Y BOWMAN-UPTON (1991)	Alto control percibido interno, ser corredores de fondo, creatividad, autoconfianza, independencia, innovación.
SUTTON (1954)	Responsabilidad.
TIMMONS (1978)	Autoconfianza, orientación a los objetivos, innovación.
WEBER (1917)	Autoridad.

3. Planificación.
4. Tenacidad.
5. Esfuerzo.
6. Orientación al mercado.

7. Toma de decisiones.
8. Iniciativa. Actitud proactiva.
9. Gestión del riesgo.
10. Creatividad.
11. Gestión del tiempo.
12. Dominio del estrés.
13. Actitud mental positiva.
14. Capacidad para sobreponerse al fracaso.
15. Cultura emprendedora.

Grupo 2. Capacidades comerciales:

16. Facilidad para las relaciones sociales.
17. Habilidad de conversación.
18. Negociación.
19. Venta.
20. Código ético.
21. Corporativismo.
22. Simpatía.

Grupo 3. Capacidades organizativas:

23. Selección de personal.
24. Liderazgo.
25. Organización y delegación.
26. Dirección de reuniones.
27. Motivación de los empleados.
28. Ecologismo.

Así pues, se impone hacer algún tipo de compendio que recoja las capacidades o atributos más significativos en cuanto a su iteración en los diversos estudios. En este sentido optamos por el compendio efectuado por el profesor Veciana (1996), que destaca como capacidades esenciales del emprendedor las siguientes: ***perspicacia*** (o *alterness*), ***proactividad, ambición y pasión, toma de decisiones en la ambigüedad y la incertidumbre, espíritu de riesgo, capacidad de aprender de la experiencia, reducción de la complejidad*** y ***capacidad para desarrollar nuevos sistemas*** (véase la figura 4.2).

Estos atributos se plantean de manera genérica y global, y alguno de ellos, como veremos, comprende o se relaciona muy directamente con

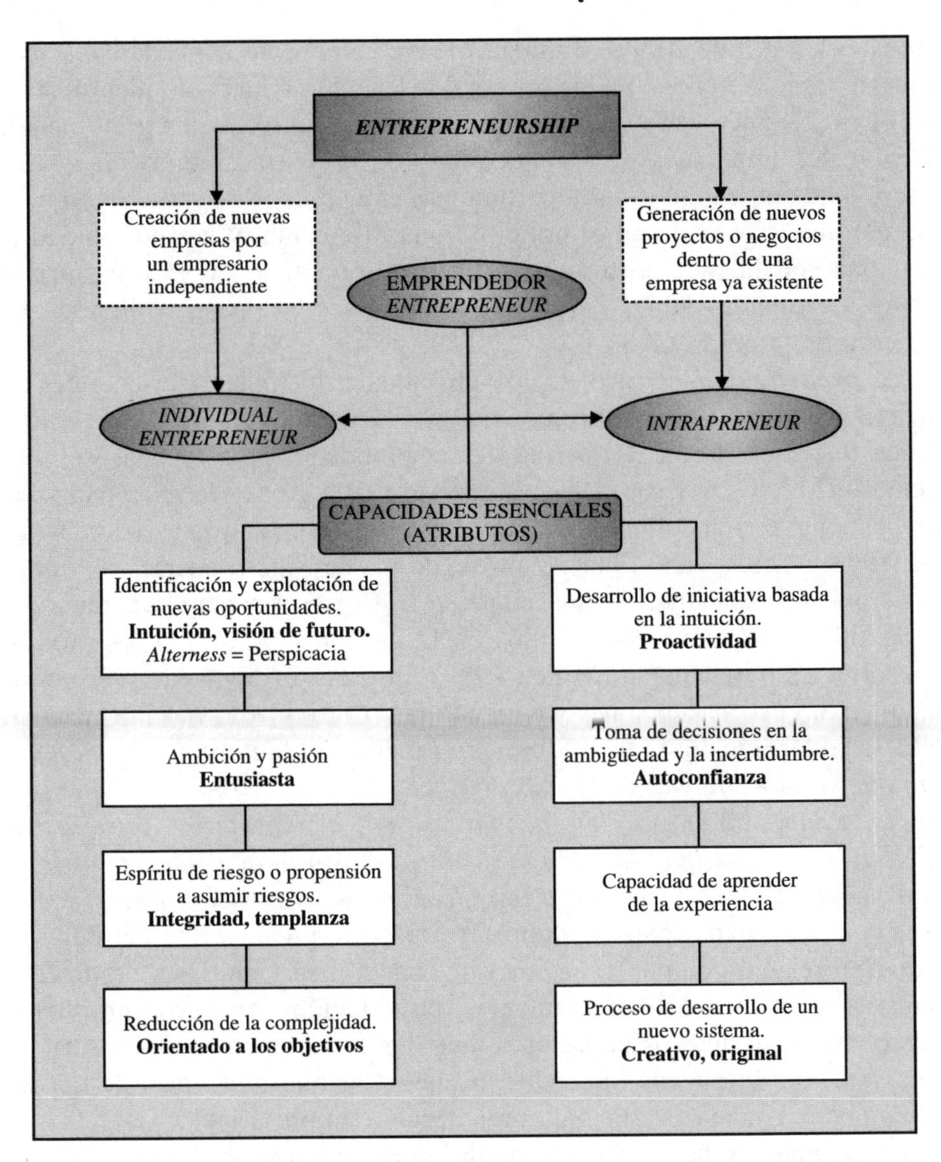

Figura 4.2.—Principales atributos del emprendedor. Veciana, 1996.

otros de los señalados por diferentes investigadores. Además no se trata de una lista cerrada ni universal, sino abierta y general.

La ***perspicacia*** (o *alterness*) constituye para muchos autores el principal atributo de un emprendedor, y ha de entenderse como la capacidad de éste para identificar y explotar oportunidades de negocio, para generar nuevas ideas (Mariotti, Towle y De Salvo, 1996; Veciana, 1996, Stevenson,

Grousbeck y Bhide, 1999). También puede entenderse como la capacidad de estar alerta *(alterness)* a las oportunidades que no han sido identificadas por otros (Kirzner, 1979). En cualquier caso, es cierto que en gran medida el éxito del emprendedor, o mejor dicho de la nueva empresa, radica en gran medida en explotar una oportunidad, entendida ésta como algo nuevo que permite marcar desde el principio una diferencia, y la oportunidad se relaciona con la idea en torno a la cual el emprendedor va a montar su empresa (Nueno, 1994), y que trataremos en el capítulo dedicado a la creación de la empresa.

La ***proactividad*** es otro de los atributos principales y esenciales de cualquier emprendedor. Para unos autores la proactividad es una característica relacionada con la libertad del emprendedor para realizar «experimentos» (Miller y Friesen, 1978; Mintzberg, 1973); otros la relacionan más directamente con el comportamiento (dimensión humana) innovador (Drucker, 1986; Schumpeter, 1944), y otros, de manera más genérica, la conciben como la capacidad de una empresa o empresario para superar a sus competidores adelantándose a ellos en la introducción de nuevos productos, servicios o tecnología (Miller, 1983). El profesor Veciana (1996) compendia todas estas acepciones y entiende la proactividad como la capacidad de desarrollar iniciativas basándose *«en la visión del futuro en relación con una nueva oportunidad, un nuevo producto, o un nuevo negocio, que proporciona un ideal, un proyecto de empresa por el cual luchar, y que activa la motivación liberando la energía necesaria para la acción. Este atributo va asociado a una perspectiva a largo plazo que es esencial para el éxito»* (p. 84). Por su parte, para Schumpeter (1944) la proactividad del emprendedor, en relación con su capacidad innovadora, se manifiesta de diversas maneras, aislada o combinadamente: introducción de nuevos productos, incorporación de nuevos procesos o métodos de producción, identificación y explotación de nuevos mercados, o encontrar nuevas formas de aprovisionamiento y nuevas formas de organización empresarial.

La ***ambición*** y la ***pasión,*** entendidas como *motivación hacia el logro* o ***necesidad de logro,*** es decir, como una necesidad recurrente de conseguir éxitos, de hacer algo mejor en relación a un estándar, de actuar bien por la satisfacción intrínseca de hacerlo mejor (Ayerbe y Larrea, 1995), es un atributo que debe tener el emprendedor, sobre todo el individual, pues sin una alta motivación de logro difícilmente se embarcaría en una aventura empresarial (McClelland, 1968; McClelland y Winter, 1969). Además, este atributo es muy determinante en el comportamiento emprendedor, ya que las personas que piensan predominantemente en términos de logro tienden a comportarse de manera diferente al resto, en concreto (McClelland, 1968): necesitan ser responsables de sus actos y de los resultados de los mismos, por lo que buscan continuamente la información que les proporciona el *feedback* de sus decisiones y resultados para modificar sus objetivos y acciones; se fijan metas que sean a la par retadoras y realistas, lo que supone que asumen riesgos calculados y moderados y se ayudan de la experiencia; evitan las tareas rutinarias, que deploran, en pro de aquellas que le permiten un logro personal y en las que el resultado esté en relación directa con el esfuerzo dedicado, y, por último, a la hora de escoger *compañeros de viaje,* prefieren expertos a amigos, a fin de garantizarse más los resultados o logros deseados. Además, una alta necesidad de logro, o una gran ambición y pasión, favorece la creación de nuevas empresas, ya que la empresa se convierte en el vehículo para conseguir los resultados deseados (Ayerbe y Larrea, 1995); de hecho, el emprendedor debe tener unas aspiraciones por encima de sus capacidades actuales (Veciana, 1996), que le lleven a la búsqueda y mejora de ideas de progreso, a la mejora continua a través de nuevas combinaciones de factores.

Es propio de los emprendedores su hábito para ***tomar decisiones en la ambigüedad y la incertidumbre,*** de hecho desarrollan una tolerancia especial a las situaciones ambiguas e inciertas, lo cual sólo es posible con unas altas dosis de ***autoconfianza*** (Hoselitz, 1951, 1952), o lo que es lo mismo un elevado ***locus of control*** o *control percibido interno,* que como ya indicamos se refiere al convencimiento que tiene el propio sujeto de que es él quien controla su propio destino y no la suerte u otros factores y actores ajenos a él. Este *locus* supone para el emprendedor tener control sobre las decisiones que toma y sus consecuencias (Scherer, 1987). Esta capacidad o atributo adquiere una especial importancia en el emprendedor, pues se ha comprobado que las personas con *control percibido interno* son más activas que quienes lo perciben externamente, es decir, que quienes achacan al azar y a otras circunstancias ajenas una parte o todo del resultado de sus acciones, pues esa autoconfianza les lleva a ser más activos en la búsqueda de información y conocimientos y en su procesamiento, siendo además más propensos a olvidar los fracasos (Brockhaus, 1982; Brockhaus y Horwitz, 1986). Esta autoconfianza adquiere su máxima importancia en las primeras fases de la creación de la nueva empresa, cuando surge la oportunidad o la idea y se desarrolla el proyecto, pues es el emprendedor el primero, y a veces el único, que cree en él mismo y en sus posibilidades (Hawkins y Turla, 1987). Muy relacionada con la autoconfianza está la **autoestima.** Muchos autores identifican ambas, cuando realmente lo que existe es una estrecha relación entre ambas cualidades: la autoconfianza, como acabamos de ver, hace referencia a la confianza que uno mismo tiene de sus propias capacidades y habilidades para afrontar una situación, mientras que la autoestima se relaciona directamente con los sentimientos que el sujeto tiene hacia sí mismo, con la evaluación que se hace del propio yo, en donde se incluirían las capacidades que creemos tener y la confianza que tenemos en ellas (Marina, 1994; Goleman, 1997). Hay que tener en cuenta que autoconfianza y autoestima no tienen por qué tener el mismo nivel ni seguir siempre la misma dirección: una persona puede tener una elevada autoconfianza, confiar en sus propias habilidades, pero ante una determinada situación o reto valorar éstas como insuficientes, de modo que su autoestima para esa situación es baja. Por ello algunos autores relacionan más la autoestima con la necesidad de logro, con la ambición del sujeto, pero sí se coincide en que es necesaria la autoestima para llevar a cabo nuevos emprendimientos en entornos inciertos y ambiguos (Timmons, 1999; Robinson, 1996, entre otros).

Lo anterior se relaciona con el hecho de que el emprendedor tiene un ***espíritu de riesgo*** o, lo que es lo mismo, una cierta **propensión a asumir riesgos;** tradicionalmente se ha considerado una capacidad esencial inseparable del emprendedor, si bien recientes estudios (Mullins y Forlani, 1998; Stearns y Hills, 1996) han puesto de manifiesto que el emprendedor tiende más bien a asumir riesgos moderados o al menos riesgos que él considera *soportables* y que por tanto puede «controlar» (Veciana, 1996), por lo que aunque no se ignora esta característica de los emprendedores sí se le viene restando importancia. Por otra parte está el propio concepto de riesgo; se tiende a pensar intuitivamente en el riesgo económico, pero éste no es el único, también existe el riesgo social de perder un prestigio o un estatus, el riesgo profesional de perder otras oportunidades profesionales, el riesgo para la salud tanto física como mental por el estrés asociado a la actividad emprendedora y a la empresarial, etc.; así pues hay que considerar el riesgo en sentido amplio como la probabilidad de recepción de una recompensa asociada al éxito de la situación que está desarrollando el sujeto, de manera que la recompensa puede darse o no darse y ser de muy distinta naturaleza (Scherer, 1987). Pero lo que sí esta claro y generalmente admitido es que, sea mayor o menor, el riesgo es inherente a la creación de una empresa y en general a toda la actividad empresarial (Bird, 1989; Hawkins y Turla, 1987; Drucker, 1986). Ahora bien, el emprendedor es consciente de esta circunstancia y actúa mensurando y en cierto modo controlando el riesgo a través de sus componentes, que según Bird (1989) son tres: la magnitud de la potencial pérdida, su valor; la probabilidad de que se dé esta pérdida, y la exposición que el emprendedor cree tener ante esta pérdida, es decir, su vulnerabilidad. El emprendedor mide estos componentes y valora sus propias capacidades, usa información y determina su fiabilidad y en un todo global estima el nivel de riesgo, en sus diversas dimensiones, al que se enfrenta (Bird, 1989). Podemos por tanto considerar que el emprendedor, a diferencia de lo que estimaban los estudios más vetustos, no es un amante del riesgo, sino alguien dispuesto a abordarlo dentro de ciertos parámetros que le permitan ponderarlo y reducirlo (Hawkins y Turla, 1987). En definitiva, ante el riesgo los emprendedores actúan con *integridad* y *templanza.*

La ***capacidad de aprender de la experiencia*** parece revelarse como un atributo característico del emprendedor (Veciana, 1996; De Geus, 1990; Argyris, 1985).

Cuando se crea una nueva empresa, por muy pequeña que ésta sea, el emprendedor se enfrenta a un nuevo sistema y a una nueva situación no estructurada que como tal tiene un mayor grado de complejidad que una organización en funcionamiento. El emprendedor debe tener la capacidad necesaria para ***reducir la complejidad*** a fin de dirigir y estructurar el nuevo sistema. Ésta es una característica importante, un atributo que debe desarrollar el emprendedor, que generalmente se infravalora y que pone a prueba su capacidad directiva (Veciana, 1996).

Por último, el emprendedor debe tener ***capacidad para desarrollar nuevos sistemas,*** para lo que debe ser **creativo** y **original.** Desde las perspectivas de las teorías de la organización y de los sistemas, la creación de una nueva empresa constituye la creación de un nuevo sistema, siendo éste el atributo más común y fundamental del fenómeno de creación de empresas, su auténtico «principio de identidad» (Veciana, 1996). Para muchos autores, en la creatividad y en la capacidad de innovar radica gran parte del éxito del emprendedor y de la nueva empresa (Garavan y O'Cinneide, 1994; Sexton y Bowman-Upton, 1991; Gibb, 1988; Ketz de Vries, 1977).

Existe una gran polémica sobre si estos atributos o cualidades esenciales pueden ser adquiridos y desarrollados suficientemente por cualquiera, o si por el contrario los emprendedores tienen una serie de características innatas que facilitan su desarrollo.

Además de adquirir y desarrollar las cualidades anteriores, el emprendedor ha de poseer (Veciana, 1997; Olamendi, 1998), entre otros:

1. **Liderazgo.** Debe ser capaz de liderar al grupo de personas que tendrá que implicar en el proyecto.

2. **Conocimientos.** Poseer, y si no adquirir, conocimientos sobre algunos elementos básicos tales como el tipo de negocio que va a crear (tamaño, forma jurídica, etc.), el mercado al que se va a dirigir (clientes y competidores), y sobre las características del producto que va a ofertar.
3. **Organización.** Ser capaz de organizar, de montar la estructura que le permita poner en marcha la empresa.
4. **Procesos.** Conocer los procesos que permitirán elaborar el producto o prestar el servicio.
5. **Estilos de gestión.** Identificar el estilo más adecuado a su personalidad y pretensiones.
6. **Ventajas competitivas.** Marcar en su producto y empresa unas ventajas competitivas que le diferencien de la competencia.

Concluyendo, el futuro emprendedor debe potenciar las ocho capacidades esenciales destacadas por Veciana (1996) además de adquirir los elementos anteriores.

3. Mitos sobre el emprendedor

Existen en torno al emprendedor ciertas creencias, fruto del desconocimiento que hay sobre el mismo, que han alcanzado la categoría de mitos (Ripolles, 1995; Timmons, 1999, 1990; Rondstadt, 1985), de los cuales podemos destacar como más habituales los siguientes.

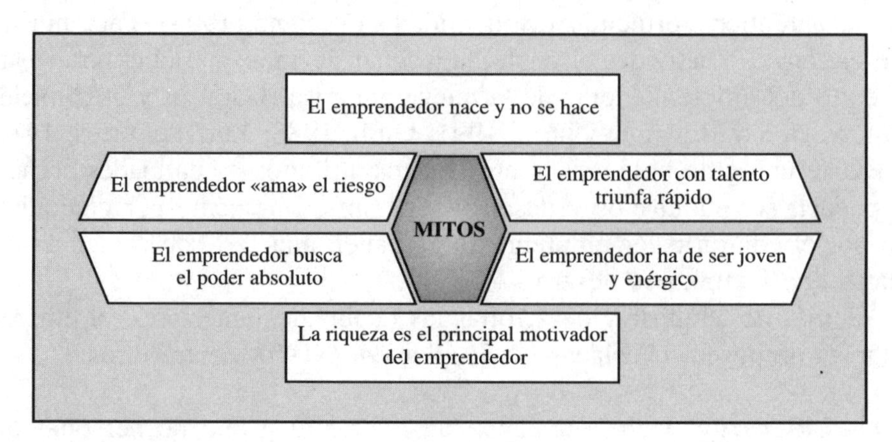

Figura 4.3

El emprendedor nace y no se hace

Ya expusimos en este mismo capítulo que esto no es así. Muchos emprendedores, como cualquier otra persona, pueden nacer con una mayor predisposición a desarrollar ciertas características que son de gran valía para su actividad emprendedora y empresarial, pero precisa desarrollarlas y adquirir otras a través de la formación, la experiencia, el conocimiento del sector y de los productos, etc., si desea alcanzar el éxito o al menos tener una mayor probabilidad de ello (Ripolles, 1995).

El emprendedor «ama» el riesgo

También vimos que esto no es del todo cierto, o al menos no es como parece. El emprendedor tiene una alta necesidad de logro, pero eso no significa que asuma cualquier riesgo, ya que esa necesidad de logro le lleva a controlar sus acciones y a que el resultado de las mismas dependa sobre todo de ellos; por tanto los emprendedores asumen el riesgo de una manera calculada y hasta aquel nivel que les permita sentirse responsables de los resultados de sus acciones (Ripolles, 1995).

El emprendedor busca el poder absoluto

Es cierto que como consecuencia de su necesidad de logro el emprendedor desea controlar toda la actividad de su organización para poderse sentir responsable del éxito o fracaso de la misma (Veciana, 1996; Timmons, 1990; McClelland, 1968), pero ello no supone que no permita participar a otros en la toma de decisiones dentro de la empresa; de hecho los emprendedores son conscientes de la importancia que tiene disponer de un equipo y fomentar la participación para tener éxito (Ripolles, 1995).

La riqueza es el principal motivador del emprendedor

Igualmente hemos visto que no existe un motivo principal que lleve al sujeto a crear una empresa, sino que es una *combinación* de varios, y que el dinero debe, en todo caso, considerarse como un factor más y como una medida del resultado de la acción emprendedora (McClelland, 1968).

El emprendedor ha de ser joven y enérgico

Afirmar esto es como acotar la vida activa del emprendedor. Sí es cierto que la realidad nos muestra, por un lado, que muchos de los emprendedores son personas jóvenes, pero ello no se debe sólo a la juventud sino también a la confluencia de otros factores sociodemográficos y laborales tales como la búsqueda de una salida laboral al incorporarse al mercado, la falta de cargas y responsabilidades familiares, el deseo de labrarse cuanto antes un futuro, etc., y por otro que la experiencia profesional previa, el conocimiento del sector y los productos, la capacidad directiva, etc., son muy determinantes tanto como motivadores como para el éxito, y que sólo el tiempo, y la edad, permiten adquirirlos (Ripolles, 1995).

El emprendedor con talento triunfa rápido

El talento es sin duda de gran valor para tener éxito, pero no lo garantiza, como tampoco garantiza que se vaya a conseguir en poco tiempo. Además, los auténticos emprendedores no buscan un éxito rápido, y a veces efímero, sino crear una empresa que se consolide y con futuro (Bhide, 2000).

4. Los errores más frecuentes del emprendedor

Ya aludimos a la elevada mortalidad de las empresas de reciente creación; en algunos casos esta desaparición se debe a inevitables razones de fuerza mayor, pero las más de las veces a los fracasos imputables a errores cometidos por el propio emprendedor. El estudio de por qué unas empresas alcanzan el éxito y otras fracasan es fundamental para el futuro emprendedor, pues en la medida que se identifiquen cuáles son los factores de éxito y los de fracaso, se podrá orientar la acción hacia la búsqueda de aquéllos y evitar en la medida de lo posible éstos. En el próximo epígrafe analizamos los factores de éxito y fracaso de las nuevas empresas; pero aquí vamos a detenernos exclusivamente en los errores más importantes del emprendedor y que a veces son causa principal de fracaso en su aventura empresarial.

Bien es cierto que hay muchos estudios que han puesto el acento en la figura del propio emprendedor como determinante fundamental del éxito de la nueva empresa, buscando relaciones entre tipos de emprendedores, su comportamiento en la empresa y los resultados de ésta (Lafuente y Salas, 1989; Stuart y Abetti, 1988, 1987; Sandberg y Hofer, 1987, 1986; Kham, 1986; McMillan, 1985; Siegel y Subba Narasimha, 1985; Smith y Miner, 1983); no obstante, ninguno de los estudios empíricos realizados ha

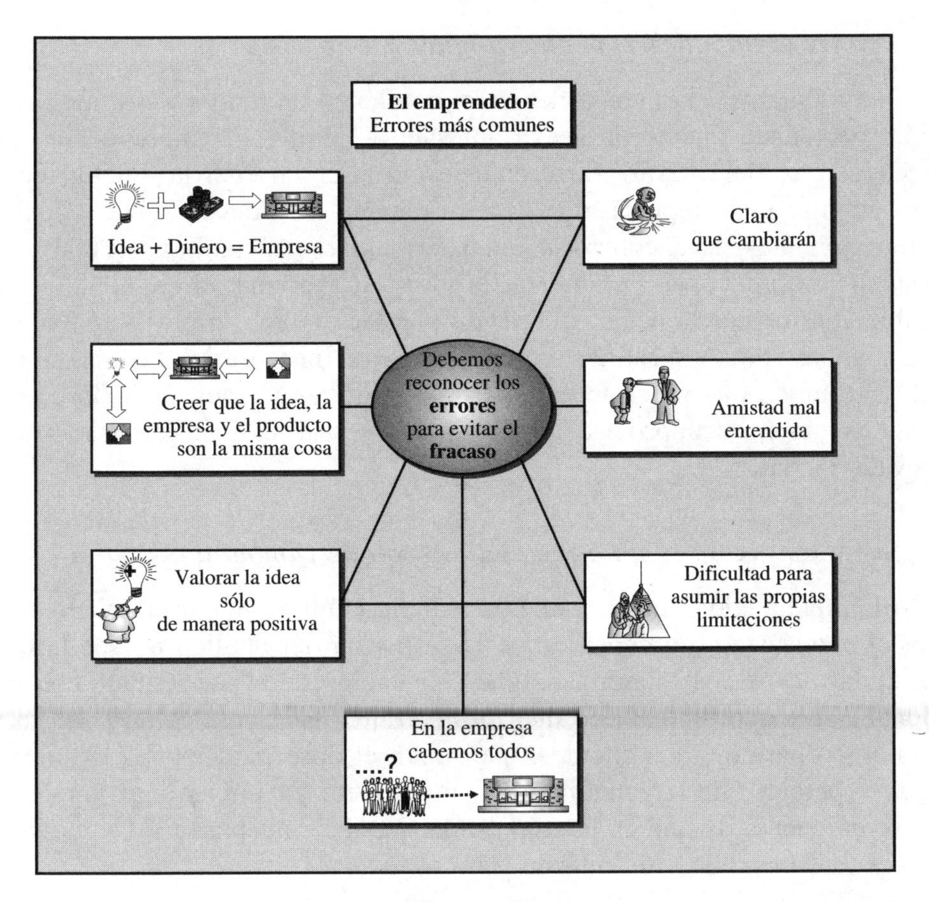

Figura 4.4

logrado corroborar la hipótesis que vincula el éxito empresarial con las características del emprendedor, por lo que el análisis del éxito (y también fracaso) empresarial en las empresas de nueva creación ha tomado un carácter multidimensional, el cual abordaremos en el próximo capítulo. Lo que sí podemos establecer es que en parte el fracaso de los nuevos emprendimientos tiene su origen en errores cometidos por los propios emprendedores, que en su euforia inicial tienden a descuidar aspectos clave que deben tenerse en cuenta en todo proyecto de empresa (García Erquiaga, 2000, p. 86), y que conocerlos podrá permitir evitarlos y por ende disminuir la probabilidad de fracaso en pro de una mayor probabilidad de éxito.

García Erquiaga (2000) ha recogido cuáles son los errores más comunes y recurrentes de los emprendedores, sobre todo de los más noveles, que suelen ser la antesala de un fracaso anunciado.

Primer error: *idea más dinero igual a empresa*

Naturalmente una buena idea es el comienzo de todo proceso de creación, pero dista mucho de ser la antesala del éxito. El emprendedor con frecuencia se deja llevar por el entusiasmo al creer tener la «mejor idea» para montar una empresa, que necesariamente los demás, sobre todo los futuros clientes, la encontrarán igual de genial y sucumbirán a ella. Así pues, no se preocupan en analizar la idea, en averiguar si es inicialmente viable y si merece la pena elaborar un plan de empresa o proyecto empresarial sobre ella; es más, hasta consideran éste innecesario, cuando, según ellos, lo único que precisan es dinero para empezar a actuar. Si lo consiguen caerán en la improvisación, y los fallos y la realidad le pasarán una elevada factura.

Segundo error: *el síndrome del «claro que cambiarán»*

El emprendedor, cuando pone en marcha la nueva empresa guiado sólo por el entusiasmo, no concibe que la respuesta del público no sea la que el intuía o esperaba, y aun así sigue convencido de haber actuado con racionalidad y oportunidad, de que lo único que hace falta es un poco más de tiempo para que los clientes, que según él poseen su misma racionalidad, se percaten de la genialidad de su producto y cambien a él. Es decir, no se da cuenta de que es la empresa la que debe adaptarse a las circunstancias del mercado y el entorno y no al revés.

Tercer error: *dificultad para asumir las propias limitaciones*

El emprendedor a veces se crece, se deja llevar por la arrogancia y se cree capaz de las más increíbles gestas, y aunque los demás le adviertan y los hechos le demuestren lo contrario, él seguirá sin asumir sus limitaciones. Esto hace que algunos emprendedores pretendan competir con éxito con y como otros que ya están en el mercado, diseñando su empresa sin tener en cuenta cuáles son sus auténticas capacidades.

Cuarto error: *la amistad mal entendida*

Es muy habitual cuando se buscan socios, compañeros de viaje. Un proyecto de empresa no debe basarse en una amistad mal entendida, pues un buen amigo puede ser un pésimo socio, ni siquiera en la necesidad del momento, «te necesito hoy pero me estorbarás mañana». Tampoco es posible una empresa sin jefes, donde todos son iguales y en la que no se definen los roles ni se marcan las competencias. La amistad es para las relaciones personales, pero no como base de una nueva empresa.

Quinto error: *en la empresa entramos todos*

Hemos visto cómo la mayoría de las empresas en España (y también en la Unión Europea) son pequeñas y microempresas, y que uno de los motivos esgrimidos para crear una empresa es crear un futuro laboral para los hijos; es decir, casi todas las nuevas empresas caen desde sus inicios en un rápido proceso de *familiarización* que en el mejor de los casos acaba en una empresa familiar, y en la mayoría en una empresa familiar desaparecida. En la nueva empresa sólo deben entrar los imprescindibles y si son realmente útiles en la estructura de la empresa, lo cual no significa que baste con ser cónyuge, hijo o pariente.

Sexto error: *valorar la innovación sólo de forma positiva*

Es muy importante que toda nueva empresa plantee una innovación (en el producto, en la comercialización, en la forma de competir, etc.), pero ésta ha de considerarse no un fin sino un medio que posibilite el éxito, que aporte un valor añadido y una ventaja competitiva. Para ello debe revisarse continuamente y orientarse hacia la satisfacción de la clientela, y no caer en una valoración positiva que haga creer que no hay por qué revisarla más; hay que ser crítico con las innovaciones.

Séptimo error: *la creencia extendida de que el negocio es el producto*

La empresa es bastante más que el producto que vende; es una organización, una forma de hacer las cosas, un capital humano, unas instalaciones, una cultura y unos valores. Todo ello determinará la supervivencia de la empresa. De hecho el producto puede hacerse obsoleto, encontrarse sin demanda, etc., y el emprendedor no debe perder esa perspectiva.

5. El fracaso y el éxito emprendedor

Un reciente estudio realizado por el Consejo Superior de Cámaras de Comercio de España *(Demografía empresarial en España: creación y desaparición de empresas 1996-2000)* muestra la elevada mortandad de las nuevas empresas, a pesar de que en la última década ha disminuido ésta. De las empresas creadas entre 1996 y finales de 2000 sólo un 53 por 100 estaban aún en marcha. Las causas son muy diversas, pero de una manera u otra se manifiesta la falta de organización y formación del emprendedor en el proceso de creación. Además, esta mortandad se centra mayoritariamente en las pequeñas y microempresas, aquéllas en las que la figura y la presencia del emprendedor es vital desde el comienzo y, sobre todo, en los primeros años de lanzamiento y consolidación de la empresa, y las cuales suponen el grueso de nuestro tejido empresarial, ya que son empresarios autónomos, microempresas y pequeñas empresas quienes lo constituyen.

Diversos estudios realizados en distintos momentos y tanto a nivel autonómico como nacional, prácticamente coinciden en señalar cuáles son las principales **causas del fracaso en las nuevas empresas** según la opinión de los propios emprendedores. Entre los motivos que aparecen con más frecuencia destacan los siguientes (figura 4.5):

— **Promotores inadecuados.** Sin la personalidad adecuada para crear e impulsar una empresa, cometiendo sistemáticamente determinados errores (éstos los vamos a ver más adelante en un epígrafe dedicado a su estudio).

— **Insuficientes conocimientos, formación o experiencia.** De manera que a medida que se presentaban problemas, el emprendedor se veía desbordado e incapaz de hacerles frente eficazmente.

— **Erróneas previsiones de futuro.** Las más de las veces por caer en un excesivo optimismo.

— **Desconocimiento del mercado.** En sentido amplio, comprendiendo también el entorno de la nueva empresa. Se debe a que es muy común dejarse llevar por el ímpetu inicial cuando se cree tener una gran idea de empresa.

— **Inadecuada valoración de la competencia.** Como en el caso anterior, por falta de rigor a la hora de madurar la idea de negocio y elaborar un plan de empresa.

— **Carencia de recursos iniciales.** Fundamentalmente económicos y financieros. Es muy habitual aventurarse sin contar con los necesarios recursos, confiando en que desde el primer día el negocio irá bien. Tampoco se consideran ni evalúan correctamente antes de poner en marcha la empresa.

— **Falta de entendimiento entre los socios fundadores.** Muy común cuando se ha iniciado la actividad en equipo. Esto se debe, según

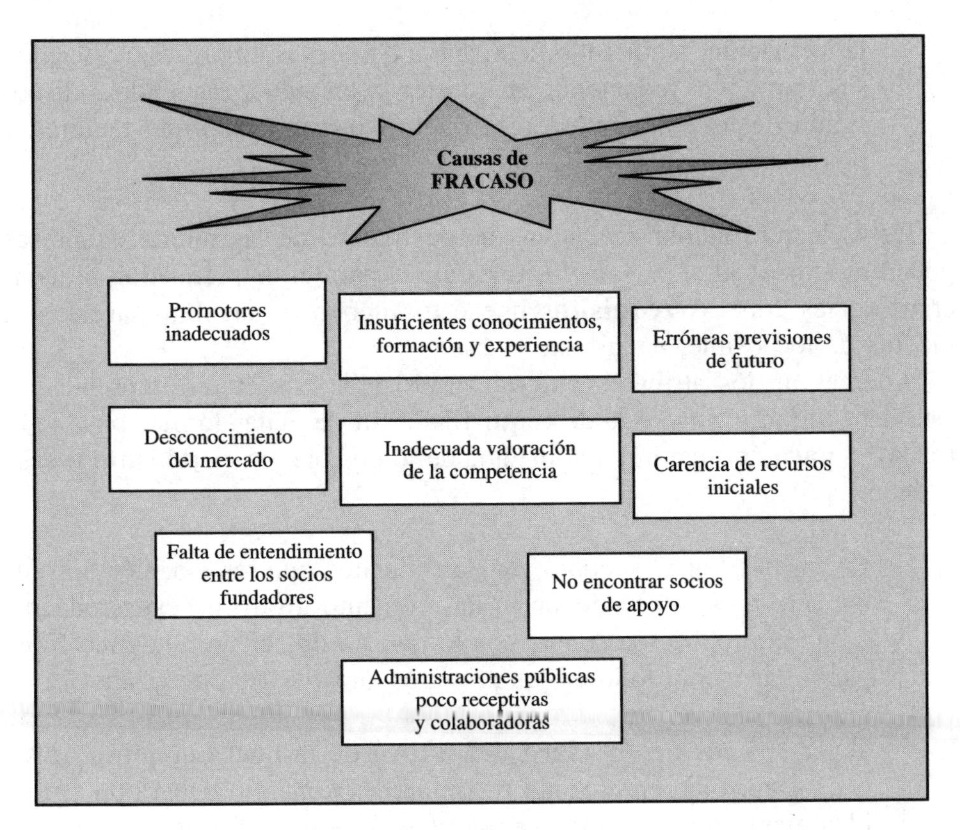

Figura 4.5

los estudios, a no definir los roles desde el principio, a carecer de voluntad para trabajar en grupo, a envidias y deseo de protagonismo, etc.

— **No encontrar socios de apoyo.** Cuando se desea poner en marcha un negocio y se buscan socios que apoyen la idea sin que tengan que intervenir en la gestión. En nuestro país esto se explica fácilmente por la aún pobre cultura empresarial, la carencia de instituciones del tipo «capital semilla», pocas sociedades de capital riesgo (y las que hay con una clara predilección hacia proyectos de envergadura), la poca práctica en la elaboración de planes de empresa, etcétera.

— **Administraciones públicas poco receptivas y colaboradoras.** Vaya por delante que consideramos que lo último es crear empresas subsidiadas; las administraciones públicas deben colaborar fomentando el espíritu emprendedor a través del apoyo a la educación y la formación, facilitando la creación de nuevas empresas, agilizando sus trámites y reduciendo sus costes y, en suma, poniendo a disposición de los emprendedores aquellos instrumentos que faciliten y potencien su labor.

De la lectura atenta de las causas de fracaso de las nuevas empresas podemos extraer algunas conclusiones útiles para el emprendedor, en concreto cuáles son los **requisitos** que éstos deben desarrollar para, en la medida de lo posible, paliar este fracaso.

Además de los atributos que ya vimos debe poseer un emprendedor, éste debe cumplir una serie de **requisitos** a fin de evitar lo más posible el fracaso y **para** conseguir, en la medida de lo posible, un cierto **éxito** (véase la figura 4.6).

— En primer lugar, y como señalan muchos autores (Jarillo, Stevenson, etc.), el emprendedor en un momento u otro necesita rodearse de un equipo de personas, por lo que ha de ser un auténtico **líder** para ellas, sobre todo en los primeros años de vida de la nueva empresa.
— Tener una **idea muy clara del futuro** de la nueva empresa, razonada y apoyada en el sentido común. En concreto deberá tener una idea clara sobre la empresa que desea crear, la forma jurídica que le dará, el producto, la forma en que lo conseguirá (fabricación, adquisición, subcontratación), el mercado en que competirá, la inversión necesaria, los ingresos y costos previstos, los resultados, etcétera.
— Poseer una serie de **conocimientos** sobre el mercado (su funcionamiento, estructura, etc.), el producto y el tipo de empresa que le permitan una adecuada gestión.
— Saber qué **recursos** va a necesitar y dónde encontrarlos y cómo disponer de ellos. Recursos financieros, humanos, materiales y tecnológicos.
— Tener capacidad de **organización.** La empresa es un sistema integrado por muchos componentes, que desde el primer instante el empresario ha de ajustar adecuadamente.
— Conocer los **procesos** necesarios para la actividad de la empresa en todas sus dimensiones.
— Implantar un **estilo de gestión** propio y acorde con los demás elementos antes citados.

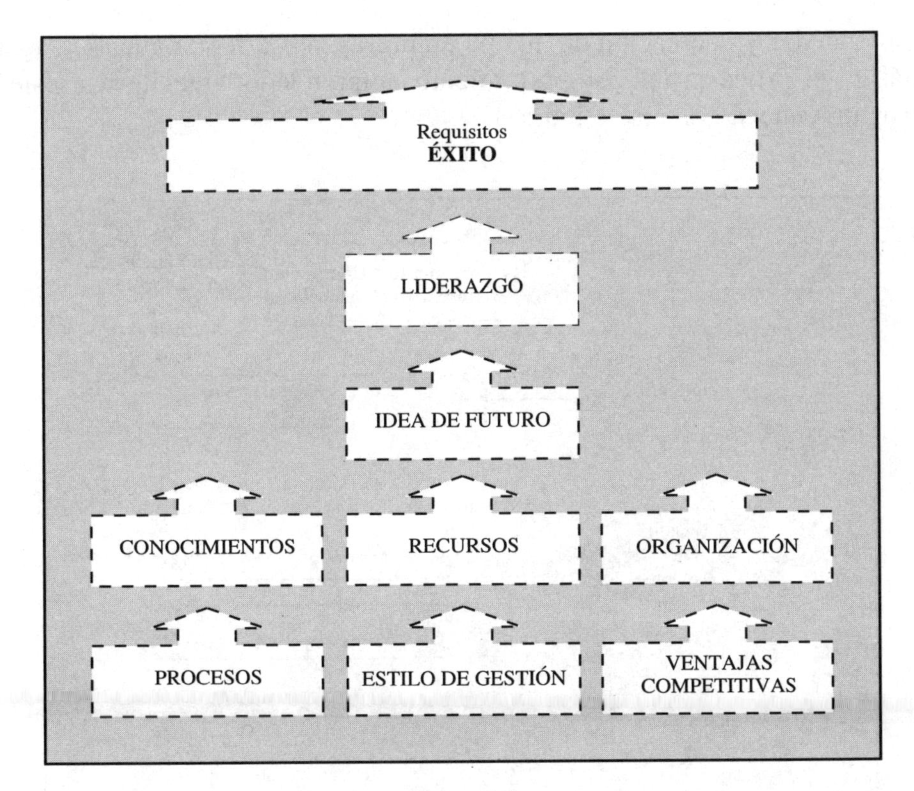

Figura 4.6

— Definir desde el primer día cuáles van a ser las **ventajas competitivas** de su empresa y producto, de manera que se diferencien de los demás.

6. El comportamiento emprendedor

¿Por qué se crean nuevas empresas?, ¿basta con que un emprendedor tenga una idea para que se decida a crear una empresa?, ¿cualquier persona que tenga una idea es emprendedor y puede ponerla en marcha creando su empresa?

Ésta y muchas otras cuestiones similares nos surgen cuando intentamos explicar el proceso que lleva a un posible emprendedor a crear una empresa. Las investigaciones del emprendedor como sujeto *(entrepreneur)* pretenden explicar qué lleva a éste a crear una nueva empresa. Vamos a plantear un modelo que, recogiendo diversas aportaciones en el estudio del emprendedor y la creación de nuevas empresas, nos arroje alguna luz sobre cuál es el proceso del comportamiento emprendedor que lleva a éste a crear una nueva empresa (figura 4.7).

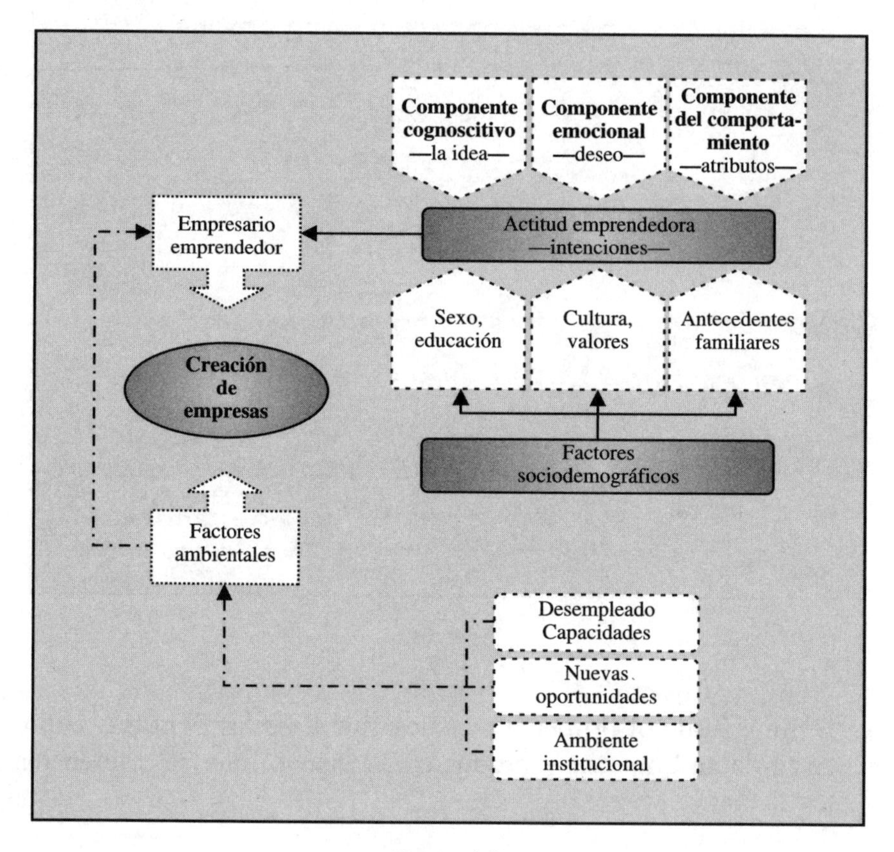

Figura 4.7

En general, cualquier comportamiento viene determinado por la actitud o intenciones del sujeto. Para que el emprendedor se decida a crear una nueva empresa es necesario que tenga «intenciones emprendedoras», es decir, que se plantee la posibilidad de ser dueño de su propia empresa; o lo que viene a ser igual, tenga una «actitud emprendedora»: que esté predispuesto a crear una empresa. Esta actitud está determinada por tres componentes esenciales: cognitivo, emocional y de comportamiento, y a su vez diversas investigaciones han puesto de manifiesto la existencia de factores sociodemográficos que influyen en la actitud del emprendedor.

La actitud emprendedora, determinante del comportamiento emprendedor, es en nuestro modelo una variable dicotómica con dos posibles valores: «sí» o «no», es decir, crear o no crear la nueva empresa. El que se active en uno u otro sentido dependerá de una serie de motivadores o factores ambientales que inciden en el emprendedor, y también en el tipo de empresa que al final va a crear.

Pasemos a estudiar detenidamente cada una de las partes del modelo y su funcionamiento.

Para que un sujeto desarrolle una actitud emprendedora, antes que nada debe tener una idea del futuro negocio o empresa, ***componente cognoscitivo.*** Debe ser lo más clara y precisa posible, de forma tal que a mayor precisión más intensamente contribuirá a formar esa actitud hacia la creación de la empresa. Además debe desear crear una empresa, ***componente emocional;*** deseo que dependerá de la valoración que haga de múltiples factores y circunstancias (tranquilidad, aversión al riesgo, incidencia de determinados factores sociodemográficos, etc.), y por último deberá poseer en alguna medida los atributos propios de un emprendedor, ***componente del comportamiento.***

Hay una serie de factores sociodemográficos que inciden en la actitud emprendedora a través de la influencia que tienen en sus diversos componentes, destacando: sexo y educación, cultura y valores, y los antecedentes familiares.

En términos generales, hombres y mujeres empresarios son muy similares, y el **sexo,** más que incidir en el comportamiento o actitud, supone a veces una traba para la mujer emprendedora debido a elementos culturales y sociales que afortunadamente parece que vamos superando. No obstante, podemos encontrar algunas evidencias empíricas que sugieren algunas diferencias en los rasgos de personalidad y actitud entre sexos. Así, Brenner (en un estudio realizado en 1982) detectó, según él, que los hombres son más dominantes y están más orientados hacia el logro que las mujeres, lo que explicaría el por qué los varones son más propensos que las mujeres a crear empresas debido, añadía, a las diferencias en cuanto a la valoración del trabajo (Brenner, Pringle y Groenhaus, 1991), aunque para otros esto es debido a características psicológicas (Sexton y Bowman-Upton, 1990). En España, la Confederación Española de Asociaciones de Jóvenes Empresarios (CEAJE) contaba entre sus asociados con un 79 por 100 de varones y sólo el 21 por 100 de mujeres a finales del año 2000. Teniendo en cuenta el tipo de asociaciones que reúne, con empresarios todos menores de cuarenta años y la mayoría con su propia empresa creada por ellos, esta cifra es significativa y sólo nos indica la escasa participación de la mujer en el mundo empresarial como emprendedora.

La **educación** es un factor que cada vez está incidiendo más en la actitud y el comportamiento emprendedor. Si bien las investigaciones llevadas a cabo ponen de manifiesto que no es estrictamente necesario disponer de una educación reglada para crear una nueva empresa, un mayor nivel educativo, y especialmente si está relacionado con el campo empresarial, puede suponer una ventaja de base. Al parecer, en las últimas décadas se viene rompiendo con el tópico de que «se mete a empresario quien no puede meterse a otra cosa» por su escaso nivel de estudios. Algunas investigaciones realizadas en Estados Unidos y Europa revelan que por término medio el empresario tiene un nivel de educación mayor que el del público en general, pero sigue siendo algo inferior al de quienes ocupan puestos directivos. El panorama español sin embargo parece más alentador. Con datos de la CEAJE cerrados en el 2000, los jóvenes que se deciden a crear hoy su propia empresa suelen ser personas cualificadas, ya que el 54 por 100 tiene estudios superiores, el 33 por 100 estudios secundarios, y sólo el 13 por 100 estudios primarios.

En cuanto a la **cultura** y los **valores** se ha venido detectando un cambio significativo de los mismos en relación con la figura del empresario, el autoempleo y otros elementos relacionados. Ya Weber (1945) manifestaba que en aquellas sociedades con valores provenientes de la religión protestante (calvinista y luterana principalmente) se daban más empresarios y con más éxito que en las regiones donde predomina la cultura católica, debido a valores tales como el respeto al trabajo, la disciplina, etc.

Muy relacionados con la cultura y los valores están los **antecedentes familiares.** Existe una abultada evidencia empírica sobre el hecho de que muchos emprendedores descienden de familias en las que alguno de sus miembros ha sido o es empresario o autoempleado, facilitándose así una cultura y unos valores proclives al espíritu emprendedor. Es más, cabe esperar que los sujetos cuyos progenitores están involucrados en actividades emprendedoras tendrán una mayor probabilidad de mostrar tales actitudes en comparación con aquellos cuyos padres no lo están, como evidencian algunos estudios al respecto.

Siguiendo nuestro modelo de comportamiento planteado, además de la actitud emprendedora (con sus componentes y factores que inciden en ellos) es necesario que se den determinados **factores ambientales** para que dicha actitud desemboque en un comportamiento que lleve al empresario emprendedor a crear una empresa. Estos factores son muy diversos y sirven, alguno o varios a la vez, como detonante positivo del comportamiento emprendedor; son los motivos que en numerosos estudios los emprendedores esgrimieron como fundamentales para incitarles a dar el paso crucial de crear su empresa, y entre los cuales destacamos los siguientes:

— Perder el trabajo y encontrarse desempleado.
— Ambición y deseo de independencia.
— Creer tener una buena idea empresarial y aprovechar nuevas oportunidades.
— No desear ser subordinado y sí ser su propio jefe.
— Desarrollar la propia experiencia y conocimientos.
— Una salida ante la falta de alternativas.
— Crear un futuro laboral y económico para los hijos.
— Aprovechar las ayudas institucionales.

Naturalmente este modelo sólo explica el comportamiento, pero no el por qué unas iniciativas fracasan y otras tienen éxito. Es elevadísimo el índice de mortalidad de las nuevas empresas en los primeros años, por lo que sería conveniente indagar cuáles son, a juicio de sus protagonistas, las causas de este fracaso o del éxito emprendedor.

5 La empresa emprendedora y el directivo emprendedor

1. Introducción. El *corporate entrepreneurship*

Tradicionalmente el emprendedor se ha concebido como el creador de su propia empresa *(individual entrepreneur)*. Pero existe otro tipo de emprendedor al que tradicionalmente no se le ha prestado suficiente atención hasta tiempos recientes; nos referimos a aquellos directivos que ponen en marcha nuevos proyectos empresariales dentro de sus organizaciones: son los *directivos emprendedores* o *intrapreneur* (Mulder y Cubeiro, 1997). En los últimos lustros el cambio a un escenario global está induciendo a que se pase de una *economía del management a una economía entepreneurial* (Drucker, 1989, 1997, 1999), que no consistiría sólo en la extensión del *management* a nuevas actividades, sino que incluiría la búsqueda y utilización del cambio y la innovación, lo que está propiciando el interés investigador y el desarrollo de este tipo de emprendedor corporativo. Además, el emprendedor no acaba con la creación de su empresa; el éxito y el futuro de ésta depende de la capacidad emprendedora de sus directivos que le permita mantenerse en vanguardia adaptándose a los continuos cambios del entorno y el mercado, garantizándole la competitividad. Es por todo por lo que creemos conveniente dedicar unas páginas al estudio de la empresa emprendedora y del directivo emprendedor.

Actualmente, tanto por parte de los expertos como de los poderes públicos, se está insistiendo mucho en la importancia de impulsar la actividad emprendedora e innovadora en las empresas y organizaciones ya consolidadas, impelidas por los trascendentales cambios que la globalización está imponiendo; en concreto, debido a la celeridad del cambio tecnológico, a la inmersión en una economía del conocimiento y a la necesidad, como corolario de todo lo anterior, de mejorar la posición competitiva; todo ello está exigiendo de las empresas la adopción de un comportamiento emprendedor en la formulación de sus estrategia (Entrialgo y otros, 2001; Veciana, 1996).

En el sentido antes apuntado, aparece en el campo de estudio del emprendedor o *entrepreneurship* el ***corporate entrepreneurship*** como un nuevo e importante foco de interés, entendido como un proceso de renovación estratégica basado en la adquisición de nuevas capacidades y que permite la revitalización y mejora de la empresa tanto en su vertiente competitiva como de beneficio (Zahra, 1996, 1995, 1993, 1991; Zahra et al., 1999; Guth y Ginsberg, 1990; Rule e Irwin, 1988; Pinchot, 1985; Burgelman, 1985, 1984, 1983; Kanter, 1984; Scholhammer, 1982).

Desde la aparición del *corporate entrepreneurship* las investigaciones en este campo se han centrado en aspectos muy diversos del mismo: la delimitación y definición del fenómeno en sí (Covin y Miles, 1999; Sharma y Chrisman, 1999), los atributos de la empresa emprendedora o *corporate entrepreneur* (Covin y Slevin, 1990, 1989; Jennings y Lumpkin, 1989; Karagozoglu y Brown, 1988; Morris y Paul, 1987), el propio proceso emprendedor en sus diversas formas y resultados (Veciana, 1996; Zahra y Covin, 1995; Stopford y Baden-Fuller, 1994; Guth y Ginsberg, 1990), o el rol del emprendedor, *intraemprendedor* o *directivo emprendedor* o *entrepreneurial management*, dentro de la organización emprendedora como catalizador del proceso (Green, Brush y Hart, 1999; Mulder y Cubeiro, 1997; Gibb, 1990, 1988; Drucker, 1985).

Entre las múltiples definiciones del *corporate entrepreneurship* destacamos tres. Una que lo define como el proceso mediante el cual la empresa realiza una diversificación a través de un desarrollo interno consistente en la extensión de sus competencias y oportunidades, lo que le supone la generación interna de nuevas combinaciones de recursos (Burgelman, 1984, 1983); otra, más amplia, que lo relaciona con la identificación de oportunidades y la generación de nuevas ideas y la transformación de éstas en un resultado tangible a través del desarrollo de nuevas capacidades (Floyd y Wooldridge, 1999), y, por último, la que lo concibe como un proceso organizacional donde se transforman ideas individuales en acciones colectivas mediante la gestión de la incertidumbre (Chung y Gibbons, 1997).

En definitiva lo realmente importante y lo que se pone de manifiesto es que con el *corporate entrepreneurship* la empresa entra en nuevos negocios y amplía sus actividades en mercados existentes o nuevos (Zahra, 1996, 1995), y ello gracias a la existencia de un espíritu emprendedor corporativo que induce a esta renovación o innovación dentro de la empresa (Sharma y Chrisman, 1999).

Pero el interés por el *corporate entrepreneurship* no es gratuito, pues se le reconoce desde todos los ámbitos (empresarial, económico, político e investigador) como el medio más viable para promover y sostener la competitividad de las empresas en la nueva economía del conocimiento (Comisión Europea, 2001). Ya anteriormente muchos trabajos científicos (Lumpkin y Dess, 1996; Naman y Slevin, 1993; Guth y Ginsberg, 1990; Khandwalla, 1987; Miller, 1983; Scholhammer, 1982) han puesto de manifiesto que el *corporate entrepreneurship* mejora la posición competitiva de las empresas y las transforma, teniendo además un efecto positivo sobre los mercados y la propia economía general y sectorial al desarrollar y explotar nuevas oportunidades y promover, en muchos casos, la innovación.

2. La empresa emprendedora

Pasamos a analizar el elemento principal del *corporate entrepreneurship:* la organización emprendedora o *corporate entrepreneur,* sus características y procesos.

Actualmente se aboga mucho por crear empresas emprendedoras y por convertir en tales a las ya existentes, y no es un deseo gratuito sino que cada vez son más las presiones externas que obligan a ello si es que se desea sobrevivir en este nuevo escenario global. Entre estas presiones destacamos (Bhide, 2000; Mintzberg, 1998):

a) Rápidos cambios tecnológicos que generan continuamente nuevas oportunidades y retos y dejan obsoletos e inservibles otros caminos.
b) Comportamiento de los consumidores cada vez más cambiante y menos fiel.
c) Nuevos valores sociales, multiculturalismo, etc., que definen nuevos estilos de vida y comportamientos.
d) Redefinición y aparición de nuevas normas reguladoras de los mercados, en un ámbito cada vez más global.

Teniendo en cuenta las presiones antes señaladas, la **empresa emprendedora** debe poner énfasis en una serie de **factores** que le permitirán su **desarrollo** y **competitividad,** y por ende su **permanencia** en el mercado (Gibb, 1990):

— Plantearse el crecimiento a través del desarrollo de nuevas áreas.
— Búsqueda de horizontes a corto plazo y flexibles con planificación estratégica informal.

— Búsqueda de mayor desarrollo de proyectos para reducir el riesgo.
— Implantación de estrategias de acción con negociación como y donde sea necesario para salvaguardar recursos y disminuir el riesgo.
— Persecución del estatus en términos de éxito en el mercado.
— Evitar la innecesaria propiedad de recursos que llevaría a mayores gastos generales y al riesgo de obsolescencia.
— Sustituir la propiedad por la subcontratación.
— Desarrollo de alianzas estratégicas con otras empresas.

Las **nuevas actividades** o proyectos de las **empresas emprendedoras** pueden al menos tomar **tres vías básicas:**

1. Puesta en marcha de nuevos negocios dentro de la empresa (Guth y Ginsberg, 1990).
2. Innovación de ideas clave en el funcionamiento y estructura de la organización (Guth y Ginsberg, 1990).
3. Introducción de cambios en la estructura y funcionamiento del sector y en las reglas de la competencia (Stopford y Baden-Fuller, 1994): canales y formas de venta, precios, etc.

Las **organizaciones emprendedoras** presentan una serie de **características básicas** (Lumpkin y Dess, 1996): tienen **autonomía,** valoran y toman como algo necesario la **innovación** y el **cambio,** están habituadas a tomar **riesgos,** son **proactivas** en la búsqueda de oportunidades y plantean una **competencia agresiva.** En este contexto sí podrán encajar, surgir y desarrollarse los **directivos emprendedores** que se **caracterizan** por (Timmons, 1989): sentirse confortables ante el cambio, percibir las necesidades no cubiertas como oportunidades, tener una visión de futuro y mirar a largo plazo seleccionando cuidadosamente los nuevos proyectos pero actuando con una perspectiva a corto, entender los retrasos como algo coyuntural a superar, desarrollar un estilo de dirección participativo y orientado al equipo, y trabajar con perseverancia, persistencia y prudencia.

La generación de nuevos proyectos ***(venturing)*** empresariales, para que sea efectiva, debe tener como común denominador la innovación, y viene denominándose ***venture management, corporate entrepreneurship*** o ***corporate venturing*** (Veciana, 1996). Estos proyectos pueden llevarse a cabo desde el interior de la propia empresa ***(proyecto empresarial interno)*** o mediante su participación en otras nuevas creadas en el exterior ***(gestión***

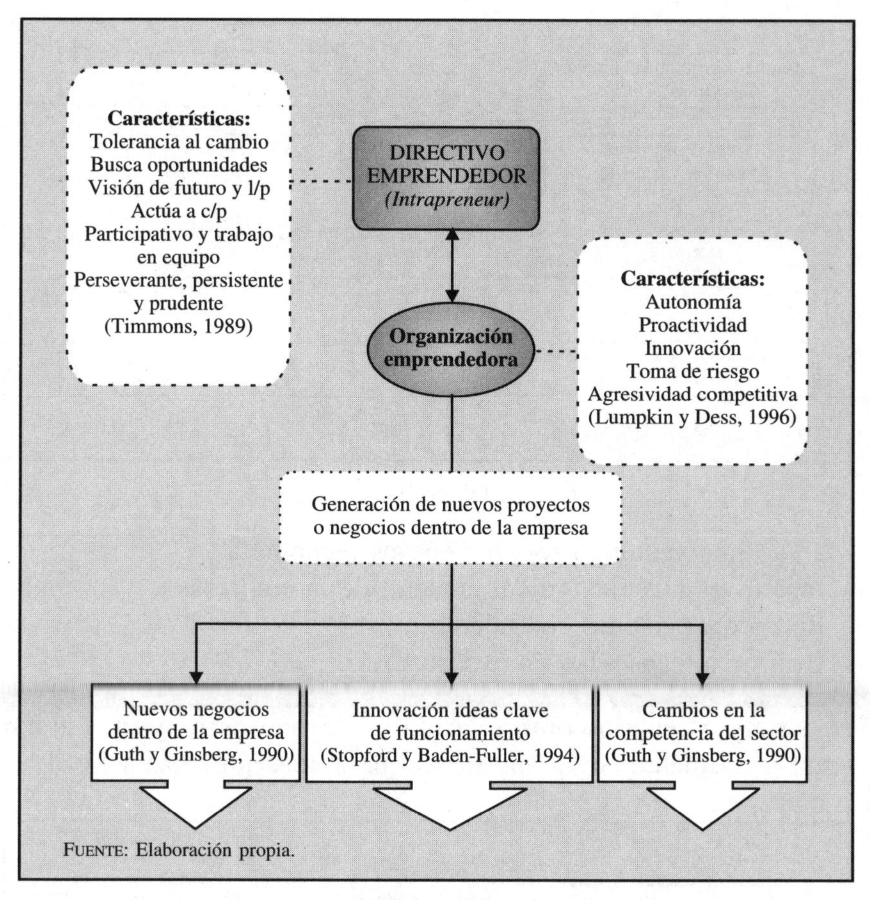

FUENTE: Elaboración propia.

Figura 5.1

externa de proyectos empresariales), y en ambos casos pueden adoptar distintas formas (Veciana, 1996) como se señala en la figura 5.2.

Con carácter general, el principal objetivo del ***venture management*** es el de innovar, y con ello adaptar la empresa a los cambios de un entorno cada vez más voluble (Veciana, 1996), siendo sus **objetivos** más concretos los siguientes (Vesper y Holmdahl, 1973; Szyperski y Klandt, 1984. Citados en Veciana, 1996):

— Asegurar la supervivencia de la empresa.
— Asegurar el crecimiento y la rentabilidad a largo plazo.
— Diversificar.
— Desarrollar y explotar nuevos productos.
— Crear un clima propicio a los nuevos negocios.

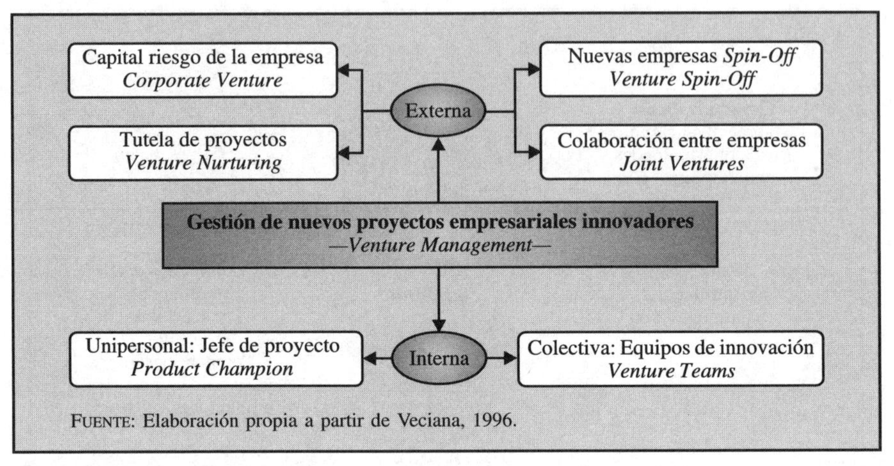

Figura 5.2

— Tener una ventana hacia las nuevas tecnologías.
— Incrementar la flexibilidad general de la empresa.
— Retener a personas con talento.
— Utilizar la capacidad en exceso.

Pero en un escenario como el actual estos nuevos proyectos empresariales son instrumentos de gran eficacia para conseguir una serie de obje-

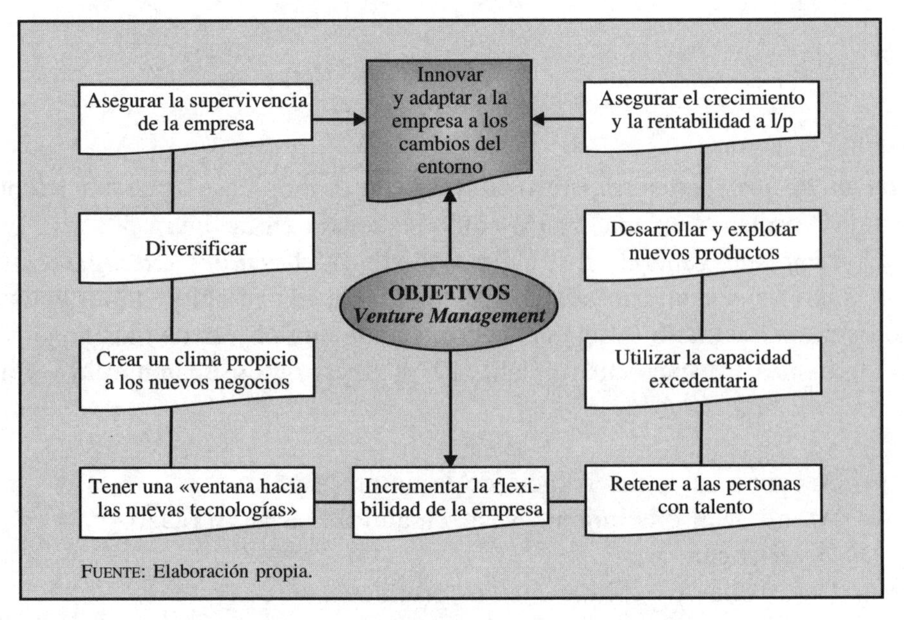

Figura 5.3

tivos muy prioritarios hoy en día: crear un clima interno en la organización favorable al aprendizaje organizativo (Muzyka, 1988), y formar un marco organizativo donde poder experimentar para crear o ampliar nuevas habilidades que permitan a su vez incrementar las ventajas competitivas de la empresa (McGrath et al., 1992; Stevenson y Jarillo, 1990).

Vamos a ver en qué consiste cada una de las formas recogidas en la figura 5.2 (Veciana, 1996).

El ***corporate venturig*** o *corporate venturing capital* o ***capital riesgo de la empesa*** es la participación minoritaria por parte de una gran empresa en el capital de otra nueva empresa con buenas perspectivas de crecimiento. Esta modalidad ha sido muy utilizada por determinadas grandes corporaciones del sector de la comunicación, la informática y la energía como medio para acceder a tecnologías prometedoras, con resultados muy diversos.

El ***venturing nurturing*** o ***tutela de proyecto*** supone un mayor grado de implicación y compromiso por parte de la empresa que lo lleva a cabo (normalmente grande), ya que conlleva facilitar asesoramiento a la nueva empresa, especialmente en las áreas comerciales, de producción e investigación.

El ***venturing spin-off*** supone la creación de nuevas empresas por personal procedente de otra mayor. Es la propia empresa matriz quien potencia estas nuevas creaciones por muy diversos motivos: diversificación, desarrollar una nueva idea que de entrada no encaja en los planteamientos de la matriz, explorar nuevos campos tecnológicos, ganar experiencia a bajo coste, etc.

El ***joint-ventures*** o ***colaboración entre empresas*** consiste en la creación de una nueva empresa conjunta entre una grande, que aportará el capital, los sistemas y los canales de distribución, y normalmente otra más pequeña, que aportará el espíritu empresarial y emprendedor y la nueva tecnología.

La gestión de nuevos proyectos empresariales desde el interior de la propia empresa puede tomar una forma individual o colectiva.

La **forma unipersonal** requiere de alguien defensor a ultranza de la nueva idea (Schon, 1963), el ***jefe de proyecto,*** quien no dudará en dejarse la piel en el intento, y que según este autor debe reunir las siguientes **condiciones:**

a) Ha de tener prestigio y poder dentro de la organización a fin de poder disponer de un amplio margen de maniobra para cumplir con su cometido.

b) Debe conocer y manejar bien las relaciones informales dentro de la organización, para poder identificar con prontitud los focos de resistencia y saberlos combatir.
c) No debe tener intereses polarizados en ninguna de las áreas empresariales (comercial, financiera, costes, etc.), y sí una orientación equilibrada hacia las mismas.
d) Aunque su figura encaje mal en las estructuras formales, por parte de sus superiores debe existir un deseo de institucionalizarla, lo que no es más que un reconocimiento de su importancia.

Este *jefe de proyectos* ha de ser alguien alejado del desaliento, capaz de asumir responsabilidades y llevarlas al máximo en el logro de su objetivo, habituado a trabajar en situaciones no estructuradas, más cercano a la figura del empresario emprendedor que a la del directivo (Cohem, Graham y Shils, 1986); en suma, un auténtico corredor de fondo en situaciones adversas. Esta figura toma muy diversas denominaciones (Veciana, 1996): *corporate entrepreneur* (empresario corporativo), *incorporate entrepreneur* (empresario intracorporativo), *product champion* (paladín de producto), *internal entrepreneur* (empresario interno), *business innovador* (innovador de negocios), *change agents* (agente de cambio) o *administrative entrepreneur* (empresario administrativo).

La **forma colectiva** se caracteriza por la existencia de un ***equipo de innovación,*** pequeño grupo cuya misión consiste en desarrollar nuevos productos e ideas para la empresa (Veciana, 1996). Podemos identificar numerosas denominaciones diferentes de los mismos: *new business venture división* (división de proyectos de nuevos negocios), *internal venture unites* (unidades de nuevos negocios internos), *new business opportunities* (oportunidades de nuevos negocios), *product planning and development* (planificación y desarrollo de productos), *market development* (desarrollo de mercado), *new venture teams* (equipos de innovación), *new product task force* (equipos para nuevos productos), *new-venture group* (grupo para nuevos proyectos empresariales), *corporate development* (desarrollo empresarial), etc.

Las **características** más relevantes de estos **equipos de innovación** son (Veciana, 1973):

— Ser órganos al margen de la organización permanente. Con esta separación se busca que el equipo sea más eficaz y que se estimule su creatividad.

— Naturaleza multidisciplinar. Sus miembros deben tener muy distinta procedencia en cuanto a campos de conocimiento y especialidades, lo cual es un ingrediente esencial para potenciar la creatividad.
— Estructura flexible. El equipo debe tener una estructura muy flexible e incluso carecer de ella, a fin de evitar el estancamiento y la lentitud en la acción.
— Creatividad e innovación, es decir, espíritu emprendedor.
— Relacionados con la alta dirección, a fin de contar con fuertes apoyos y evitar las barreras de comunicación con los máximos responsables.
— Objetivos generales compartidos. El equipo suele tener un objetivo bastante general, aunque compartido por todos y definido de forma tal que permita la suficiente libertad y margen de actuación en su persecución.
— Duración flexible, aunque se guíen por un plan de desarrollo o de empresa en donde se recogerán distintas fases de ejecución, debido a la naturaleza de su trabajo, los márgenes y duración de estas fases.

El desarrollo de nuevos negocios emprendedores dentro de la empresa, sea cual sea la forma que adopten éstos, no está nunca exento de riesgo e incertidumbre, y no debe dejarse a la improvisación, por lo que es conveniente que la empresa adopte un método o proceso para implementarlos que comprendería (Block, 1986):

1. Preparación

Antes que nada la organización debe estar preparada para poder llevar a cabo nuevos proyectos, para ser emprendedora. Esto supone crear las condiciones necesarias y el clima propicio para que se generen nuevas ideas y emprendimientos, y diseñar un protocolo para encauzar la actividad emprendedora y que ésta ni se disperse ni colapse otras acciones de la empresa.

2. Elección de «nuevas aventuras»

No hay que iniciar nuevos proyectos porque sí, sino seguir un proceso o protocolo, el que se diseñó en el punto anterior, que comprendería las siguientes fases: primero, **identificación de oportunidades,** ya sea a través de detección de necesidades no cubiertas o de la generación de nuevas ideas; segundo, **evaluación de la viabilidad** de estas ideas, lo que supone el desarrollo de un proyecto en que se recoja un análisis de los recursos necesarios y una previsión de costos y resultados en un determinado horizonte temporal, que permita la aplicación de criterios objetivos para evaluar su viabilidad e interés; tercero, **elección** del o de los más interesantes conforme a los criterios objetivos de valoración utilizados, y cuarto, **selección de directivos y personal** que lo llevarán a cabo y se responsabilizarán del mismo.

3. Preparación, organización y lanzamiento

En esta fase hay que determinar la ubicación del proyecto dentro de la empresa, obtener y comprometer los recursos (financieros, técnicos, materiales y humanos) necesarios y, finalmente, iniciar las actividades.

4. Monitorizar y controlar

No debe olvidarse que el nuevo proyecto emprendedor forma parte del «todo» de la empresa, y que su marcha incide y compromete la marcha global de la misma. Por eso es necesario monitorizar y controlar el proceso en su conjunto, así como todas sus operaciones y su día a día y el nivel de riesgo asociado.

5. Insertar la «nueva aventura»

A medida que el nuevo negocio (intraempresa) se consolida, dejará de ser un nuevo proyecto estratégico y pasará a ser una línea más de negocio o actividad de la empresa.

6. Aprender de la experiencia

Todo lo anterior debe servir a la empresa para enriquecerse, por lo que cada nuevo emprendimiento debe ser objeto de análisis y seguimiento, tanto si culmina en éxito como en fracaso.

Para terminar este apartado recordar de nuevo la necesidad de que las empresas sean organizaciones emprendedoras, que desarrollen una actividad emprendedora, que no es sino *«la gestión del cambio radical y discontinuo, o renovación estratégica, sin importar si esta renovación estra-*

tégica ocurre dentro o fuera de la organización, y sin importar si esta renovación da lugar, o no, a la creación de una nueva entidad de negocio» (Kunkel, 1991).

3. El directivo o gerente emprendedor

Para que exista una organización emprendedora es imprescindible que ésta esté gobernada por directivos emprendedores. Sin duda el protagonista esencial de las empresas emprendedoras es el **directivo emprendedor,** el cual presenta una serie de diferencias con el directivo ejecutivo (Gibb, 1988) que recogemos en la siguiente tabla 5.1.

Tabla 5.1

DIRECTIVO EMPRENDEDOR	DIRECTIVO EJECUTIVO
Crecimiento en campos vírgenes.	Crecimiento por adquisición.
Horizontes a corto plazo.	Horizontes a largo plazo.
Planificación informal: política y práctica enlazadas, cambiando y emergiendo.	Planificación formal: primero política y luego práctica.
Fracasar significa perder una oportunidad.	Fracasar significa mala utilización de los recursos.
Busca incrementar el desarrollo para reducir el riesgo.	Busca el desarrollo a gran escala con reducción de riesgo a través del análisis y la información.
Persigue estrategias de acción negociando cuando y donde haga falta.	Persigue estrategias prenegociadas para tomar decisiones.
Evalúa al finalizar la tarea.	Evalúa de forma rutinaria.
Estatus equivale a éxito en el mercado.	Estatus equivale a controlar los recursos.
Evita gastos generales y riesgos de obsolescencia a través de la subcontratación.	Tiende a la propiedad de todos los recursos para tener el poder y el control.
Persigue la eficacia en el mercado.	Persigue información eficiente que justifique el control.

FUENTE: Gibb, 1998, elaboración propia.

No debe entenderse que exista una dicotomía entre directivo ejecutivo y directivo emprendedor; el *intrapreneur* o *intraemprendedor* es una simbiosis de ambos y su éxito está en unir las cualidades de ambos (Gasse, 1986; Lessem, 1986). En general (ídem), el directivo de una empresa emprendedora debe ser ejecutivo para luchar contra la complejidad, líder para afrontar y gestionar el cambio, y emprendedor para buscar nuevas oportunidades, no sólo tolerando y sacando beneficio al cambio, sino propiciándolo, y para ello debe hacer partícipe de este espíritu emprendedor al resto de los empleados, ya que actualmente la más importante ventaja competitiva de una empresa proviene de la continua innovación y variedad de ideas que fluyen a lo largo de ella, y deben ser todos los trabajadores quienes añadan valor mediante el continuo descubrimiento de oportunidades, de mejora de los productos y procesos, etc. (Reich, 1991).

Cómo líder, el directivo emprendedor debe poner el énfasis en las personas implicadas en el nuevo proyecto, orientándolas, haciéndolas compartir una misma visión, conciliando sus intereses con los de la empresa y el nuevo emprendimiento, motivándolas, y como ejecutivo debe también poner énfasis en las tareas planificando, organizando y controlando (Kotter, 1991).

El nuevo escenario en que se desenvuelven las empresas y todas las organizaciones hace que éstas, cada vez más y para su propia supervivencia, busquen personal con las características propias del *intrapreneur*, tanto en directivos como en el resto, y que podemos resumir en (Timmons, 1989):

— Se siente cómodo en situaciones de cambio.
— Percibe las necesidades no cubiertas como oportunidades.
— Visión de futuro y horizontes a largo plazo.
— Selecciona los proyectos evaluándolos sin precipitarse.
— Estilo directivo participativo y orientado al trabajo en grupo.
— Perseverantes, persistentes y prudentes en el trabajo.

Luego las organizaciones emprendedoras lo son si están gobernadas por directivos emprendedores, que han de ser líderes para afrontar y gestionar el cambio, emprendedores para buscar nuevas oportunidades tolerando y sacando beneficios del cambio, y ejecutivos para luchar contra la complejidad (Reich, 1991); y además este espíritu emprendedor debe afectar al resto del personal.

En suma, se deben conciliar las metas organizacionales con los intereses individuales para provocar la tendencia de los directivos, y en general del personal de la empresa, hacia comportamientos emprendedores; tarea ésta nada fácil que puede conseguirse haciendo de la empresa una *organización misionaria* (Mintzberg, 1998), es decir, capaz de crear a través de su cultura un sentido de misión y compromiso entre todos sus miembros que compartirán con la empresa las mismas metas y valores.

PARTE TERCERA
De la idea a la empresa

6 El proceso de creación de una nueva empresa

1. Las «vías de acceso» a la actividad empresarial

Tres son las principales vías de acceso a la actividad empresarial: **creación, participar en una empresa ya existente** y **herencia.**

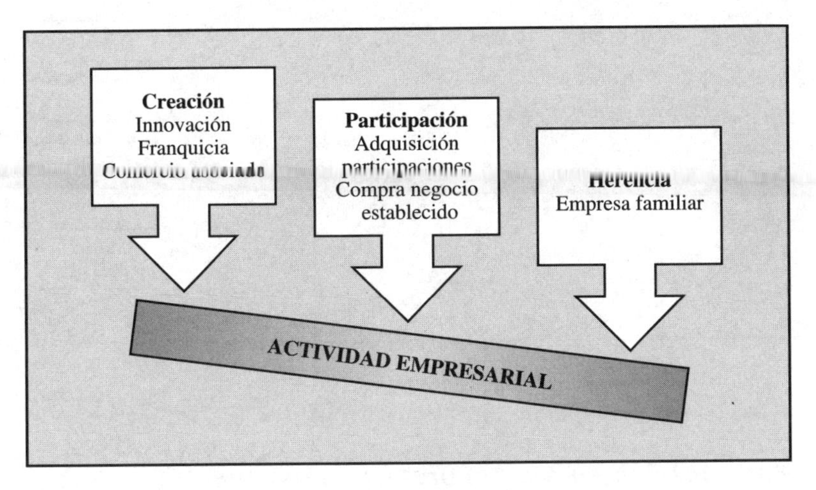

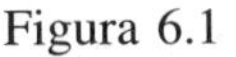
Figura 6.1

a) Creación de una empresa

Es la vía más compleja, interesante y que más debe potenciarse y de hecho se potencia en las actuales políticas de empleo. Con independencia de las causas que llevan a uno o varios sujetos (empresarios promotores) a crear una nueva empresa, esta forma es la que constituye la razón de ser del estudio de la creación de empresas, la que responde a auténticas iniciativas, y la que más empleo puede generar, pues por los otros caminos no se hace más que acceder a una actividad ya en marcha y a lo sumo permiten un rediseño de la empresa ya existente, que puede ir en cualquier sentido.

Dentro de esta vía podemos a su vez señalar tres posibles «caminos»: **innovación, franquicia** y **comercio asociado,** que abordaremos individualmente.

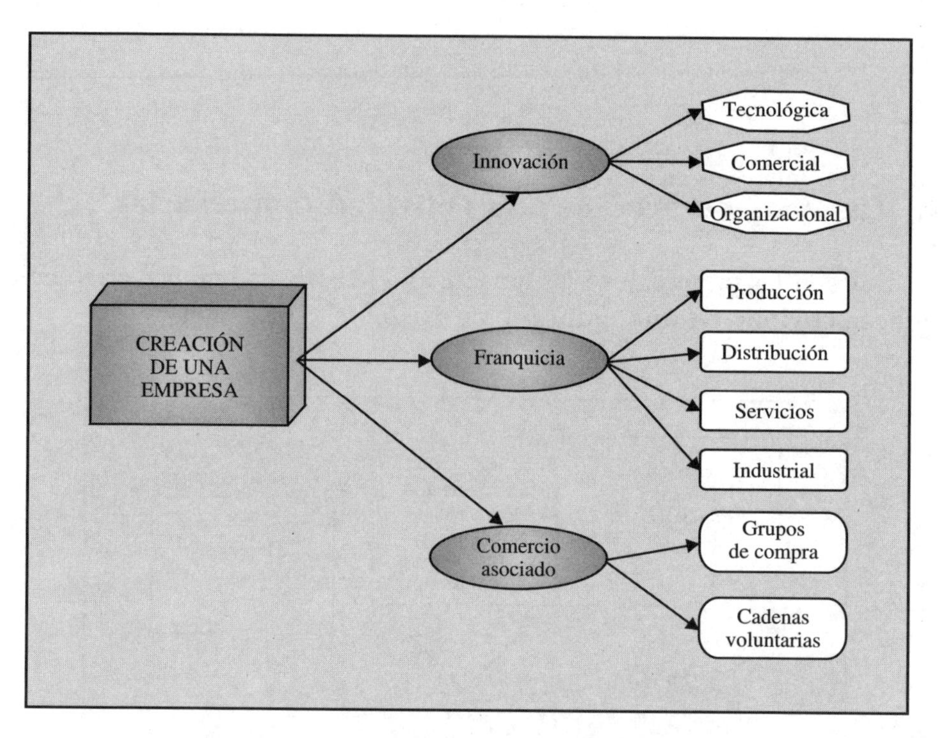

Figura 6.2

b) Participación en una empresa ya existente

Es un camino corto y rápido para convertirse en empresario, siempre que tengamos como fin intervenir en la gestión de la empresa o negocio de una manera directa; en otro caso sólo seríamos meros accionistas o propietarios.

La participación puede llevarse a cabo básicamente de dos formas, si bien desde la perspectiva jurídica y económica existen multitud de modalidades: **compra de títulos de propiedad** o **compra de un negocio ya establecido.**

En el primer caso, ***compra de títulos de propiedad,*** debemos adquirir el suficiente número de ellos para que nos permita poder intervenir en la gestión. Esta adquisición se puede llevar a cabo suscribiendo una emisión de capital (normalmente por ampliación del mismo) o comprando títulos de propiedad ya existentes (acciones, participaciones).

La ***compra de un negocio establecido*** supone la adquisición de la totalidad del negocio, de su fondo de comercio: establecimiento, instalaciones y otros activos fijos, cartera de clientes, créditos y deudas, conocimientos, acuerdos ya establecidos, plantilla...; en suma, todo.

En ambos casos lo que se pretende, como apuntamos inicialmente, es ganar tiempo, aprovechar una oportunidad o minimizar los riesgos propios de una actividad que parte de cero. Pero siempre es conveniente conocer previamente y con la mayor profundidad posible la empresa o negocio que se adquiere, siendo aconsejable seguir las siguientes **recomendaciones:**

1. Reunir todos los datos indispensables sobre la empresa y su mercado: datos jurídicos de constitución, históricos, contables y financieros, comerciales, de recursos humanos (antigüedad de la plantilla, tipos de contratos, cláusulas contractuales, etc.).
2. Elegir la modalidad de cesión: compra de la mayoría o totalidad de los títulos de propiedad, oferta pública de adquisición (OPA), etcétera.
3. Calcular el valor de la empresa, para lo que tendremos en cuenta los datos contables, las tendencias futuras, el fondo de comercio, el sector empresarial, el mercado, la naturaleza y características de su clientela, etc.

Siempre es imprescindible conocer el tipo de actividad o de negocio que vamos a pasar a gestionar, y tener las cualidades mínimas necesarias de un empresario y gestor.

c) Herencia

Nos encontramos en el terreno de la empresa familiar, que trasciende las fronteras meramente económicas para convertirse en un complejo fenómeno social y económico de gran importancia en nuestro país y en los de nuestro entorno.

En nuestro país las cifras avalan la importancia de este tipo de empresas, que por sí mismas requieren un estudio especial (existen cátedras de empresas familiares, organismos de importancia nacional e internacional, como el Instituto de la Empresa Familiar, y, de un tiempo a esta parte, una atención muy especial de nuestros legisladores) en múltiples cuestiones tales como la sucesión, la gestión, los problemas entre familia y empresa, las implicaciones en los recursos humanos, etc.

2. Creación de una empresa. Innovación

Cuando nos decidimos a crear una empresa partiendo desde cero, estamos poniendo en marcha un agente económico probable generador de empleo y riqueza. Aunque la actividad a la que nos dediquemos no sea exclusiva, sino que ya viene desarrollándose por otras empresas existentes, en la medida que vayamos a implementar nuestras propias ideas y planteamientos con algún aspecto novedoso y particular, estamos innovando. La innovación es sin duda la vía de creación empresarial más interesante, por lo que puede suponer de creatividad, novedad y mejora en general.

Debemos entender por **innovación cualquier cambio en los planteamientos tradicionales de la actividad empresarial.**

Encontrar una idea innovadora es algo complejo, y puede ir desde un producto o servicio totalmente nuevo, hasta una nueva manera de plantear algo ya existente. Dentro de este campo las fuentes de innovación son tan inagotables como la propia imaginación del sujeto. Podemos no obstante concretarlas en tres grandes bloques: **innovaciones técnicas y tecnológicas**, **innovaciones comerciales** e **innovaciones en la organización.**

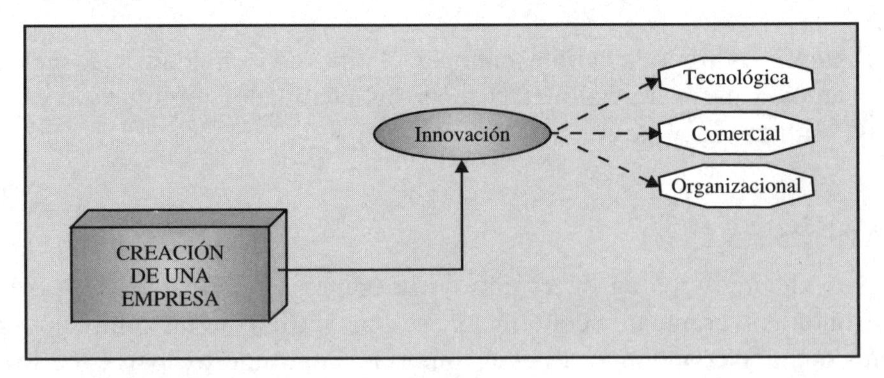

Figura 6.3

a) Innovaciones técnicas y tecnológicas

Nos movemos en un terreno donde actualmente se están produciendo continuas aportaciones, pues las nuevas tecnologías suponen nuevos planteamientos en productos y bienes ya existentes (automóvil, telefonía tradicional, aplicaciones informáticas, comunicaciones en general, etc.). Estas nuevas tecnologías con frecuencia nos conducen a la aparición de nuevas técnicas de elaboración y prestación, incidiendo en las actitudes del mercado (autocompra, mercados en Internet, etc.), a una mayor racionalidad productiva, a nuevas tendencias de prescripción, y al desarrollo de campos de trabajo tales como la seguridad, el medio ambiente o el propio sujeto (nuevos fármacos, nuevos tratamientos, etc.).

b) Innovaciones comerciales

Aquí las posibilidades también son innumerables, máxime cuando se combinan con las anteriores: nuevo diseño de productos (por ejemplo, reaparece el *yo-yo*); novedosas formas de promoción y publicidad, que inciden en las actitudes; otras aplicaciones y servicios (tele-comida, tele-servicios); precios más asequibles, formas de pago, etc. Todo esto supone una innovación que puede permitir la localización de nuevos nichos de mercado, o conseguir uno en un mercado ya consolidado expulsando a otras empresas ya antiguas.

c) Innovaciones en la organización

Cualquiera de las innovaciones precedentes supone una innovación organizacional (nuevos diseños de puestos, de relaciones y comunicaciones formales, etc.), como viene ocurriendo con el teletrabajo o con empresas que explotan nuevos productos o nuevas formas comerciales.

3. La franquicia

La franquicia viene experimentando un poderoso desarrollo en los últimos años. Esta celeridad va incluso por delante de la propia organización del sector, de forma tal que no es extraño encontrarnos con bastante intrusismo, oportunismo, desorganización, etc., que se extienden aprovechando un vacío legal aún considerable.

En la franquicia se dan dos figuras claves, el ***franquiciador*** y el ***franquiciado.*** Aquél es el dueño de la idea o negocio original. Teóricamente debe poseer algún tipo de negocio que haya explotado con una fórmula muy personal y haya demostrado su viabilidad y éxito, de manera que desee ponerlo a disposición de terceros transmitiéndole los elementos necesarios para que éstos, los *franquiciados,* lo exploten de igual manera y aprovechando por tanto las ventajas ya demostradas. Todo esto a través de un contrato que se denomina ***acuerdo de franquicia.***

Concretando diremos que una **franquicia** *es un conjunto de derechos de propiedad industrial o intelectual relativos a marcas, nombres comerciales, imagen, diseño, productos (bienes o servicios), derechos de autor, «know-how» (saber hacer) o patentes pertenecientes a un sujeto o empresa, el franquiciador, susceptibles de ser explotados por otros, los franquiciados, bajo un contrato, para la venta o prestación de servicios.*

El **acuerdo de franquicia** *es un contrato en virtud del cual el franquiciador cede al franquiciado, a cambio de una prestación económica y con el cumplimiento de una serie de obligaciones, el derecho de explotación de su negocio o franquicia durante un período determinado y en un área señalada.*

Simplificando, si observamos las múltiples franquicias que están funcionando, este sistema no es más que una forma de colaboración entre una marca *(franquiciador)* y un conjunto de empresas o empresarios individuales *(franquiciados),* que se constituyen en una cadena de distribución.

Hoy en día las franquicias abarcan una gran diversidad de actividades, y prácticamente ninguna está exenta de poder ser explotada de esta forma, ya que el elemento clave de la franquicia es la imagen de marca, que conlleva no sólo la explotación de un producto o servicio, sino además su identificación por el consumidor y una determinada forma de prestar o distribuir el servicio o bien, que constituye el elemento más diferenciador y forma lo que se denomina *know-how* (saber hacer).

Las **franquicias** pueden ser de distintos **tipos:** ***de producción, de distribución, de servicios*** e ***industrial.***

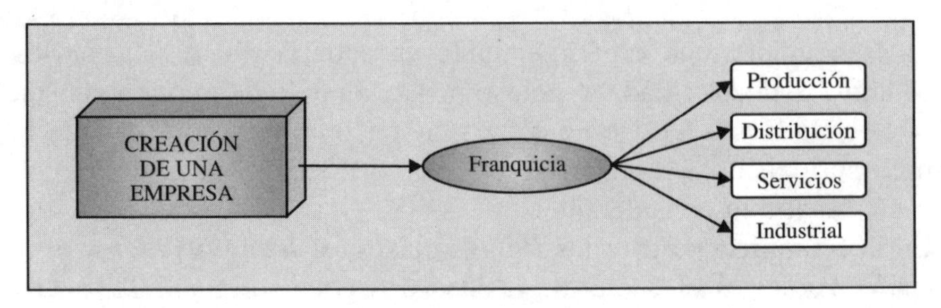

Figura 6.4

a) Franquicias de producción

El *franquiciador* es el fabricante de los productos que distribuye a los *franquiciados,* y además el dueño de la marca. Son muy utilizadas por empresas industriales que encuentran en la franquicia la mejor forma de crear una red de distribución con escaso costo y poco riesgo, permitiéndoles un estrecho y directo control en la forma de comercializar sus productos, ya que imponen los elementos claves para ello: diseño locales, *merchandising,* promoción y publicidad, precios, e incluso la formación de la fuerza de ventas. Ésta fue la primera forma de franquicia, y aún hoy la más consolidada. Por ejemplo, McDonald's, Telepizza, Ermenegildo Zegna, Benetton, Prenatal, etc. A veces tiende a confundirse este tipo de franquicias con las concesiones, pues son muy difusas sus diferencias y, como en el caso de ciertas marcas automovilísticas, casi inapreciables.

b) Franquicias de distribución

En este caso el *franquiciador* no es fabricante, sino que selecciona una serie de productos, diseña una marca y nombre comercial, una imagen, una manera de servicio, etc., que determinan una diferencia competitiva, y transmite al franquiciado todos estos elementos. De esta forma los *franquiciados* forman una red homogénea de distribución o puntos de venta. En este tipo de franquicias se han volcado las expectativas como medio de reconversión y modernización del comercio minorista tradicional. Ejemplos de este tipo de franquicias los tenemos en algunas cadenas de tiendas de «todo a cien», Neck & Neck, Natura, Merkamueble, Qué le compro, Crisol, etc.

c) Franquicias de servicios

Aquí el *franquiciador* ofrece a sus *franquiciados* una fórmula original, específica y diferenciada de prestación de servicios al consumidor, con un método experimentado y probado por su eficacia en el mercado. Cualquier servicio puede ser objeto de este tipo de franquicia, siempre que sea original, reproducible, experimentado, rentable, identificable y diferenciado. Aquí encontramos cadenas de tintorerías (5 à Sec, Rapi...), restauración (La Croisantería, Pan Caliente, Gambrinus...), corredurías y agencias de seguro, inmobiliarias (MC, Don Piso, Unicasa...), servicios a empresas, fotografía, ópticas, parafarmacia, talleres de reparación rápida (Midas...), etc. Está muy relacionado este tipo de franquicia con la de producción.

d) Franquicia industrial

Ahora el *franquiciador* y el *franquiciado* son industriales. Aquél cede a éste, a través del *contrato de franquicia,* además de su *know-how,* la marca, imagen, procedimientos administrativos y de gestión, técnicas de marketing y de ventas, etc., el derecho de fabricación, la tecnología y la comercialización de sus productos. Es el caso de Coca-Cola, algunas empresas de informática, algunas de productos farmacéuticos, químicos, etc.

Además de la clasificación anterior, se dan *franquicias mixtas* que combinan dos o más de estos tipos de franquicias.

4. El comercio asociado

A la hora de poner en marcha una empresa de tipo comercial hay dos aspectos fundamentales a tener en cuenta: las compras de los productos que se comercializarán y la distribución de los mismos. El ***comercio asociado,*** a través de sus dos variantes, los ***grupos de compras*** y las ***cadenas voluntarias,*** pretende solventar esta trascendental cuestión.

a) Grupos de compras

Trabajan principalmente en forma de cooperativas. Reúnen a varios comerciantes que se adhieren con el fin de **gestionar de forma común las compras,** consiguiendo así mejores condiciones que las que obtendrían por

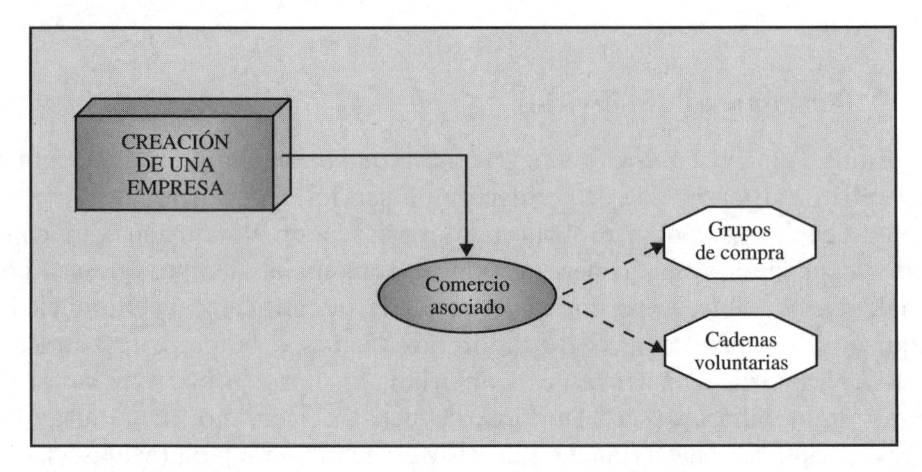

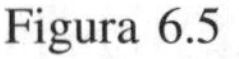
Figura 6.5

separado cada uno de ellos. El máximo órgano de gobierno del grupo es el consejo de administración, nombrado por la Asamblea General de Asociados, quien también nombrará a un gerente sobre el que recaerá la máxima responsabilidad de gestión. Cada asociado pagará una cuota en función, normalmente, del volumen de sus compras. Además de la gestión de compras, el grupo se encarga de la **asistencia técnica,** que puede comprender el proporcionar una marca o distintivo (Compra Maestra, Tien21...), publicidad a nivel nacional o regional, campañas de promoción, ayuda a la gestión, etc.

b) Cadenas voluntarias

Asocian a unos o varios mayoristas con minoristas seleccionados de entre sus propios clientes, con el fin de coordinar las funciones entre unos y otros, organizando la compra, el suministro a los centros minoristas asociados, etc., con total independencia jurídica entre unos y otros (Spar, Canguro...).

5. El proceso de creación de una nueva empresa

La creación de nuevas empresas no debe tratarse como un fenómeno coyuntural y aislado en este nuevo escenario global en que ya nos encontramos, sino como un motor de desarrollo, competitividad y creación de empleo en una economía del conocimiento en la que el desempleo sigue siendo sin duda una de sus principales lacras. La puesta en marcha de nuevos proyectos empresariales sirve para mantener vivo el tejido productivo de la nación, para mejorarlo y desarrollarlo (Bueno y Pablo, 1996). Como señalan Kantis, Ishida y Komori (2002) en el informe que elaboraron sobre creación y desarrollo de nuevas empresas en América Latina y el este de Asia (lo que en sí mismo demuestra el interés universal por el tema) para el Banco Interamericano de Desarrollo, *«las nuevas empresas contribuyen en forma significativa al crecimiento económico, lo cual es especialmente beneficioso para las naciones en desarrollo. Los emprendedores que logran crear nuevas empresas generan empleo, expanden segmentos del mercado, incrementan la producción de bienes y servicios y dan mayor dinamismo a las comunidades donde operan (...). Existe una relación positiva entre la creación de empresas y el crecimiento económico, la generación de empleos para las personas jóvenes y la modernización de la estructura empresarial»* (p. 1).

Al igual que el emprendedor, protagonista indiscutible, ha sido objeto de estudio a fin de contribuir a un mejor entendimiento del *entrepreneurship*, el propio proceso de creación de empresas, en todas sus dimensiones, también ha de serlo. A ello dedicamos este capítulo.

La decisión de crear una nueva empresa es una decisión trascendental y estratégica. Trascendental en tanto que en ella se implican y arriesgan recursos y elementos muy costosos y diversos en cuanto a su naturaleza (materiales, financieros, personales, etc.), cuya recuperación o pérdida depende del resultado de la acción emprendedora, y estratégica, porque es una decisión que ha de mantenerse en un horizonte temporal largo, con ánimo de continuidad en el tiempo.

Es por tanto una decisión que no ha de improvisarse ni ejecutarse a la ligera, sino que exige una cuidada planificación y seguimiento al menos durante sus primeros años, ya que, como vimos, las probabilidades de defunción de las nuevas empresas son muy altas, tanto más cuanto más pequeñas y personalizadas son éstas, y en nuestro caso estamos especialmente interesados en aquellos emprendedores individuales (o en grupo de pocos componentes) que crean una micro, pequeña o, excepcionalmente, mediana empresa, las cuales constituyen el grueso de nuestro tejido empresarial (andaluz, español y europeo).

Pero, ¿dónde comienza el proceso de creación de una nueva empresa?, ¿desde dónde debe planificarse este proceso? Todos los autores coinciden

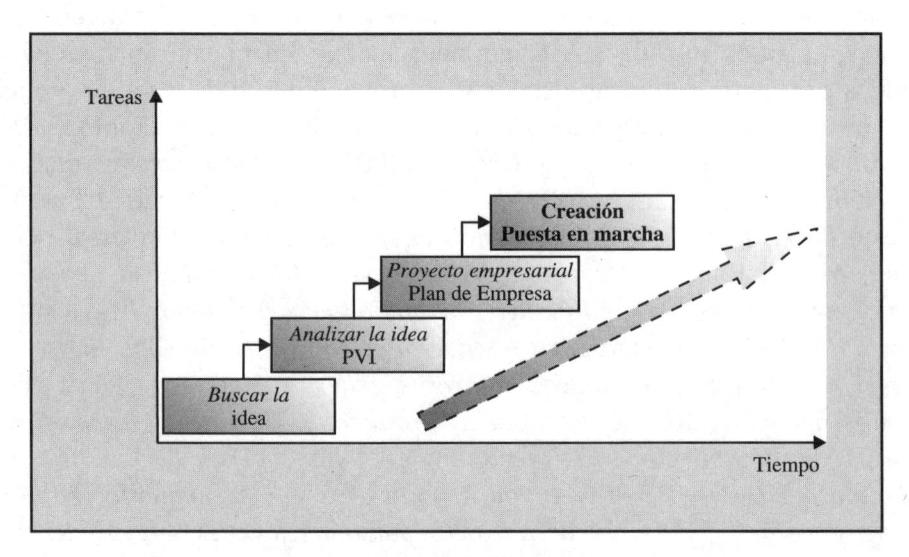

Figura 6.6

en que este proceso comienza en el mismo instante en que el emprendedor percibe una nueva oportunidad de negocio al surgirle una idea del mismo, la de la empresa; y que el proceso debe ser objeto de análisis y planificación desde ese preciso instante, culminando en la elaboración de un *plan de empresa*, en el que se recojan de manera ordenada todos los fines, objetivos, acciones y su justificación que permitan poner en marcha la empresa y hacer que ésta sea viable y se consolide en un determinado horizonte temporal. A partir de este punto, con la ejecución del plan se creará la empresa con su constitución formal y el inicio de su actividad.

En todo este proceso intervienen multitud de elementos a tener en cuenta: el propio emprendedor, su idea, el entorno, otros sujetos (socios, proveedores, clientes, etc.), el producto (bien o servicio) que se desea ofertar a través de la empresa, el entorno, los recursos disponibles, el tipo de empresa que se va a crear (tamaño, forma jurídica, organización, etc.), entre otros, que hacen de éste un proceso complejo, de cuya ejecución depende en gran medida el éxito o fracaso de la «aventura» empresarial que se va a iniciar.

Han sido muchos los intentos de modelizar el proceso de creación de una empresa; la mayoría proponen la secuencia antes descrita que, partiendo de la idea, concluye con la creación y puesta en marcha previo análisis de la idea y ulterior elaboración del plan de empresa (Hernández, 1995). También coinciden en que son muchos los factores que interactúan en dicho proceso; de forma detallada lo representamos gráficamente en la figura 6.7.

El futuro emprendedor no debe «entusiasmarse» excesivamente con las ilusiones propias de un éxito imaginado, y antes de llegar a ese punto de no retorno que es la creación de la nueva empresa, debe reflexionar sobre la idoneidad de la decisión teniendo en cuenta factores tan diversos como su edad, su experiencia, su posición económica, sus conocimientos, la propia idea y el tipo de empresa (Nueno, 1996). Para ello el emprendedor debe analizar la viabilidad de su proyecto desde la misma génesis (Timmons, 1990), desde la propia idea hasta la concreción de ésta en una empresa. No debe olvidarse nunca que una cosa es la *idea*, otra que ésta pueda convertirse en un *producto* o *negocio,* y otra la *empresa* (organización económica real) que hay que montar para elaborar y vender el producto, es decir, realizar negocios.

Dos son los métodos que proponemos para ello: el ***plan de viabilidad de la idea*** y el ***plan de empresa,*** que forman parte de un único proceso que a continuación esquematizamos.

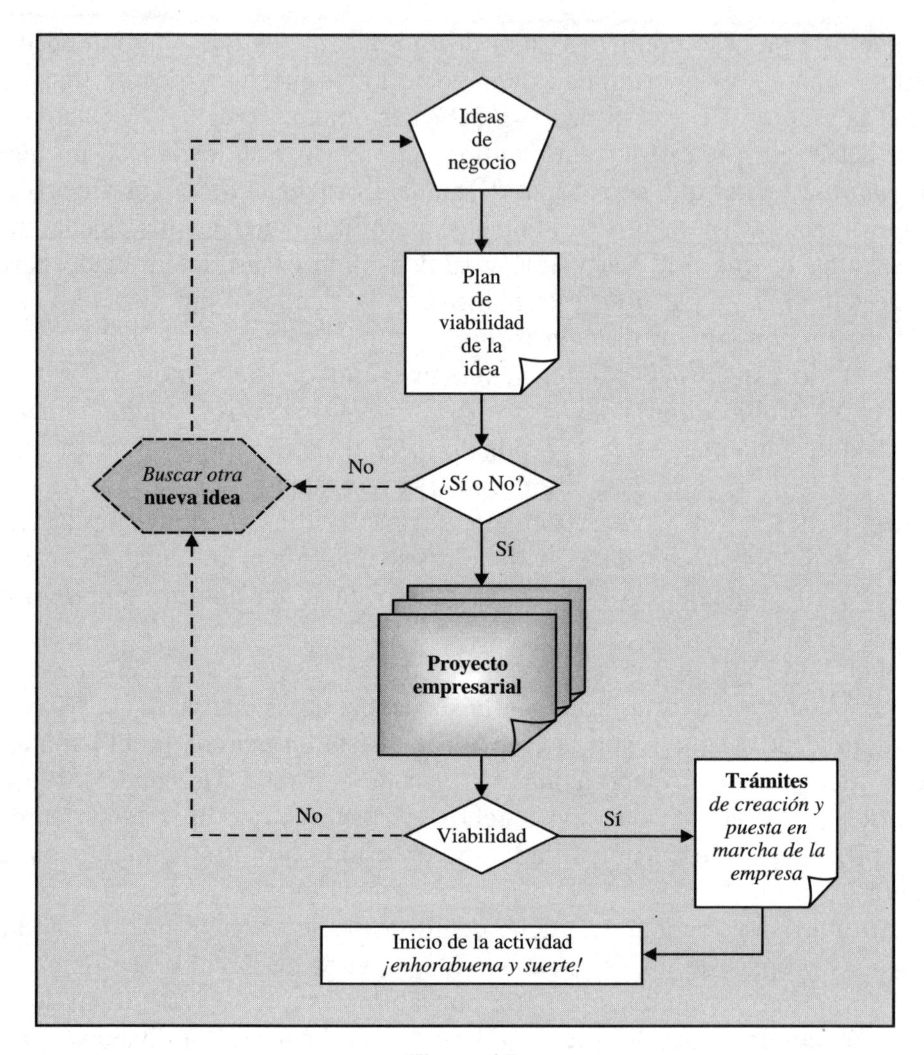

Figura 6.7

No resulta fácil tener una idea sobre la que crear una empresa que constituya una auténtica oportunidad de negocio, y cuando se tiene conviene detenerse a reflexionar en torno a la misma antes de dedicar esfuerzo, dinero y otros recursos a elaborar, en el mejor de los casos, el plan de empresa o, como sucede en muchas ocasiones, entregarse a la creación de la empresa. El emprendedor, antes que nada, debe convencerse de que no se está engañando con respecto a su «idea genial» y de que realmente hay un posible negocio en ella; para ello debe analizar la idea siguiendo un orden reflexivo, elaborando para sí mismo un ***Plan de Viabilidad de la***

Idea (PVI) cuya finalidad sea decidir si vale la pena abordar el estudio con detenimiento de la misma elaborando un plan de empresa (González, 2002).

Una vez que el emprendedor tiene claro, como conclusión del PVI, que la idea es factible, que en ella hay un potencial de negocio, deberá planificar todos los elementos, recursos y pasos necesarios para crear la empresa a través del ***Plan de Empresa*** (PE) o *Business Plan,* cuya finalidad es presentar una imagen global y lo más completa posible del proyecto, de sus objetivos, recursos y acciones previstas y sus resultados, de manera que se ponga en evidencia la viabilidad tanto técnica como económica y financiera del proyecto (Timmons, 1990; González, 2002).

Este proceso de creación de una nueva empresa que comienza en la misma gestación de la idea, culminará con la creación y puesta en marcha de la empresa, y debe coordinarse y planificarse hasta el detalle. En los epígrafes que siguen vamos a abordar cada una de las fases que recogemos en el esquema anterior, comenzando por la búsqueda e identificación de la idea; dando unas recomendaciones para su análisis (PVI); indicando la necesidad, bondad y estructura del plan de empresa, que completaremos con elementos de gran interés que conciernen a la creación y constitución formales de la empresa, y terminando con algunas recomendaciones a tener en cuenta para la elaboración e implementación del proyecto a fin de que la nueva empresa sea lo más sustentable posible.

7 La idea

1. La importancia de la idea

Encontrar una buena idea, o simplemente una idea, que sea una verdadera oportunidad de negocio, no es fácil. Se requiere una visión especial del entorno capaz de identificar las necesidades del mercado (Nueno, 1996; Timmons, 1990), y aunque a veces parece que surgen espontáneamente, sólo en contadísimas ocasiones es así. La mayoría de las veces el detectar esa oportunidad, el tener esa idea genial y oportuna, es fruto y síntesis de varias cosas: experiencia, conocimiento, observación, etc. (Nueno, 1996).

Por otra parte hay que hacer una distinción entre la idea y la oportunidad de negocio que ella conlleva (Belley, 1989); una mera idea de producto o servicio no es suficiente para la creación de una empresa, sino que hay que saber discernir su potencial de explotación para sacarle provecho (Timmons, Swollen y Dingee, 1986). Además no siempre se da con una idea única, novedosa y oportuna; las más de las veces la idea consiste en hacer lo mismo que otros ya hacen pero de manera diferente, residiendo en la innovación la auténtica oportunidad de negocio (Rabbior, 1990).

La idea es el germen de todo, y su búsqueda y análisis debe constituir el primer paso del proceso emprendedor (Carrier, 2000). Es el propio sujeto emprendedor quien debe asimilar la importancia que adquiere la idea en todo este proceso, y quien debe analizar la misma y saber convertirla, antes que nada, en una oportunidad (Timmons, Swollen y Dingee, 1986).

Son muchos los autores que señalan la importancia de la idea en todo el proceso emprendedor y la necesidad de que ésta debe explorarse con detenimiento (Carrier, 2000). Vesper (1990) habla de una asociación necesaria desde el principio entre los conocimientos del futuro emprendedor y la emergencia y cristalización de su idea de empresa. Para Gartner (1985), la identificación de la idea y de su oportunidad de negocio es el punto de partida indiscutible para cualquier emprendedor; para otros, la idea, aun sin ser todavía una oportunidad de negocio, es el desencadenante impres-

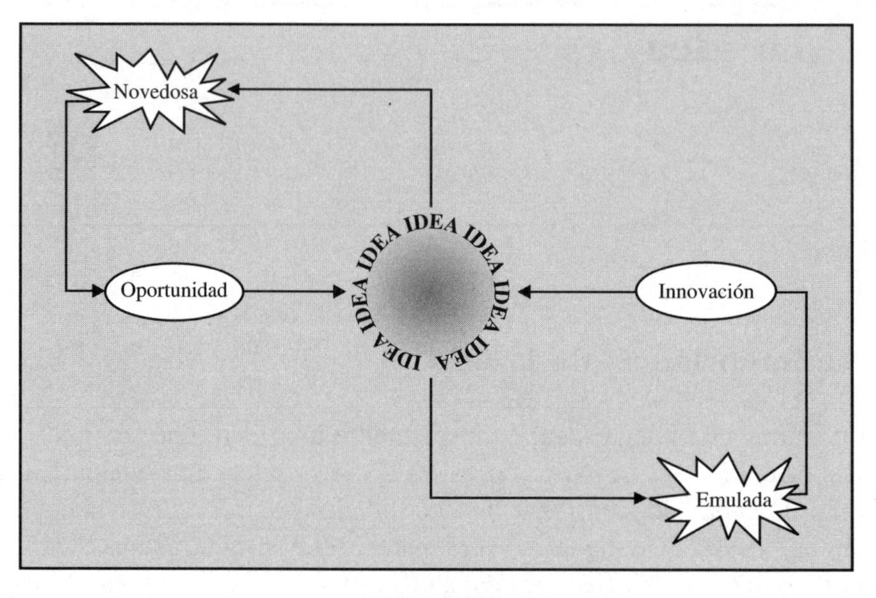

Figura 7.1

cindible del proceso emprendedor, y en toda esta emergencia (o nacimiento) la visión del emprendedor es fundamental (Filion, 1999). También se percibe el proceso de creación de una nueva empresa como una secuencia que parte de la percepción de una idea que se conciba como una auténtica oportunidad de negocio (Guth, Kumaraswamy y McErlean, 1991).

Una cuestión de especial interés en el estudio del emprendedor es el cómo surgen las ideas que posteriormente se convertirán en una realidad empresarial. La práctica totalidad de los investigadores (Gartner, 1989; Greenberger y Sexton, 1988; Osborn, 1988; Guth, Kumaraswamy y McErlean, 1991; Herron y Robinson, 1993; Nueno, 1994, por señalar los más destacados) coincide en que el proceso de emanación de ideas en el emprendedor es imposible de perfilar con nitidez, además no es simple ni puede hablarse de que sea el mismo en todos los emprendedores; además, para distinguir las oportunidades, también se coincide, hay que tener experiencia y capacidad de observación, ya que las ideas surgen como síntesis de múltiples factores. No obstante, sí pueden emplearse métodos para fomentar estas capacidades de observación, relación y síntesis. Son varios los autores que abogan por introducir en los programas de formación de emprendedores ciertas actividades de aprendizaje que se centren en la creatividad y la innovación, actividades a través de las cuales el formador ayude al estudiante y futuro emprendedor a hacer surgir nuevas ideas y a explorarlas

(Carrier, 2000; Rabbior, 1990), ya que las herramientas estratégicas que habitualmente se proponen en los programas de formación de emprendedores están mayoritariamente orientadas hacia la resolución de problemas concretos y menos hacia la detección e identificación de ideas y oportunidades de negocio (Marchesnay, 1999).

Varios autores han propuesto métodos para la búsqueda de ideas. Senge (1991) propone la técnica o método de los *micromundos* para ayudar a los futuros emprendedores a localizar nuevas ideas y oportunidades; Finney y Mitroff (1986) proponen el método denominado *Organizational Self-Reflection (OSR),* cuyo objetivo inicial es ayudar a los estrategas a identificar las contradicciones entre las estrategias previstas y las que realmente están puestas en práctica, pero que puede adaptarse fácilmente al mundo del emprendedor en la identificación y validación de ideas. Otro método propuesto es el de la *cartografía cognitiva* o *mapa mental* (Vestraete, 1997; Calori, 1994; Cossette, 1994; Buzan, 1984), que consiste en trazar una serie de preguntas a partir de una palabra que sirve de eje para analizar la idea. Hay otros métodos más concretos como el de la *Parrilla FCB* (Vaughn, 1978), herramienta inicialmente utilizada en el mundo publicitario que permite identificar vacíos de mercado, predecir la demanda de nuevos productos, formular estrategias y, aplicado iterativamente en el tiempo, volver a posicionar la empresa o el producto. Muchos se apoyan en diversas técnicas de creatividad como la tormenta de ideas, espina de pez, grupo nominal, etc. (Carrier, 2000, 1997; Osborn, 1988).

Pero ninguno de estos métodos realmente parten de la nada; todos parten de un *algo* inicial, una leve idea, un sector en el que se desea entrar, algo que ya existe, etc.; su finalidad es a partir de lo que hay desarrollar, una nueva idea capaz de transformarse en una realidad empresarial. Por este motivo en el epígrafe siguiente introducimos algunas recomendaciones y fuentes que pueden ser útiles al emprendedor para encontrar esa *inspiración* inicial.

2. Recomendaciones para encontrar ideas

A veces, sin proponérnoslo, sucede que nos surge una idea para crear una posible empresa: es algo que vimos u oímos; es la unión, sin saber cómo, de distintos elementos percibidos voluntaria e involuntariamente lo que nos ha provocado la idea. También sucede que se desea crear una empresa y carecemos de una idea de negocio sobre la que montarla, o la que poseemos es muy floja. Se precisa de una buena dosis de creatividad para encontrar una idea satisfactoria sobre la que crear una empresa, y no todas las personas son emprendedores geniales. Entonces, ¿qué hacer para buscar y localizar ideas, para que éstas surjan con claridad y definidas? No existe ningún método o proceso que nos permita alcanzar ideas de negocios, pero están ahí, el mundo está lleno de ellas (Nueno, 1996; Timmons, 1990), y lo único que podemos ofrecer es una serie de recomendaciones e indicar algunas *fuentes* de ideas, caminos que nos pueden llevar a ellas (Cañadas, 1996; Maqueda, 1990; Timmons, 1990) y que ya han recorrido otros con algún éxito.

En concreto hay una total coincidencia en que el emprendedor debe **observar, leer** y **relacionarse** para incrementar su capacidad de identificación de oportunidades de negocio, de surgimiento de ideas (Greenberger y Sexton, 1988).

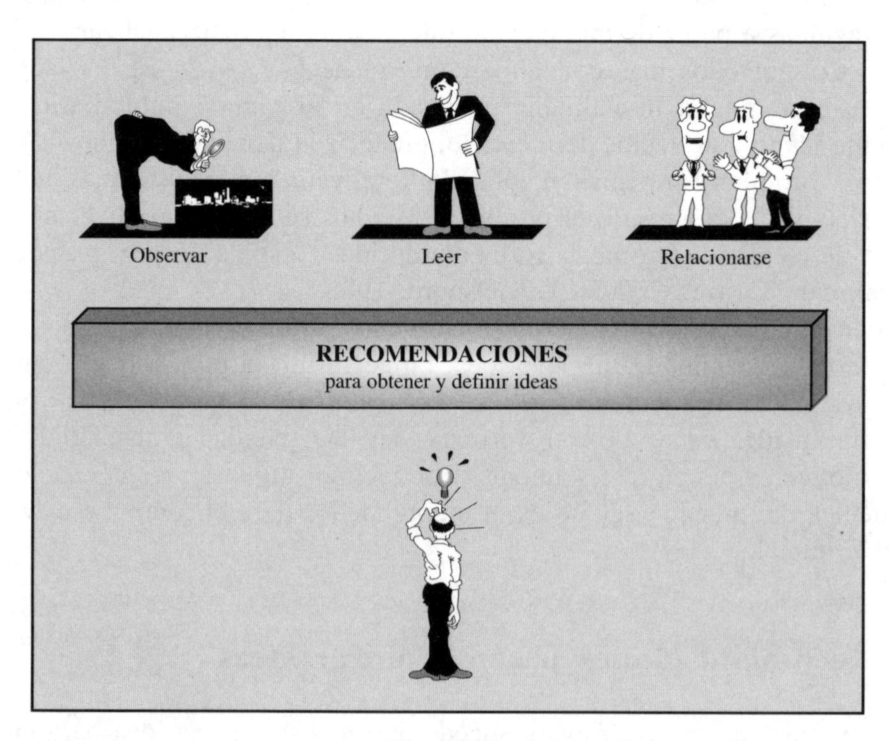

Figura 7.2

El emprendedor debe **observar** cuanto le rodea, otras empresas, a las personas en su comportamiento como consumidores y usuarios, en suma, la realidad. **Leer** prensa y publicaciones especializadas en temas empresariales que le permitan aumentar su acervo de conocimientos específicos sobre la empresa y su actividad. Y también **relacionarse** con personas de similares inquietudes, con otros empresarios, acudiendo a ferias, congresos, etc. Estos tres elementos ayudan a cimentar la experiencia y el conocimiento del emprendedor, y facilitan a éste la generación de ideas, la identificación de oportunidades.

3. Fuentes de ideas

Junto a las recomendaciones anteriores, existen una serie de *fuentes* de ideas (Cañadas, 1996; Maqueda, 1990; González, 2002) que podemos concretar en:

— Personas y empresas con las que uno se relaciona.
— El propio trabajo.
— Las necesidades propias.
— Las aficiones personales.
— Los productos que tienen atracción en otros países y no en el propio.
— Las costumbres sociales (fiestas locales, hábitos comunes, etc.), las modas.
— La lectura de publicaciones especializadas: revistas e informes empresariales de instituciones, etc.
— Cambios de todo tipo que pueden darse en una zona (demográficos, sociales, de dotaciones en infraestructuras, urbanos, etc.) y que provocan la aparición de nuevas necesidades o que las ya existentes no se cubran adecuadamente.
— Productos ya existentes susceptibles de mejora en alguno de sus aspectos (técnico o comercial).
— Las experiencias de empresas que fracasaron.
— Productos tradicionales ya desaparecidos o poco conocidos.
— Las tradiciones artesanales de la zona.
— Los recursos que se tienen más a mano (naturales, técnicos, materiales, humanos...).

Veamos algunas reflexiones sobre las mismas:

— **Personas con las que uno se relaciona y el propio trabajo.** Mencionamos ambas juntas porque la relación con otras personas en el ámbito de la actividad laboral es una interesante fuente de ideas. De comentarios y de la propia observación en este ambiente pueden surgir ideas basadas en el trabajo que se está haciendo o que hacen otros. Se aprovecha la experiencia propia y la de otros.

— **Productos que tienen atracción en otros países o zonas y no en la propia.** En efecto, uno puede observar que en otros países u otras zonas hay productos que están teniendo éxito y que son desconocidos en nuestro país, y sin embargo pueden adaptarse al mismo. Véase el ejemplo de Telepizza. La venta de pizzas y comida italiana a domicilio en Estados Unidos llevaba décadas instalada en este país antes de llegar a España.

— **Las costumbres sociales y modas locales.** Sobre todo en aquellas zonas donde existen tradiciones y celebraciones en torno a las mismas.

— Detectar una deficiencia o mejorar un **producto ya existente.** Relacionado con lo anterior. A veces surgen ideas cuando alguien se da cuenta de que algo que ya se está haciendo no se hace correctamente o se podría mejorar. En el sector del automóvil, por ejemplo, la mejora de sistemas de seguridad sobre los ya existentes.

— **Ofrecer productos ya existentes pero de distinta manera.** Es decir, cambiando las formas de comercialización, actuando sobre los precios, etc. La venta de productos tradicionales por internet es un claro ejemplo. Nuevas aplicaciones de viejos productos.

— **Rescatar productos que ya han caído en desuso.** Es el típico caso del «yo-yo». También hoy observamos comercios que rescatan productos que quizá conocieron nuestros padres o abuelos.

— **Tradiciones artesanales y artísticas de la zona.** En muchas zonas las escuelas taller están rescatando y fomentando los productos típicos: muebles, gastronomía, calzado, etc., y en torno a ellas se están creando empresas para explotarlas.

— **Cambios en la sociedad.** El ritmo de vida, el tiempo disponible, los horarios... están posibilitando la aparición de nuevos negocios. Empresas que recogen el automóvil para su limpieza o arreglo; ídem que llevan y recogen a los niños al colegio, etc.

— **Cambios de todo tipo que se producen en algunas zonas.** La necesidad de intérpretes jurados del ruso en los juzgados de la Costa del Sol, como consecuencia del fuerte incremento de residentes de esta nacionalidad en dicha zona geográfica, propiciaría la aparición de empresas o autónomos que trabajarían como intérpretes jurados.

— **Aprovechar los recursos que se tienen más a mano.** Nos referimos a recursos materiales y humanos.

— **Aprovechar las propias aficiones personales.** El caso de quien convierte su afición a los viejos discos de vinilo, a los pósters de cine o a los cómics, en un auténtico negocio.

Ya sea una a una o combinando varias, las anteriores vías han proporcionado y proporcionarán ideas para la constitución de nuevas empresas (Cañadas, 1996).

4. Los «nuevos yacimientos de empresas»

Actualmente también se están creando numerosas empresas en torno a los denominados **nuevos yacimientos de empleo,** que ya por muchos se han renombrado como **nuevos yacimientos de empresas** (nos referiremos a ellos con sus iniciales NYE).

El origen de los NYE está en las profundas transformaciones sociales que España (muy especialmente) y la UE han experimentado en las dos últimas décadas y que aún se están produciendo. Estas transformaciones son de muy diversa índole y están produciendo la emergencia de necesidades nuevas (o relativamente nuevas) a nivel individual y colectivo: *«demográficas, como el envejecimiento de la población; tecnológicas, como el desarrollo de nuevas tecnologías o de los medios audiovisuales; o culturales, como las nuevas demandas de ocio y cultura ligadas —entre otras cuestiones— a la mejora del nivel educativo y al mayor desarrollo económico»* (Cachón, 1999, p. 85); medioambientales; étnicas, ligadas a la identidad cultural de colectivos y regiones; etc. Estas nuevas demandas de servicios están generando la aparición de nuevas actividades que, si bien muchas de ellas están llamadas a ser prestadas por las administraciones públicas, su carácter local y su diversidad requieren de la proximidad, identidad y rapidez para una prestación eficiente, la cual se consigue con empresas pequeñas de proximidad. Así, el papel del Estado se torna en fomentar y financiar estos servicios que son prestados por pequeñas (o con más precisión, micro) empresas de carácter local, apareciendo un filón económico, empresarial y de empleo que conviene desarrollar política, económica y socialmente (Cachón, 1999b; Lebrún, 1995). El inicio de este interés institucional por los NYE podemos situarlo en diciembre de 1993 cuando la Comisión Europea, presidida por Jacques Delors, presenta al Consejo Europeo el Libro Blanco *Crecimiento, competitividad y empleo. Retos y pistas para entrar en el siglo XXI,* documento donde por primera vez se habla de los NYE y se promueve en la Unión Europea el análisis y el debate sobre el papel de las iniciativas locales en la lucha contra el desempleo promoviendo el desarrollo de actividades empresariales en torno a estos servicios. Desde ese preciso instante se han sucedido las acciones institucionales a nivel europeo para potenciar entre sus componentes el desarrollo de estos yacimientos.

La importancia de los NYE radica no sólo en su capacidad generadora de empresas, empleo y riqueza, sino también en que se compatibilizan estos principios e intereses económicos con otros de carácter social como el de la solidaridad, calidad de vida y fomento de otros valores (Defeyt, Singer y Lambert, 1997). Los ámbitos propuestos como NYE por la Comisión europea a instancias del Consejo, presentados en la Cumbre de Essen de diciembre de 1994, ponen en evidencia la simbiosis económica, empresarial y social que recogen las nuevas actividades que se engloban bajo el denominador común de NYE. Estos ámbitos se agrupan en cuatro grandes apartados: los **servicios a la vida diaria,** los **servicios a la mejora del marco de vida,** los **servicios culturales y de ocio** y los **servicios de medio ambiente.** A su vez, dentro de cada apartado, cada uno de los ámbitos recoge una serie de subámbitos o líneas de empleo o, en nuestro caso, de actividad de empresas.

Los **servicios a la vida diaria** (véase la tabla 7.1) recogen actividades relacionadas con los ámbitos siguientes: **servicios a domicilio, cuidado de los niños, nuevas tecnologías de la información y la comunicación** y la **ayuda a los jóvenes en dificultad y a la inserción.**

Tabla 7.1. Servicios a la vida diaria

ÁMBITO	SUBÁMBITO
Servicios a domicilio.	• Labores domésticas. • Atención personal (tercera edad, personas con discapacidad, enfermos).
Cuidado de los niños.	• Guarderías y jardines de infancia. • Cuidado a domicilio. • Servicios de ocio y turismo infantil.
Nuevas tecnologías de la información y la comunicación.	• Servicios telemáticos (formación a distancia, telemedicina, vigilancia de domicilios). • Teletrabajo.
Ayuda a los jóvenes en dificultad y a la inserción.	• Lucha contra el fracaso escolar. • Prevención de la criminalidad y del consumo de drogas. • Inserción laboral.

Las actividades de los dos primeros ámbitos son las que presentan un mayor potencial de crecimiento de nuevas empresas y empleo debido, por un lado, a los cambios demográficos y sociales (envejecimiento de la población, masiva incorporación de la mujer al trabajo, etc.) que se están produciendo en España y en toda la Unión Europea y, por otro, a que las características de estas necesidades requieren de la proximidad del beneficiario y del proveedor. Por su parte, las **nuevas tecnologías de la información y la comunicación** están suponiendo una auténtica revolución económica y social, abriendo nuevas posibilidades en los servicios y el trabajo. Por último, la falta de expectativas laborales se ha traducido en un incremento del fracaso escolar, de la alienación social, de la criminalidad y del consumo de drogas, que se concentra en áreas especialmente deprimidas, exigiendo en éstas una rápida y próxima atención a través de servicios de **ayuda a los jóvenes en dificultad y a la inserción.**

Otro capítulo importante que recoge la Comisión de las Comunidades europeas en su informe presentado en la Cumbre de Essen es el referido a los **servicios de mejora del marco de la vida** (véase la tabla 7.2).

Tabla 7.2. Servicios de mejora del marco de vida

ÁMBITO	SUBÁMBITO
Mejora de la vivienda.	• Renovación de inmuebles (fontanería, reparaciones, etc.). • Mantenimiento de viviendas y servicios conexos.
Seguridad.	• Servicios en espacios públicos. • Servicios a empresas. • Servicios a familias. • Vigilancia en fincas e inmuebles.
Transportes colectivos locales.	• Actividades directas de transporte colectivo local. • Actividades derivadas: de acompañamiento (niños, discapacitados, tercera edad, etc.); información y seguridad, etc.
Revalorización de los espacios públicos urbanos.	• Renovación de cascos urbanos. • Acondicionamiento y mantenimiento de espacios públicos y zonas verdes.
Los comercios de proximidad.	• Supervivencia de los comercios del medio rural. • Comercios ambulantes en zonas rurales y urbanas periféricas. • Implantación de comercios de proximidad en ciudades.

Dentro de este apartado las actividades propuestas en los distintos ámbitos buscan mejorar el marco colectivo y personal donde se desarrolla la actividad diaria de las personas, cubriendo diversos frentes: la vivienda **(mejora de la vivienda),** la **seguridad,** los **transportes colectivos locales,** los espacios públicos **(revalorización de los espacios públicos urbanos)** e incentivar el pequeño **comercio de proximidad.**

El tercer apartado compila los ámbitos de actividad relacionados con la **cultura y el ocio** (véase la tabla 7.3). Estos ámbitos están potenciándose con especial atención en áreas como la de nuestra comunidad andaluza, donde contamos con un rico patrimonio artístico y natural y un suculento acervo de tradiciones y cultura. Las perspectivas de desarrollo en cada uno de los ámbitos son muy optimistas, sobre todo aquí en Andalucía (y en España en general) el relacionado con el turismo, el desarrollo cultural local y el patrimonio.

Tabla 7.3. Servicios culturales y de ocio

ÁMBITO	SUBÁMBITO
El turismo.	• Nuevas formas de turismo. • Turismo rural (agroturismo, granjas turísticas...). • Turismo natural (ecoturismo). • Turismo cultural.
Sector audiovisual.	• Producción y distribución de películas (medio de difusión cultural y turístico). • Ídem de programas de televisión (televisiones locales).
Valorización del patrimonio cultural.	• Restauración y creación de emplazamientos. • Conservación y mantenimiento de emplazamientos. • Difusión de la cultura.
Desarrollo cultural local.	• Creación artística y difusión. • Nuevos oficios (escuelas de canto, mediadores de libros, etc.).
Deporte.	• Educación. • Profesional y de espectáculo. • Acompañamiento social. • Forma física y deporte de aventura. • Sectores conexos: comercio, producción de materiales, bienes de consumo deportivos, sector audiovisual, etc.

La creciente sensibilización de nuestra sociedad por el medio ambiente y la calidad de vida en su entorno han hecho que se intensifiquen las acciones orientadas a su preservación. Los **servicios de medio ambiente** (véase la tabla 7.4) gozan de un gran interés y también, por tanto, de un importante potencial de desarrollo.

Tabla 7.4. Servicios de medio ambiente

ÁMBITO	SUBÁMBITO
Gestión de los residuos.	• Recogida selectiva. • Recuperación. • Reciclaje.
Gestión del agua.	• Gestión de las infraestructuras. • Tecnología y consultoría. • Mejora de la gestión del agua.
Protección y mantenimiento de las zonas naturales.	• Servicios de mantenimiento (limpieza de bosques y reforestación). • Otras actividades (producción agrícola, servicios de ocio).
Normativa, control de la contaminación y sus instalaciones.	• Suministros de bienes y servicios relacionados con las tecnologías menos contaminantes (filtración, etc.). • Investigación y gestión de la contaminación. • Tecnología y consultoría.
Control de la energía.	• Mejora del control de la energía (aislamiento, etc.). • Asesoramiento energético (empresas, particulares, etc.). • Nuevas fuentes de energía (solar, eólica, basuras, etc.).

Todos los servicios recogidos en las tablas anteriores responden a demandas aún no satisfechas por la sociedad y que, por tanto, guardan un importante potencial de crecimiento desde la perspectiva de creación de nuevas empresas y generación de empleo. Además no debe considerarse como una lista cerrada, sino que, por el contrario, está abierta a nuevas actividades siempre que cumplan, de acuerdo con la Comisión Europea, tres requisitos (Centro de Estudios Económicos de la Fundación Tomillo —CEEFT—, 2000):

1. Que satisfagan necesidades no cubiertas (nuevas o tradicionales).
2. Que mejoren la calidad de vida.
3. Que tengan un alto potencial de empleo.

Son las iniciativas locales las que por razones de proximidad se muestran más aptas para dar respuesta a las nuevas demandas de servicios, debido a la interacción de tres fenómenos que ocurren por igual en la mayoría de los países europeos (CEEFT, 2000; Cachón, 1999b; Hanneman y Muller, 1996): **las nuevas condiciones de competitividad**, **las limitaciones del sistema tradicional de protección social** y **la transformación de los modelos de vida.**

Por lo que se refiere a las **nuevas condiciones de competitividad,** la Comisión Europea (1997b) señala que la *«globalización y las nuevas condiciones de organización de las actividades de producción fomentan la descentralización»,* si bien tiene que encontrar un medio receptivo y responsable para su desarrollo. A esta expansión de lo local contribuyen tanto las tecnologías de la comunicación (eliminando distancias) como el aumento de la producción de calidad debido a que restan importancia a aspectos como el tamaño de las empresas o la cercanía a los principales centros de consumo (CEEFT, 2000). Además, la descentralización beneficia a las iniciativas locales en la medida en que hace que la proximidad se contemple como un aspecto muy positivo y que la competitividad económica de las empresas no pueda concebirse fuera de un entorno en el que la formación, investigación y subcontratación se organicen armónicamente; y para mantener este ambiente de calidad tecnológica, social, cultural y ambiental se requiere la participación de agentes locales, tanto políticos (que impulsen las iniciativas) como empresariales (emprendedores locales) (CEEFT, 2000).

En lo que se refiere a la **protección social,** ésta se ve cada vez más limitada por el rigor presupuestario público al tiempo que se muestra incapaz de garantizar la cohesión social *in situ.* Las iniciativas locales en este ámbito de los NYE no sólo atenderán necesidades no cubiertas total y adecuadamente, sino que también propiciarán la aparición de nuevas empresas y la creación de empleo y la generación de riqueza (Cachón y CEEFT, 1999).

Por último, la **transformación** experimentada **de los modelos de vida** contribuye al desarrollo de las iniciativas locales en la medida que la proximidad cultural y espacial entre oferta y demanda favorece la satisfacción de las nuevas necesidades generadas en la sociedad actual (CEEFT, 2000).

Pese a su diversidad de contenidos, todos los ámbitos de actividad de los NYE responden a una o varias de las necesidades derivadas de las transformaciones que ha experimentado la sociedad europea (y muy particularmente la española) en la última década (CEEFT, 2000; Cachón, Collado y Martínez, 1998; Defeyt, Singer y Lambert, 1997):

— El envejecimiento de la sociedad europea.
— La incorporación de la mujer al mundo del trabajo.
— La urbanización creciente de la población.
— La disminución de la jornada de trabajo.

— Mayor nivel de educación.
— Cambios en los patrones de consumo.

Estas transformaciones han actuado, junto a otros, como factores de desarrollo de los NYE. En la tabla 7.5 se recoge el resultado de un estudio realizado por la Comisión Europea (1998) sobre los factores que inciden de una manera más directa en el desarrollo de cada uno de los 19 ámbitos que se recogen como NYE.

Tabla 7.5. Servicios de la vida diaria

ÁMBITO	FACTORES DE DESARROLLO
Servicios a domicilio.	• Envejecimiento de la población. • Nueva gestión del tiempo de trabajo de las mujeres. • Limitaciones de los fondos públicos asignados a las personas a cargo.
Cuidado de los niños.	• Trabajo de las mujeres. • Creciente urbanización. • Aproximación de los modos de vida rural-urbano. • Socialización creciente de los niños. • Alejamiento vivienda trabajo.
Nuevas tecnologías de la información y la comunicación.	• Mejor aprovechamiento del tiempo. • Envejecimiento de la población. • Interés por las zonas aisladas. • Reducción de riesgos ecológicos, económicos, etc. • Adaptación a las demandas individuales.
Ayuda a los jóvenes en dificultad y a la inserción.	• Fracaso escolar. • Desarrollo de personas sin cualificar. • Inmigración.

Tabla 7.6. Servicios de mejora del marco de vida

ÁMBITO	FACTORES DE DESARROLLO
Mejora de la vivienda.	• Viviendas obsoletas. • Cambios de la estructura familiar. • Aumento de la renta.
Seguridad.	• Delincuencia. • Limitaciones de los fondos públicos. • Envejecimiento de la población.
Transportes colectivos locales.	• Aumento de los motivos de desplazamiento. • Innovaciones tecnológicas adaptadas. • Envejecimiento de la población. • Urbanización creciente.

Tabla 7.6 ***(continuación)***

ÁMBITO	FACTORES DE DESARROLLO
Revalorización de los espacios públicos urbanos.	• Urbanismos de épocas anteriores. • Limitaciones de los fondos públicos. • Equipamientos colectivos obsoletos. • Reconversión de los centros industriales.
Los comercios de proximidad.	• Envejecimiento de la población. • Urbanismos de épocas pasadas (barrios periféricos). • Aproximación en los modos de vida rural-urbano.

Tabla 7.7. Servicios culturales y de ocio

ÁMBITO	FACTORES DE DESARROLLO
El turismo.	• Individualismo. • Reducción del tiempo de trabajo. • Interés creciente por nuevos destinos. • Mejora del nivel educativo.
Sector audiovisual.	• Innovación tecnológica. • Reducción del tiempo de trabajo. • Mejora del nivel educativo.
Valorización del patrimonio cultural.	• Tiempo libre. • Envejecimiento de la población. • Técnicas pedagógicas. • Innovaciones.
Desarrollo cultural local.	• Mejora del nivel de renta. • Mejora del nivel educativo. • Aumento del tiempo libre.
Deporte.	• Aumento del tiempo libre. • Nueva distribución del tiempo de trabajo. • Incorporación de nuevos colectivos (tercera edad, mujeres, niños...). • Preocupación por la salud y la estética. • Políticas sociales en zonas desfavorecidas.

Tabla 7.8. Servicios de medio ambiente

ÁMBITO	FACTORES DE DESARROLLO
Gestión de los residuos.	• Sensibilización contra el despilfarro. • Evolución de los modos de consumo. • Educación. • Escasez de los recursos naturales.

Tabla 7.8 ***(continuación)***

ÁMBITO	FACTORES DE DESARROLLO
Gestión del agua.	• Sensibilización contra el despilfarro. • Limitación de los fondos públicos. • Escasez de los recursos naturales.
Protección y mantenimiento de las zonas naturales.	• Éxodo rural. • Envejecimiento de la población. • Actividades de ocio.
Normativa, control de la contaminación y sus instalaciones.	• Contaminación. • Innovaciones tecnológicas adaptadas. • Escasez de los recursos naturales.
Control de la energía.	• Ahorro de energía. • Nuevas tecnologías adaptadas. • Nueva construcción y renovación de viviendas antiguas.

Un estudio de la existencia de algunos de estos factores en una determinada zona puede poner en evidencia la necesidad de este tipo de actividades, de manera que el futuro emprendedor puede encontrar en ella una oportunidad para crear una nueva empresa.

No obstante el evidente interés de los NYE como fuente para nuevos emprendimientos, hay que tener presente que prácticamente todas estas actividades se desarrollan aún en mercados imperfectos; todas han partido de un mercado potencial, y sólo algunas, tras arduas dificultades, pueden «gozar» de un mercado completo (CEEFT, 2000; Comisión Europea, 1995; Jiménez, Barreiro y Sánchez, 1998). En este sentido recogemos, por considerarlas de especial interés, las conclusiones de un estudio realizado por la Comisión Europea (1995) sobre las características de los tipos, de los mercados y de los bienes o servicios involucrados en cada una de los 19 ámbitos de los NYE.

Tabla 7.9. Servicios de la vida diaria

ÁMBITO	TIPOS DE MERCADOS Y CARACTERÍSTICAS	CARACTERÍSTICAS DE LOS BIENES O SERVICIOS
Servicios a domicilio.	• Mercado incompleto; renta disponible escasa, oferta insuficiente; credibilidad, reputación y calidad. • Mercados irregulares.	• Intensivos en mano de obra, imposibilidad de economías de escala, rentabilidad baja.

Tabla 7.9 *(continuación)*

ÁMBITO	TIPOS DE MERCADOS Y CARACTERÍSTICAS	CARACTERÍSTICAS DE LOS BIENES O SERVICIOS
Cuidado de los niños.	• Mercado incompleto; renta disponible escasa; oferta insuficiente; credibilidad, reputación y calidad. • Mercados irregulares.	• Intensivos en mano de obra, imposibilidad de economías de escala, rentabilidad baja.
Nuevas tecnologías de la información y la comunicación.	• Mercados inexistentes en cierto momento y lugar y nacientes en otros.	• Intensivos en cualificación alta y/o capital fijo. • Economías de escala, rentabilidad potencial elevada.
Ayuda a los jóvenes en dificultad y a la inserción.	• Mercado incompleto; renta disponible escasa; oferta insuficiente; credibilidad, reputación y calidad.	• Lucha contra el fracaso escolar. • Prevención de la criminalidad y del consumo de drogas. • Inserción laboral.

Tabla 7.10. Servicios de mejora del marco de vida

ÁMBITO	TIPOS DE MERCADOS Y CARACTERÍSTICAS	CARACTERÍSTICAS DE LOS BIENES O SERVICIOS
Mejora de la vivienda.	• Mercado incompleto; renta disponible escasa; oferta insuficiente; credibilidad, reputación y calidad. • Mercados irregulares.	• Intensivos en mano de obra; imposibilidad de economías de escala; rentabilidad baja.
Seguridad.	• Mercados inexistentes en un cierto momento y lugar y nacientes en otros.	• Intensivos en mano de obra no cualificada. Creciente peso del capital en su desarrollo y posibilidad de economías de escala.
Transportes colectivos locales.	• Mercado incompleto; renta disponible escasa; oferta insuficiente; credibilidad, reputación y calidad.	• Bienes públicos; rentabilidad baja.
Revalorización de los espacios públicos urbanos.	• Mercados públicos.	• Bienes públicos; rentabilidad baja.
Los comercios de proximidad.	• Mercados inexistentes en un cierto momento y lugar y nacientes en otros.	• Intensivos en mano de obra. Importante la flexibilidad. • Apoyo en los inicios y con regulación.

Tabla 7.11. Servicios culturales y de ocio

ÁMBITO	TIPOS DE MERCADOS Y CARACTERÍSTICAS	CARACTERÍSTICAS DE LOS BIENES O SERVICIOS
El turismo.	• Mercados inexistentes en un cierto momento y lugar y nacientes en otros.	• Intensivos en mano de obra. Importante la flexibilidad. • Apoyos en los inicios y con regulación.
Sector audiovisual.	• Mercados inexistentes en un cierto momento y lugar y nacientes en otros.	• Intensivos en cualificación alta y/o capital fijo. • Economías de escala, rentabilidad potencial elevada.
Valorización del patrimonio cultural.	• Mercados públicos y privados pero bienes públicos.	• Rentabilidad baja pero posibilidades crecientes de aumentarla.
Desarrollo cultural local.	• Mercado incompleto; renta disponible escasa; oferta insuficiente; credibilidad, reputación y calidad.	• Rentabilidad baja pero posibilidades crecientes de aumentarla.

Tabla 7.12. Servicios de medio ambiente

ÁMBITO	TIPOS DE MERCADO Y CARACTERÍSTICAS	CARACTERÍSTICAS DE LOS BIENES O SERVICIOS
Gestión de los residuos.	Mercados inexistentes en un cierto momento y lugar y nacientes en otros.	Intensivos en mano de obra no cualificada y altamente cualificada. Creciente peso del capital en su desarrollo y posibilidades de economías de escala.
Gestión del agua.	Mercados inexistentes en un cierto momento y lugar y nacientes en otros.	Intensivos en mano de obra no cualificada y altamente cualificada. Creciente peso del capital en su desarrollo y posibilidades de economías de escala.
Protección y mantenimiento de las zonas naturales.	Mercados inexistentes en un cierto momento y lugar y nacientes en otros.	Intensivos en mano de obra no cualificada y altamente cualificada. Creciente peso del capital en su desarrollo y posibilidades de economías de escala.
Normativa, control de la contaminación y sus instalaciones.	Mercados inexistentes en un cierto momento y lugar y nacientes en otros.	Intensivos en mano de obra no cualificada y altamente cualificada. Creciente peso del capital en su desarrollo y posibilidades de economías de escala.

En este estudio han quedado fuera los ámbitos del deporte y el de control de la energía, sin que los responsables expliquen los motivos de tal exclusión.

Los NYE, al igual que muchas otras nuevas ideas para la creación de empresas, se encuentran con una serie de obstáculos en su creación como actividad empresarial y en su propio desarrollo, como ya evidenció el estudio de la Comisión Europea al que nos hemos referido, y que agrupa en cinco grandes bloques:

1. **Obstáculos financieros:** insolvencia de la demanda, coste excesivo de la mano de obra poco cualificada, coste de la inversión inicial, dificultad de acceso al capital y baja rentabilidad de algunos servicios.
2. **Obstáculos ligados a la formación y a la cualificación profesional:** inadecuación de las formaciones iniciales, escasez y debilidad de dispositivos sectoriales de formación profesional y falta de mano de obra cualificada.
3. **Obstáculos jurídicos:** rigidez de estatus, ausencia de estatus jurídico y ausencia de ciertas normas técnicas o controles de calidad.
4. **Obstáculos ligados a la intervención pública:** desconocimiento de los procesos de desarrollo local, organización demasiado vertical y sectorial de la Administración Pública, brevedad de soportes financieros públicos e indefinición de competencias entre administraciones.
5. **Obstáculos culturales:** desde la demanda, desde la oferta y desde la Administración Pública.
6. **Otros obstáculos:** información inadecuada, competencia con la economía informal y excesiva dependencia del sector público.

Estos obstáculos sólo podrán ser superados si cada administración pública dentro de su marco de competencias establece los oportunos instrumentos que posibiliten el desarrollo de los NYE como actividades empresariales de nuevo cuño.

Los NYE están llamados a tener una importancia creciente dentro del marco de la UE, no sólo actual sino también la ampliada a 25 estados miembros. De hecho, los incentivos (ayudas y subvenciones) a la creación de empresas (fundamentalmente mypes: micro y pequeñas empresas) están orientados mayoritariamente a potenciar los sectores de actividad relacionados con los NYE, de forma preferente hacia aquellos que se consideran capaces de generar mayor empleo: las nuevas tecnologías de la información y la comunicación, medio ambiente, turismo y sector servicios en general. La preferencia de estos sectores guarda relación con la identidad regional y el desarrollo sostenible, potenciándose prioritariamente aquellas empresas que exploten los recursos endógenos, de forma que creen una economía sostenible y competitiva con el fin de mejorar el medio de vida y profesional de sus habitantes (Diputación de Sevilla, 2001).

8 El plan de viabilidad de la idea

1. Estructura del PVI

Una vez que el emprendedor cree tener una idea, y antes de elaborar el plan de empresa, es aconsejable que dedique un tiempo a reflexionar profundamente sobre la misma a fin de decidir si merece o no la pena seguir dedicándole esfuerzos. Proponemos para ello elaborar, a título personal, un «plan de viabilidad de la idea» (PVI). No debe olvidarse que la idea de empresa está en la base de toda estrategia para la creación de una nueva empresa, y que la idea u oportunidad de partida debe ser tal que llene de contenido la decisión de crear una empresa.

El PVI no pretende ser más que una «guía» que facilite al emprendedor una reflexión más profunda sobre la idea que tiene y sobre la que posiblemente pretenda crear su empresa. Es de carácter personal, es decir, no es, como el plan de empresa, un documento que se muestre a otros para financiar el proyecto o buscar socios, ni pretende como dicho plan ser una guía de acción en la creación y puesta en marcha de la empresa; no precisa de técnicas cuantitativas, sino que es de naturaleza cualitativa, y su única exigencia es que el emprendedor se sincere consigo mismo, ponga objeciones y trabas a la idea, adopte una perspectiva más rigurosa y menos entusiasta y, en definitiva, decida si merece o no la pena seguir adelante con esa idea.

De este análisis de la idea el emprendedor no debe esperar un «sí» o un «no» rotundos sobre la bondad de la idea, sino más exactamente con él lo que se pretende es que llegue a la conclusión y el convencimiento de que la idea no es tan genial como inicialmente parecía o que incluso resultando idónea se resalten los posibles aspectos mejorables de la misma y la necesidad de madurarla más.

Para la elaboración del PVI se necesitan muy pocos medios: un cuaderno, lápices de colores, algún otro material de escritorio, paciencia y sentido común. Todo debe recogerse por escrito, y seguir el esquema que indicamos a continuación.

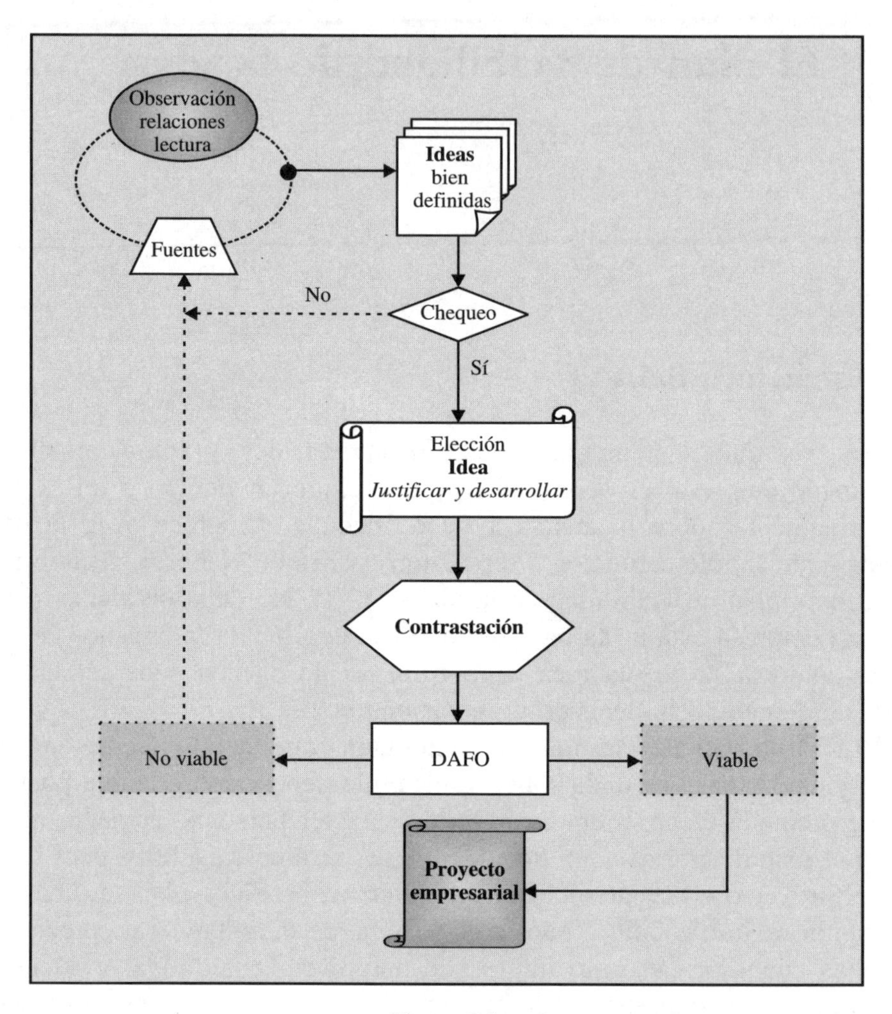

Figura 8.1

Lo que busca el PVI es, en una primera fase, recabar información adecuada sobre la idea, realizándose el emprendedor una serie de cuestiones sobre la misma («chequeo» de la idea) que le permita, a continuación, exponer de una manera más clara y desde una perspectiva empresarial dicha idea de forma justificada y bien desarrollada, siguiendo para ello un guión que proponemos y que será de gran utilidad posteriormente en la elaboración del plan de empresa. Esa idea así expuesta se someterá, en una tercera y última fase, a una «contrastación» con la realidad en sus principales dimensiones: entorno, producto y mercado, de manera que podamos aplicar para cada una de ellas un análisis DAFO que nos ponga de manifiesto las posibles Debilidades de nuestra idea como producto, las Amenazas que podemos encontrar en el entorno y el mercado en el que se desarrollaría la nueva empresa, las Fortalezas de nuestra idea como negocio y empresa y las Oportunidades que podemos aprovechar.

Con el PVI se pretende (véase la figura 8.2), en primer lugar, que el emprendedor reflexione profundamente sobre la idea de negocio y evalúe si le merece o no la pena seguir adelante con ella. Pero además, con este ejercicio de reflexión y búsqueda inicial de información, el emprendedor contará con una base de gran valor para elaborar el plan de empresa y para diseñar su estrategia al comienzo de la actividad de la empresa, facilitándole distinguir los asuntos críticos de los problemas normales de funcionamiento de la empresa.

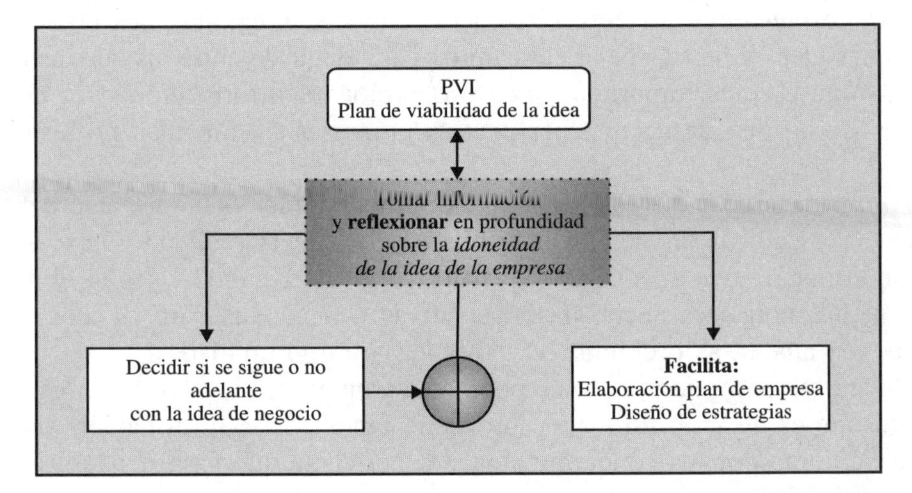

Figura 8.2

2. Chequeo y elección

Una vez que tenemos una o varias ideas, comienza el proceso de elección y viabilidad de las mismas.

Lo primero que tenemos que hacer con todas las ideas que hemos obtenido y definido es ***chequearlas,*** a fin de ir eliminando las que son claramente irrealizables, de manera que con las que resten realicemos el ulterior análisis de viabilidad.

El ***chequeo*** consiste en realizar una serie de preguntas adecuadas sobre la idea en cuestión, y obtener respuestas concretas. Las preguntas deben guardar relación con la naturaleza de la idea, pero se recomienda con carácter general efectuar preguntas del siguiente tenor:

— ¿Existe ya éste u otro producto semejante?
— ¿Qué recursos precisaría para poder poner en marcha esta idea?
— ¿Dispongo fácilmente de dichos recursos?
— ¿Qué volumen podría absorber el mercado?
— ¿Existe ya algún producto semejante?
— ¿Los beneficios esperados justifican la inversión y el sacrificio?
— ¿Costaría mucho dar a conocer el nuevo producto?
— ¿Realmente la gente apreciaría su utilidad?
— Etcétera.

El responder de manera clara a este tipo de preguntas nos desechará algunas ideas y nos despejará el camino para elegir de entre las que quedan, y, lo que es más importante, nos proporcionará información para poder exponer la idea desde una perspectiva empresarial, con más profesionalidad.

Para responder a estas preguntas el emprendedor debe armarse de paciencia y dedicar un tiempo a la observación de la realidad. Debe ir tomando notas, y es aconsejable que utilice diversos colores según el tenor de dichas notas; es decir, si son positivas o negativas para su idea, o si suponen amenazas o debilidades, fortalezas u oportunidades.

Este método puede parecer poco académico o científico, pero les aseguro que es de gran utilidad y provecho tanto por la información que se recaba como por los conocimientos y experiencia que va a ir adquiriendo el emprendedor.

3. Justificación y desarrollo

Con el chequeo hemos desechado las ideas más *débiles*, por parecernos inviables una vez que las hemos sometido a una serie de cuestiones elementales y lógicas. Las que restan son las ideas elegidas, las más susceptibles de poderse poner en práctica, pero que debemos someter a un análisis más profundo a fin de decidir si merece o no la pena estudiar su viabilidad y planificar su puesta en marcha elaborando el ***proyecto empresarial.*** Para ello debemos estructurar esa idea de forma que pueda ejecutarse este análisis *(contrastación);* es decir, debemos justificarla con argumentos de naturaleza empresarial, con profesionalidad, proyectándola hacia el futuro como si la fuésemos a poner en marcha.

Para poder *contrastar* y determinar la posible *viabilidad* de cada una de las ideas elegidas, éstas han de ***justificarse*** utilizando argumentos convincentes, plasmados por escrito. Esta justificación se apoya en un ***desarrollo esquematizado*** e inicial de lo que pretendemos que sea el negocio o empresa. Este desarrollo debe seguir un proceso similar al siguiente:

a) ***Tipo de negocio que se desea crear y sector al que pertenecerá.*** A partir de la idea, deberán describirse las principales características que pretendemos tenga el futuro negocio, así como el sector al que pertenece.
b) ***Localización de la empresa y negocio.*** Población, comarca, barrio, etcétera.
c) ***Objeto social.*** Resumir la posible actividad de la empresa dentro de un marco legal, y con todas las posibles actividades complementarias que precisará para un desarrollo completo y sin contratiempos.
d) ***Clientes potenciales.*** Los posibles y futuros clientes que pueden demandar nuestro producto o servicio.
e) ***Consumidores finales.*** Características de quienes de una manera inmediata podrían consumir nuestro producto o demandar el servicio.
f) ***Localización de los clientes potenciales y de los consumidores finales.*** Ubicación geográfica.
g) ***Sectores a los que pertenecen clientes y consumidores.*** De actividad, sociales, culturales, económicos.
h) ***Especificaciones del producto o servicio.*** Lo que se les va realmente a vender a los clientes.
i) ***Necesidades, hábitos y motivaciones de los clientes.*** Ya sean claras, o se consideren latentes pero no definidas por el cliente.
j) ***Nuestras ventajas diferenciales.*** Lo que diferenciaría nuestro producto de los de la competencia.
k) ***Comercialización y distribución.*** Dónde se van a vender y cómo se van a hacer llegar a los puntos de venta y al consumidor.
l) ***Resultados esperados.*** Los beneficios brutos que se esperan conseguir, con realismo y racionalidad.
m) ***Inversión aproximada.*** Cantidad de recursos monetarios que serán necesarios para poner en marcha la empresa. Un montante realista y más bien generoso.

n) ***Rentabilidad esperada de la inversión.*** A fin de analizar el costo de oportunidad. Pudiera ser que el futuro negocio ofrezca beneficios, pero con una rentabilidad inferior a otras oportunidades de inversión con el mismo o menor riesgo.

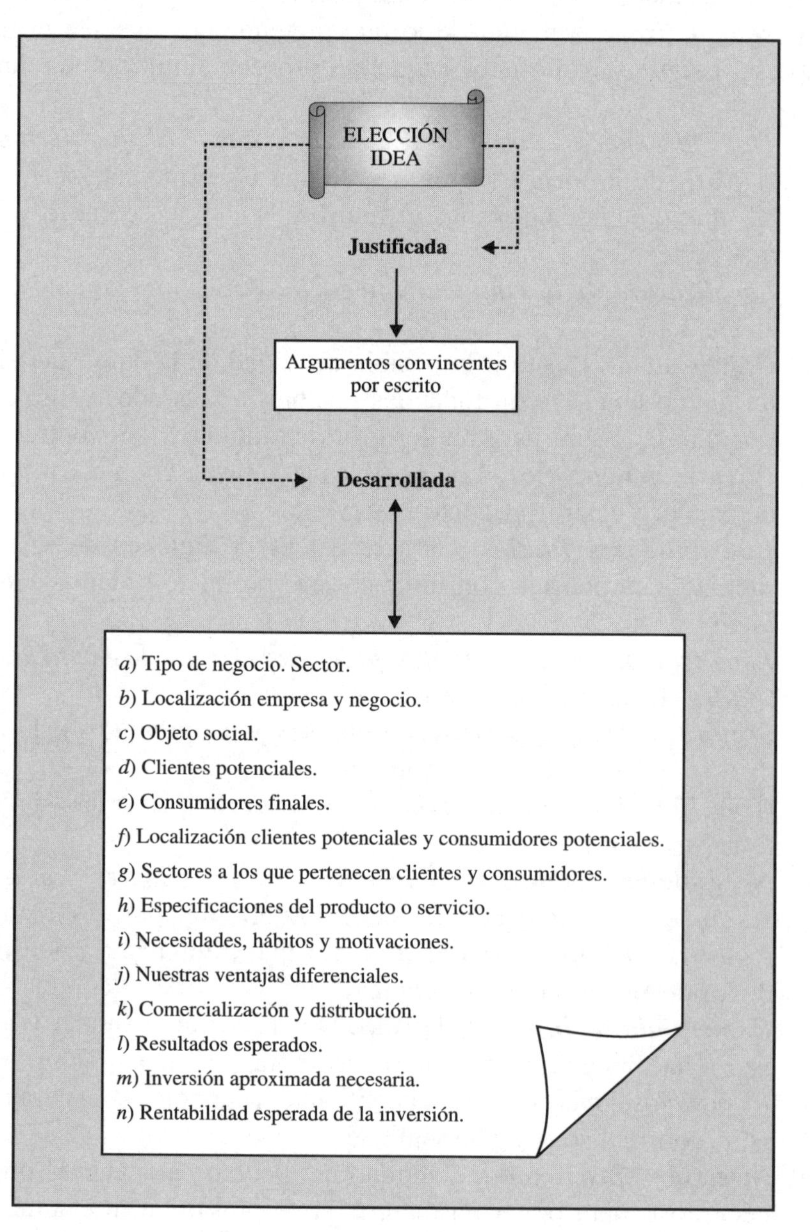

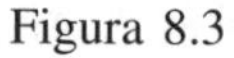
Figura 8.3

4. Contrastación

Estamos en un punto clave del análisis de viabilidad de una idea. Una vez que tenemos ésta perfectamente justificada y desarrollada, procederemos a su ***contrastación:*** compararemos el desarrollo que hemos hecho con información obtenida principalmente del ***entorno*** y del ***mercado,*** determinando con éste la oportunidad de la idea, de ponerla en marcha, y en segundo plano obtendremos información sobre ***la forma de obtener el producto*** y ***la forma en que lo hacen las mejores empresas del sector.***

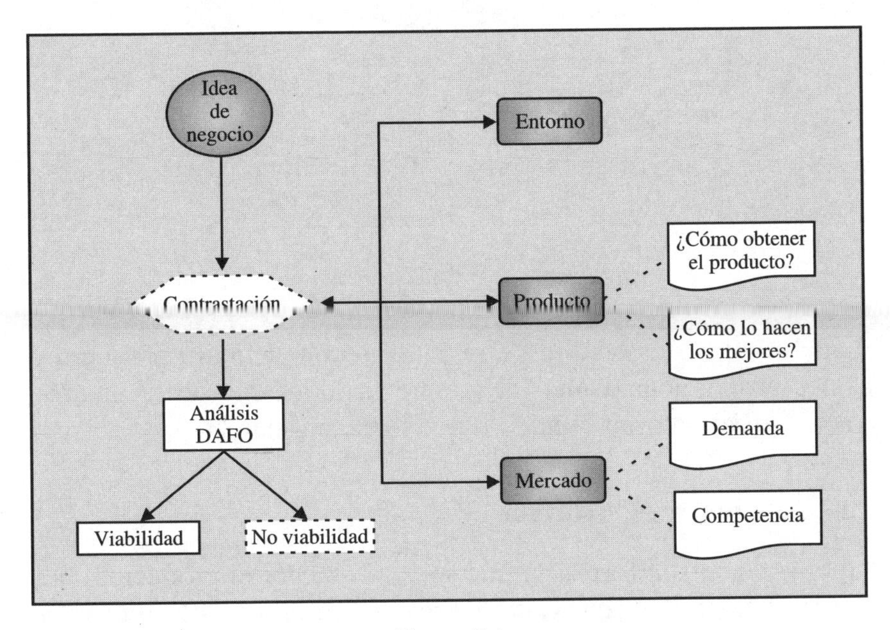

Figura 8.4

4.1. La idea y el entorno

En un tema anterior ya hablamos del entorno, de cómo definirlo y concretarlo. Contrastar la idea con el entorno no es más que estudiar la integración de la futura empresa y su producto en dicho entorno. Para identificar y conocer el entorno podemos utilizar cualquiera de los modelos propuestos en el capítulo anterior, si bien es aconsejable el ***modelo básico*** por su facilidad de comprensión.

Cada una de las cuatro *dimensiones (económica, política legal, sociocultural y tecnológica)* que recoge el modelo se analizará factor por factor, cómo pueden éstos afectar a la idea de negocio que pretendemos desarrollar.

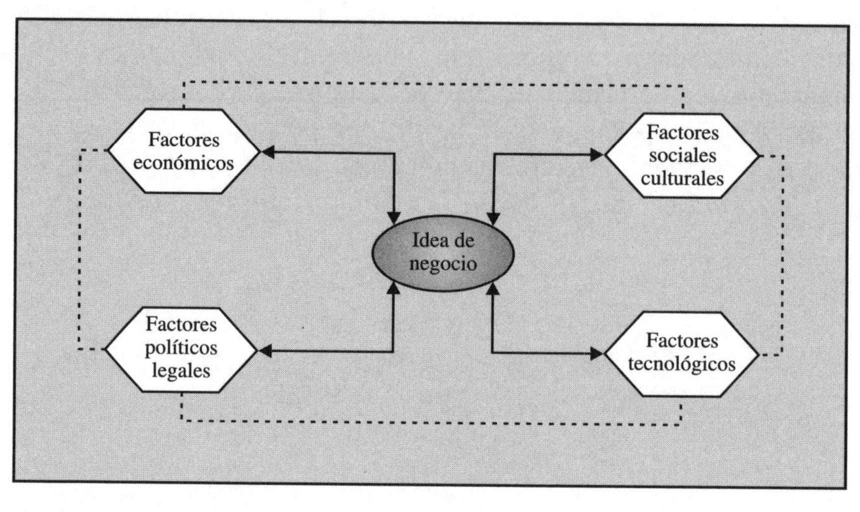

Figura 8.5

El análisis de estos factores, en contraste con el futuro producto y empresa, nos proporcionará una idea sobre la idoneidad de la misma y su integración en el entorno donde va a ponerse en marcha.

4.2. La idea y el producto

Hay que decidir la forma en que se va a obtener el producto, pudiendo optar por: ***adquisición, fabricación propia*** o ***diseño y subcontratación.***

— ***Adquisición.*** Alternativa propia de empresas de tipo comercial. Debemos prestar gran atención a la elección de proveedores: que sus productos se acoplen a nuestra idea y entorno, que no se los proporcionen a la competencia más próxima, posibilidad de utilizar nuestra propia marca o una marca en exclusiva, etc.

— ***Fabricación propia o elaboración.*** Somos responsables de todas las fases; la planificación de la producción y comercialización es de vital importancia. Se aconseja en los primeros años combinar esta posibilidad con la anterior: adquirir parte de la producción y producir la otra.

— ***Diseño y subcontratación.*** Existen empresas que fabrican por encargo. En este caso nos corresponde diseñar el producto y establecer e implantar los sistemas de control de calidad que estimemos convenientes.

Es muy conveniente y recomendable estudiar cómo lo están haciendo las empresas que ya están instaladas en el sector, sobre todo las mejores. Este estudio debe comprender los aspectos técnicos, productivos, comerciales, logísticos, administrativos y financieros.

4.3. La idea y el mercado

A la hora de crear una empresa, el punto de partida necesario e ineludible es conocer la situación actual del mercado y su posible evolución, a fin de predeterminar la oportunidad de la idea y los riesgos que se han de afrontar en su implementación. Sin tener unas mínimas garantías de que la idea puede desarrollarse en el mercado actual y futuro, no debe darse ningún paso más en el sentido de creación de la empresa. Para ello es preciso efectuar un estudio lo más profundo posible sobre el mercado y su evolución, el cual nos debe permitir identificar el *nicho de mercado* (consumidores y clientes potenciales) al que se dirigirá la futura y nueva empresa.

El estudio de mercado se elaborará a través del análisis de la *demanda* y de la *competencia*. Posteriormente, una vez que tengamos *dibujada* la situación actual y la evolución prevista del mercado, en base a la misma efectuaremos un ***análisis de las oportunidades y riesgos*** que podemos encontrar en el mercado, respecto a la idea de negocio.

El principal escollo con que nos encontraremos a la hora de estudiar el mercado lo constituye la obtención de información fidedigna sobre el mismo. Las fuentes de información a las que podemos acudir son muy diversas, aconsejándose, por su facilidad de acceso, las siguientes: *cámaras de comercio y asociaciones empresariales, ministerios y consejerías, sindicatos, informes de organismos públicos y privados, anuarios sectoriales, bases de datos sectoriales en Internet, observación directa del mercado, visita a empresas ya instaladas, etc.* Cuanto más completa y actualizada sea la información que obtengamos, nos haremos una idea tanto más precisa de la realidad del mercado y de sus tendencias, además de permitirnos una toma de decisiones más acertada.

El estudio de la demanda y de la competencia debe ser lo más claro y realista posible y abordar los aspectos fundamentales de ambas dimensiones.

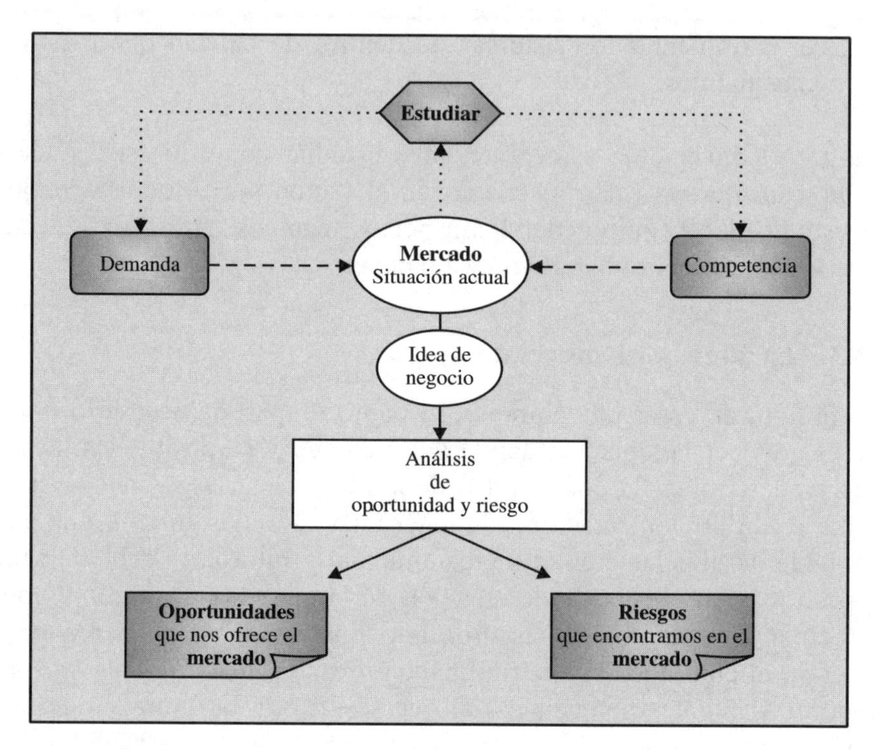

Figura 8.6

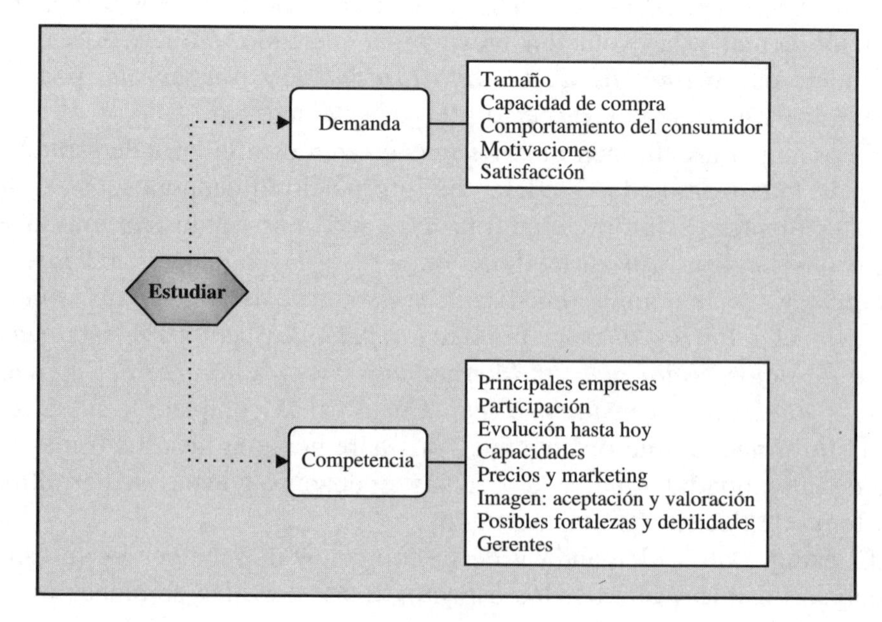

Figura 8.7

En el **estudio de la demanda,** en primer lugar debemos delimitar espacialmente nuestro mercado, a fin de tomar los datos que nos sirvan para el análisis. Éste debe ser tanto cuantitativo como cualitativo.

El **análisis cuantitativo** debe partir de una serie histórica que nos permita apreciar su evolución hacia la situación actual, y poder proyectar la tendencia futura. Tomaremos cifras de negocio consolidadas, tamaño de la demanda o algunas otras variables de las que existan datos fiables y que sean representativas del mercado, que incluso puedan ser objeto, si se cree necesario, de un análisis estadístico de regresión. El **análisis cualitativo** supondrá la interpretación de los resultados obtenidos en el cuantitativo.

Debemos dar respuesta a las siguientes cuestiones en relación con la demanda:

— Tamaño de la demanda.
— Capacidad de compra.
— Comportamiento del consumidor.
— Motivaciones.
— Satisfacción.
— Evolución prevista (al menos para un horizonte de cinco años).

Con esto nos haremos una idea sobre la situación y posible evolución de la demanda, y podremos también evaluar inicialmente el grado de compatibilidad de nuestra futura línea de negocio con la demanda.

Es muy común prestar mucha atención y esfuerzo al análisis de la demanda y descuidar, cuando no ignorar, el **análisis de la competencia.** Esto puede llevarnos a situaciones peligrosas, pues el ignorar o no valorar adecuadamente la reacción de la competencia ante nuestra posible entrada en el mercado suele pasar una elevada factura.

Respecto de la competencia, debemos conocer los siguientes aspectos:

— Relación de las principales empresas del sector.
— Participación actual en el mercado.
— Evolución hasta la fecha.
— Capacidades
— Precios y marketing.
— Imagen: aceptación y valoración.
— Posibles fortalezas y debilidades.
— Gerentes.

Ya señalamos que cualquier empresa, sobre todo si es nueva, debe ofrecer alguna diferencia competitiva si quiere hacerse con un nicho de mercado. El estudio de la competencia es la vía más adecuada para encontrar esa *diferencia competitiva.*

En el análisis de la demanda y de la competencia no debe perderse de vista el *escenario global* en que se están desarrollando ya los negocios.

De los datos obtenidos con el estudio de la demanda y la competencia, debemos ser capaces de identificar las oportunidades que podemos aprovechar en el mercado y los riesgos que debemos de afrontar, estos últimos principalmente por el lado de la competencia, que sin duda reaccionará ante la aparición de una nueva empresa en el mercado.

5. Análisis DAFO y conclusiones

Al contrastar la idea con el entorno, el producto o servicio en sí y el mercado, y en concreto detectar las oportunidades y riesgos que éste nos depara, debemos tener una *panorámica global* de la situación en que la futura empresa se desarrollaría. Debemos proceder ahora a identificar las *debilidades* de la idea en todas sus dimensiones (como producto y empresa), las *amenazas* que pueden provenir del entorno y del mercado, las *fortalezas* de nuestra idea en relación con otros productos y empresas similares ya existentes y las *oportunidades* que nos brinda el entorno y el mercado.

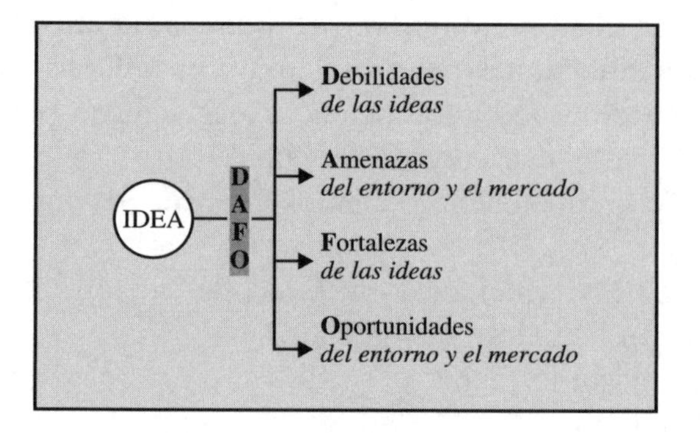

Figura 8.8

Las ***debilidades*** se pondrán de manifiesto por la simple comparación con la futura competencia y las exigencias del entorno. Respecto a aquélla, las debilidades pueden provenir de muy diversos aspectos: recursos, capacidad directiva, experiencia, conocimientos, imagen, etc.; pero no deben impedir por sí mismas el desarrollo de la idea, sino que lo que se pretende es su conocimiento a fin de potenciar y desarrollar estos puntos más sensibles y lesionables. En cuanto al entorno, las debilidades pueden referirse a cuestiones tales como exigencias legales, aspectos culturales y de moda, etc.

Las ***amenazas*** pueden provenir tanto de las debilidades como de otros factores y agentes: *reacción de la competencia, cambios imprevistos, legislaciones, etc.*, y todos aquellos elementos que conforman el riesgo inherente a toda actividad empresarial.

Las ***fortalezas y oportunidades*** también existen para las nuevas empresas, y máxime en esta nueva *panorámica global,* donde el mercado y el entorno están constantemente en evolución y cambio. Estas oportunidades pueden tener un origen muy diverso: *mejora de la calidad, flexibilidad para ajustarnos a la nueva situación, sintonía con la demanda, productos más ajustados a las nuevas exigencias, forma de hacer las cosas, reducción de costos, gustos, modas, usos sociales, etc.*

Si consideramos que las *fortalezas y oportunidades* tienen más «peso» específico que las *debilidades* y *amenazas,* debemos concluir que la idea es **viable** y procederíamos a elaborar el *proyecto empresarial;* en caso contrario, la idea no sería viable y desistiríamos de la misma.

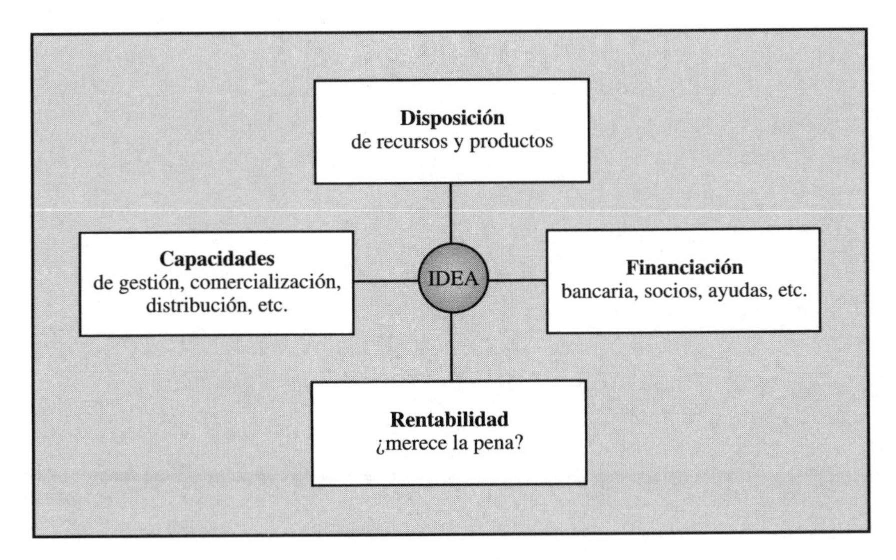

Figura 8.9.—Conclusiones.

En concreto, con el análisis DAFO deberemos profundizar, respecto a la idea de negocio o empresa, en los siguientes puntos:

a) *Disposición:* cuándo se podrá disponer de los recursos necesarios y de los productos ya terminados.
b) *Capacidades:* de gestión, de comercialización y distribución.
c) *Financiación:* disponibilidad de recursos financieros.
d) *Rentabilidad del negocio:* ¿merece la pena comprometer los recursos en esta empresa, o existen acaso alternativas de inversión igual de rentables o más pero con menor riesgo?

9 El plan de empresa

1. Concepto y finalidad

Bastaría con decir que el plan de empresa (PE) es la herramienta imprescindible para la puesta en marcha y seguimiento de la nueva empresa en sus primeros años de vida, ya que contendrá la visión de futuro del emprendedor (Allen, 2002). Todo proyecto empresarial debe concretarse documentalmente en el PE, donde se recogerán de manera ordenada todos los elementos y acciones que el emprendedor estima necesarios para crear, constituir y poner en marcha la nueva empresa, y con una proyección de actividad de al menos tres años, para los que se estimarán los principales resultados a alcanzar como consecuencia de la realización de las actividades previstas.

El PE recoge el proyecto empresarial con unos objetivos muy concretos (Nueno, 1994, p. 52, *sic*):

- *Ayudar al emprendedor a alcanzar un conocimiento amplio, profundo y objetivo de la empresa que pretende poner en marcha.*
- *Encontrar socios o servir para convencer a éstos del mérito del proyecto y conseguir reunir los recursos y capacidades necesarios para poner en marcha la empresa.*
- *Obtener la financiación necesaria para lanzar el negocio.*

En el PE el emprendedor reflejará de manera ordenada y racional todas las eventualidades del proyecto empresarial dentro de un determinado horizonte temporal, siendo para él una herramienta de gran utilidad en la implementación de la empresa y en la gestión de sus primeros años de vida (Borello, 2000), a la vez que le sirve de tarjeta de presentación ante terceros.

2. Estructura

Es mucha la documentación que podemos encontrar respecto a la estructura que debemos seguir en la elaboración de un plan de empresa. Todos los estudios mantienen muchos puntos en común, y básicamente buscan los mismos fines, pero para el emprendedor el PE ha de ser el *mapa* que le indique en sus primeros años cuál ha de ser el rumbo a seguir (Allen, 2002).

Básicamente todo PE responde a la estructura expuesta en la figura 9.1 (González, 2002):

El plan estratégico y el plan de marketing son complementarios y constituyen los pilares esenciales del PE.

El **plan estratégico** recogerá las líneas maestras de la futura empresa; ha de contener la misión a la que la empresa se va a dedicar, lo que supone un elemento vital para la misma pues condicionará las demás partes del plan (Allen, 2002). En el plan estratégico se contemplarán los elementos sobre los que se sustentará tanto la creación como la marcha de la propia empresa: objeto social, objetivos a largo plazo, procesos y sistemas de trabajo, estructura organizativa, cultura empresarial, etc.

En el **plan de marketing,** apoyándose en el plan estratégico, se recogerán todas las acciones que se piensan emprender sobre las variables del marketing-mix (producto, distribución, comunicación, ventas y precios), a fin de desarrollar el objeto social y alcanzar los objetivos previstos. Como estamos elaborando el plan de marketing de una nueva empresa, es decir, que afectará a ésta como tal y a su producto, no es necesario, aunque se puede hacer si se desea, culminar el plan de marketing con un presupuesto propio del mismo, lo cual sí es imprescindible cuando se desarrolla un plan de este tipo para lanzar o revitalizar un producto de una empresa ya en marcha.

El **plan financiero** debe poner en evidencia la viabilidad del proyecto empresarial; para ello se valorará tanto la estructura económica como financiera de la empresa que se pretende crear y poner en marcha a lo largo del horizonte temporal a que se refiera el PE, así como determinadas variables que nos permitan verificar la viabilidad económica (rentabilidad) y financiera de la futura nueva empresa.

Una vez que el PE recoge todo lo dicho, el emprendedor iniciará y llevará a cabo todos los trámites y acciones necesarias para la constitución legal de la empresa y el inicio de su actividad.

La presentación del plan de empresa tiene gran importancia. Con carácter general ha de ser clara y concisa. Cada una de las partes que lo

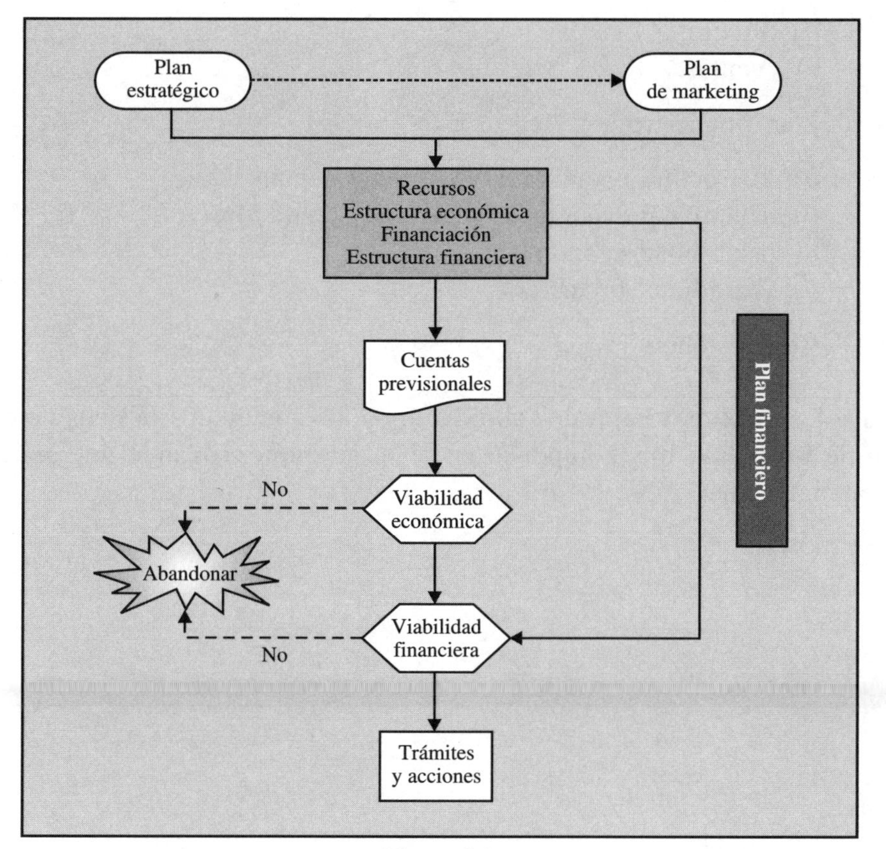

Figura 9.1

componen se presentará como un apartado del mismo siguiendo el orden de la estructura expuesta:

1.º Plan estratégico:

a) Nombre comercial y forma jurídica.
b) Objeto social.
c) Objetivos.
d) Producto.
....

2.º Plan de marketing:

a) Producto.
b) Distribución.
c) Comunicación.

d) Precio.
e) Ventas.

3.º Plan financiero:

a) Estructura económica y estructura financiera.
b) Cuentas previsionales: balance y resultados.
c) Viabilidad económica.
d) Viabilidad financiera.

4.º Conclusiones.

En los próximos capítulos abordaremos los contenidos básicos de cada uno de los planes que componen en plan de empresa, dando una serie de recomendaciones sobre los mismos.

10 El plan estratégico

1. Finalidad y contenidos

El plan estratégico es un elemento clave del plan de empresa, ya que en él se marcará la pauta de todas las acciones que deberán emprenderse para la creación, puesta en marcha y ulterior funcionamiento de la futura empresa. Podríamos decir que es la «guía espiritual» del futuro equipo directivo y la «carta de presentación» ante futuros accionistas, entidades de financiación, organismos públicos o cualquier otro ente o persona que se precise para obtener financiación, subvenciones, recursos o ayuda.

Debe contener las líneas esenciales que guiarán el desarrollo de la futura empresa; podríamos decir que constituye sus cimientos. En la literatura al uso podemos encontrar diversos modelos para la elaboración de este plan, algunos más extensos y completos que otros en cuanto a los contenidos del mismo. Aun siendo exhaustivos, nosotros consideramos que un plan estratégico debe contener, para ser completo, los elementos que a continuación se exponen.

- Nombre comercial.
- Forma jurídica.
- Objeto social.
- Objetivos.
- Producto.
- Marcas.
- Mercado objetivo.
- Clientes y consumidores.
- Imagen y posicionamiento.
- Ventajas competitivas.
- Localización.
- Instalaciones.
- Dimensión.

— Estructura organizativa.
— Cultura corporativa.
— Otros elementos.

Ahora bien, no siempre ni necesariamente deben recogerse todos estos contenidos en el plan estratégico, aunque algunos de ellos son imprescindibles: nombre comercial, forma jurídica, objeto social, objetivos, producto, marcas, mercado objetivo y clientes y consumidores.

En el plan estratégico deben exponerse estos contenidos de forma clara y concisa para el lector y usuario del mismo. Su finalidad ha de ser siempre la de mostrar cuál es el componente estratégico, la estructura, sobre la que se sustentará el desarrollo de la nueva empresa, al menos en el horizonte temporal más inmediato de los próximos tres o cinco años, tiempo mínimo en que la nueva empresa se compromete a demostrar su viabilidad y a mantener inalterados estos elementos estratégicos.

2. Nombre comercial y forma jurídica

El **nombre comercial** es (Ortega, 1990) «el signo o denominación que sirve para identificar a una persona física o jurídica en el ejercicio de su actividad empresarial y que distingue su actividad de las otras actividades idénticas o similares». Es el nombre de la futura empresa, por el que se la reconocerá y llamará. Su elección es de gran importancia, pues a él se unirá la imagen de la empresa. Es aconsejable, a la hora de elegirlo, que reúna una serie de características:

— Que esté relacionado con la actividad de la empresa.
— Corto, identificable, recordable y de fácil pronunciación.
— Que se relacione con la imagen y posicionamiento.
— Con visión de futuro, perdurable.
— Que se pueda asignar o introducir a un logotipo.
— De acuerdo con la legislación vigente, son susceptibles de ser utilizados como nombres comerciales: los patronímicos, las razones sociales y las denominaciones de las personas jurídicas; las denominaciones de fantasía; las denominaciones alusivas al objeto de la actividad empresarial; los anagramas, y cualquier otra combinación de los signos anteriores.

Si bien el registro del nombre comercial en el Registro de la Propiedad Industrial es potestativo, es aconsejable en la medida que confiere a su titular el derecho a usarlo en exclusiva y le protege ante otros que con posterioridad pretendan o usen denominaciones análogas.

En el caso del empresario individual, la asunción de un nombre comercial es potestativa, así como sus inscripciones respectivas en los Registros Mercantil y de la Propiedad Industrial. Sin embargo, si la empresa adopta una forma mercantil con personalidad jurídica propia (sociedad anónima, limitada, etc.), la inscripción en el Registro Mercantil es obligatoria y potestativa en el Registro de la Propiedad Industrial.

Aunque no sea obligatorio, sí es aconsejable que en todos los casos el nombre comercial se inscriba en el Registro de la Propiedad Industrial, ya que es garantía y defensa ante el uso del mismo o similar nombre por parte de otras empresas.

Con frecuencia suele utilizarse el nombre comercial como marca; en ese caso deberá procederse a su registro separado. Conviene distinguir el

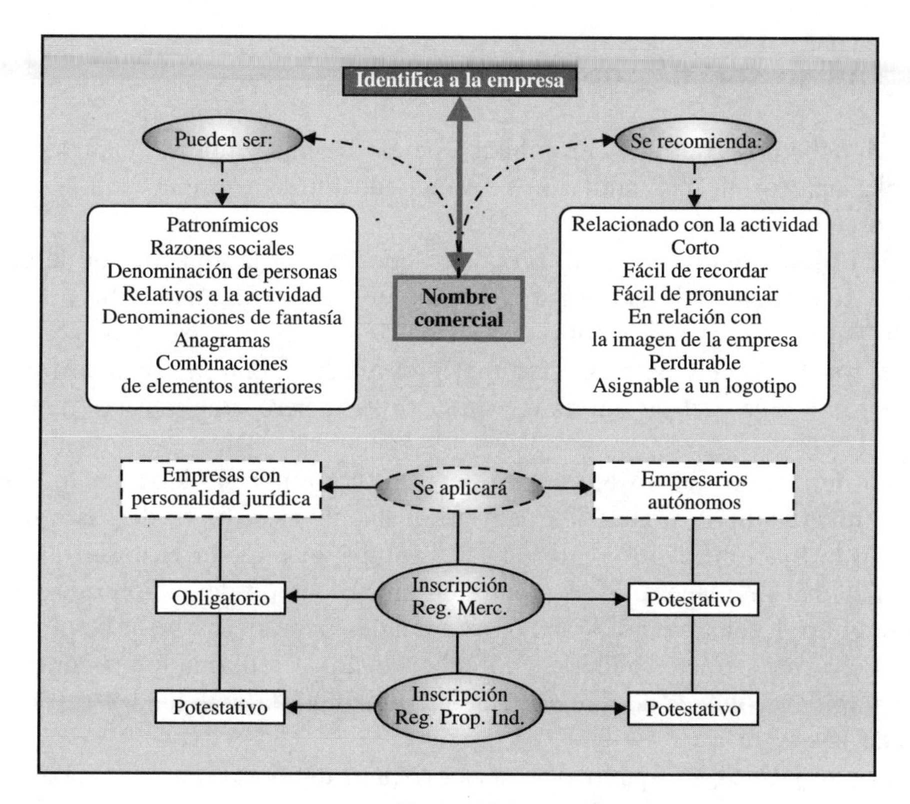

Figura 10.1

nombre comercial de la **marca,** pues como veremos ésta es la denominación del producto de la empresa.

Toda actividad empresarial debe realizarse de manera legal, y es requisito imprescindible que se realice bajo alguna de las **formas jurídicas** que admite nuestro ordenamiento. El nacimiento de la empresa se produce en el mismo instante en que se verifican todos los trámites legales necesarios que facilitan su constitución, adoptándose una forma jurídica.

La adopción de una determinada forma jurídica es una decisión estratégica en cuanto que en principio afectará a toda la vida de la empresa. Si bien nuestra legislación permite el cambio de la forma jurídica, éste suele ser complejo y a veces costoso, por lo que una vez adoptada una determinada forma debe procurar mantenerse el mayor número de años posible.

Al tratarse de un tema de trascendental importancia, dedicamos la parte cuarta de esta obra (capítulos 13 y 14) a las distintas formas jurídicas —tipos, características, etc.— y a la constitución de la empresa como entidad jurídica.

3. Objeto social y objetivos

No debemos confundir el «objeto social» de una empresa, cuando ésta adopta una forma mercantil con personalidad jurídica propia, con sus objetivos.

El **objeto social** recoge el propósito que lleva a la creación de la empresa, su dedicación o actividad, y la razón de ser de la misma. Se fija por tanto para un horizonte amplio de la vida de la empresa. No debe confundirse con los objetivos concretos que para un horizonte a corto se fije la empresa, y que son de naturaleza muy diversa pero concretos e identificables.

La definición del **objeto social** de la futura empresa debe ser lo suficientemente amplia y genérica para no obstaculizar el logro de sus objetivos, ni la fijación de otros nuevos en el futuro, ni impedir el desarrollo de su actividad de manera que se tenga un ancho campo de acción que posibilite el aprovechamiento de las oportunidades operativas que se le presenten. Pero este carácter genérico no debe llevarnos a definiciones confusas que impidan conocer de manera clara e inmediata la actividad y razón de ser de la empresa.

Los **objetivos** se fijarán para un horizonte temporal determinado, normalmente corto y medio. Han de ser concretos, precisos, cuantificables o

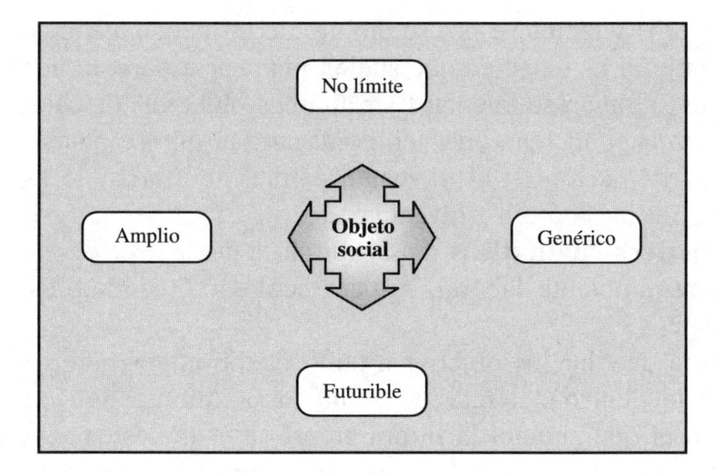

Figura 10.2

mensurables y razonablemente alcanzables, y estarán en consonancia con los principios empresariales que vimos en el capítulo 1. Es a este capítulo al que remito al lector para que conozca los distintos tipos de objetivos que puede plantear en la nueva empresa, pero no obstante conviene que hagamos aquí algunas apreciaciones más.

Los objetivos nunca han de ser inamovibles, y menos aún los que se fijan en esta fase de proyección y génesis de la empresa. Una vez en marcha deberán revisarse y controlarse continuamente. Es más, no resulta infrecuente que a medida que se avanza en los primeros momentos (los primeros tres años son cruciales) de la vida de la nueva empresa, hayan de revisarse y retocarse los objetivos: éstos condicionan las acciones previstas para conseguirlos, pero a su vez los posibles (y reales) resultados de estas acciones inciden en ellos, como también lo hacen el propio mercado, el entorno y la evolución y situación de la empresa.

La adecuada y racional fijación de objetivos en el plan de empresa es crucial, ya que servirán de referencia para perfilar las acciones que deben llevar a alcanzarlos. La ausencia de objetivos impedirá un desarrollo del resto del proyecto, pues se carecerá de los más elementales cimientos: *si no sabemos qué deseamos conseguir, ¿cómo sabremos lo que tenemos que hacer?* En esta fase debemos fijar unos **objetivos cuantitativos** y unos **objetivos cualitativos.**

Los **objetivos cuantitativos** más comunes que se suelen fijar son cifra de ventas, beneficios, rentabilidad de la inversión en la empresa, productividad global de la empresa, etc. Es decir, por su naturaleza serán económicos, financieros y técnicos; por su ámbito de influencia generales, y por su alcance temporal tácticos, ya que suelen plantearse para un horizonte temporal anual. También se pueden fijar algunos objetivos de carácter estratégico a alcanzar en el horizonte temporal para el que se plantea el plan de empresa: participación en el mercado al final del horizonte temporal, capitalización de la empresa, solvencia, etc.

Los **objetivos cualitativos** más habituales suelen ser de naturaleza social: imagen, ambiente laboral, respeto ecológico, calidad, etc., y suelen ser estratégicos.

A la hora de fijar los objetivos, tanto cuantitativos como cualitativos, debe hacerse dentro del marco de un conocimiento del entorno y del mercado en el que actuará la futura empresa, y que éstos sean contrastables con los resultados que la empresa obtendrá, es decir, de su misma naturaleza. Y con carácter general, como ya apuntamos, han de ser realistas, alcanzables y flexibles.

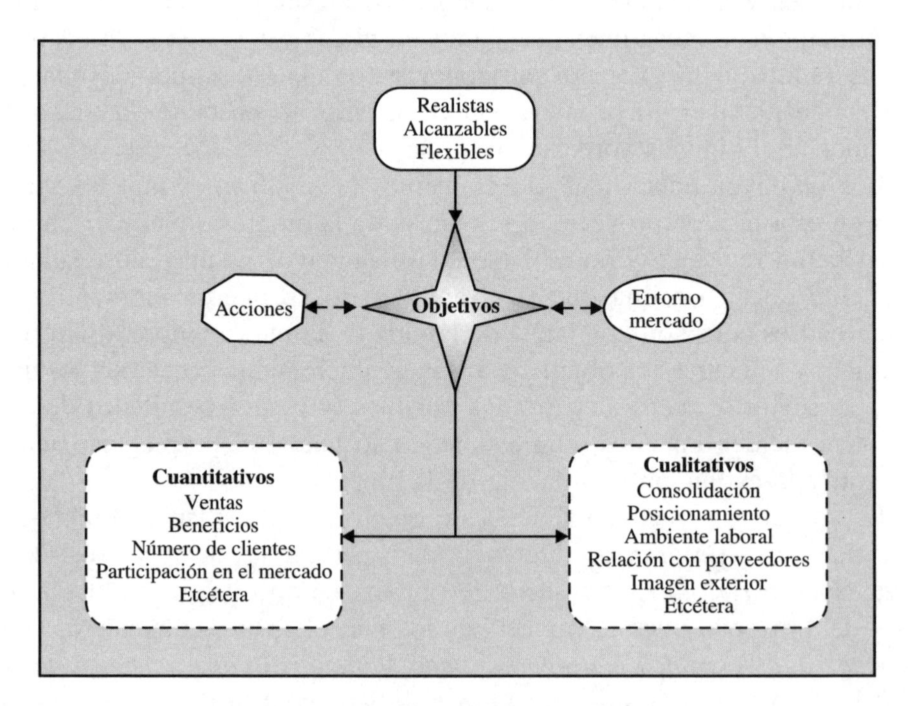

Figura 10.3

Los objetivos deben estar siempre presentes, y en los primeros meses de la marcha de la empresa se revisarán y se comprobará si son o no realistas y si son alcanzables, cuestionándose con frecuencia y, en función de los resultados obtenidos y la adecuación de éstos a los objetivos, se deberán ir realizando las acciones previstas para alcanzarlos.

4. Producto y marcas

El **producto** (bien o servicio) es la razón de ser de la empresa. Es su principal variable estratégica, por lo que su elección y definición han de ser muy cuidadas, ya que el cambio de producto puede suponer cambios estructurales y estratégicos profundos: el cambio de actividad, de planteamientos, de instalaciones, de objeto social (a veces)...; en suma, de todo.

En el plan estratégico, pensando sobre todo en posibles terceros (futuros socios, entidades de financiación, administraciones públicas, etc.) a los que queramos convencer, ha de exponerse claramente cuál es el producto concreto que ofrecerá la empresa teniendo en cuenta las siguientes **dimensiones:** las **necesidades** que se pretenden satisfacer, sus principales **atributos** y características, las **diferencias** que tiene nuestro producto en relación con otros similares de la competencia y, por último, las **motivaciones** que activará en el mercado en base a todo lo anterior. La primera de estas dimensiones (necesidades) justifica el encaje del producto en el mercado, la segunda (atributos) lo perfila, la tercera (diferencias) lo hace más exclusivo, y la cuarta (motivaciones) «garantiza» su demanda.

Por tanto, y resumiendo, a la hora de definir y posicionar el producto se deberá tener en cuenta, por un lado, las necesidades y motivaciones de los clientes a los que nos vamos a dirigir y, por otro, aquellas características que supondrán una diferencia favorable para la potencial clientela y que harán que lo elijan con preferencia a los de la competencia.

El principal elemento diferenciador del producto de una empresa en el mercado es la **marca.** Ésta es (Ortega, 1990) «el nombre, término, símbolo o diseño, o una combinación de ellos, que permite identificar los productos o servicios» que vende o presta una empresa y diferenciarlos de los de la competencia. Por tanto, mientras que el **nombre comercial** identifica a la empresa, la **marca** identifica sus productos, por lo que una empresa puede tener diferentes marcas para sus distintos productos, pertenezcan o no a una misma gama.

Al igual que en el nombre comercial, conviene registrar la marca. Una **marca registrada** es una marca que, reuniendo todas las características que exige la ley, se registra en el Registro de la Propiedad Industrial, lo que confiere a su titular, como en el caso anterior, el derecho de uso exclusivo y el poder ejercer las medidas legales oportunas contra quienes considere lesionen de alguna manera su derecho de uso, por utilizar marcas similares o análogas.

El registro de una marca se otorga por diez años, contados a partir de la fecha de su solicitud, pudiéndose renovar indefinidamente por períodos ulteriores de diez años.

Las recomendaciones que hicimos respecto del nombre comercial son también aplicables aquí. En particular diremos que una **marca es buena** si es **fácil de pronunciar, fácil de recordar**, **fácil de evocar** y **está registrada.**

Son susceptibles de utilizarse como marca, según la legislación vigente: las palabras o combinaciones de palabras, incluidas las que sirven para identificar personas; las imágenes, figuras, símbolos y gráficos; las letras, cifras y sus combinaciones; las formas tridimensionales, entre las que se

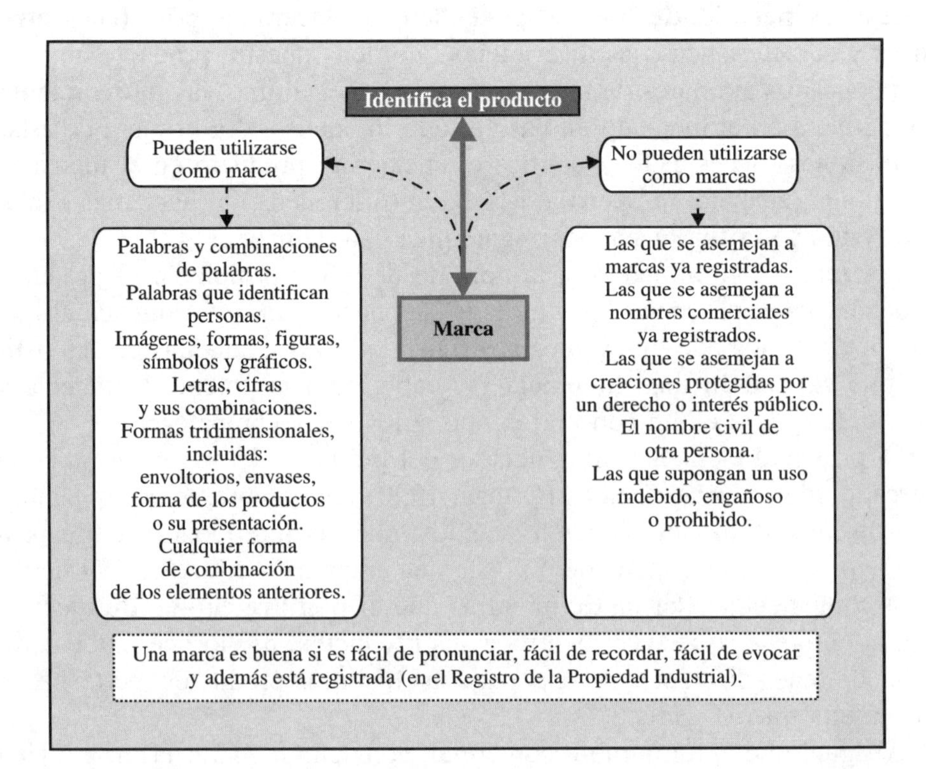

Figura 10.4

incluyen los envoltorios, los envases, la forma de los productos o su presentación, y cualquier forma de combinación de los elementos mencionados anteriormente.

Por el contrario, no podrán registrarse como marcas: las semejantes a marcas registradas con anterioridad; ídem con nombres comerciales; las que se asemejen a creaciones protegidas por un derecho o por interés público; el nombre civil de otra persona, y las que puedan suponer un uso indebido, engañoso o prohibido.

Las **marcas** pueden **clasificarse** atendiendo a diversos criterios:

a) Según su estructura

Marcas denominativas: las constituidas por un nombre o sigla alfanumérica.

Marcas gráficas: las formadas por un dibujo determinado.

Marcas combinadas: formadas por un nombre o un número y una forma gráfica concreta.

Marca envase, también denominada ***marca tridimensional,*** que comprende incluso la forma característica de un determinado recipiente u objeto (por ejemplo, la botella de Coca-Cola, el muñeco de Michelín, la muñeca Barbie, etc.).

b) Según su objeto

Marcas de fábrica: aquellas que identifican los productos fabricados por una determinada empresa (por ejemplo, Telefunken-pal, IBM, Canon, Kawasaki, etc.).

Marcas comerciales: las que identifican los productos vendidos por un determinado intermediario o distribuidor comercial. Ejemplo: Corty, Cortefiel, etc.

Marcas de servicios: las que se utilizan para identificar determinados servicios; es el caso de VISA, Interflora, 4B, etc.

c) Según el alcance de su uso

Marcas individuales: las que únicamente pueden ser utilizadas por una determinada empresa, empresario o entidad. Son las más utilizadas.

Marcas colectivas: las que pueden ser utilizadas conjuntamente por asociaciones de fabricantes, de comerciantes o prestadores de servicios.

Por ejemplo: Unión Joyeros, Comercio Asunción, Nervión Plaza, TIEN21, etcétera.

d) Según el uso estratégico

Marcas de cobertura: aquellas que se registran por sus propietarios no para ser usadas, sino para protegerse y evitar que un tercero pueda aprovechar la notoriedad alcanzada por la marca. Constituye un mecanismo de defensa y una barrera de entrada para posibles competidores, evitando que una marca semejante se utilice en productos similares de la competencia.

Marcas de garantía: aquellas que certifican las características comunes, en particular la calidad, los componentes y el origen de los productos o servicios elaborados o distribuidos por personas o entidades debidamente autorizadas y controladas por el titular de la marca. Supone a su usuario el sometimiento a un determinado reglamento. Un ejemplo sería AENOR.

Marcas derivadas: las que se obtienen utilizando el distintivo o nombre principal de otra, variando alguno de los elementos de la marca inicial, que es la que tiene más reconocimiento y valor. El registro de este tipo de

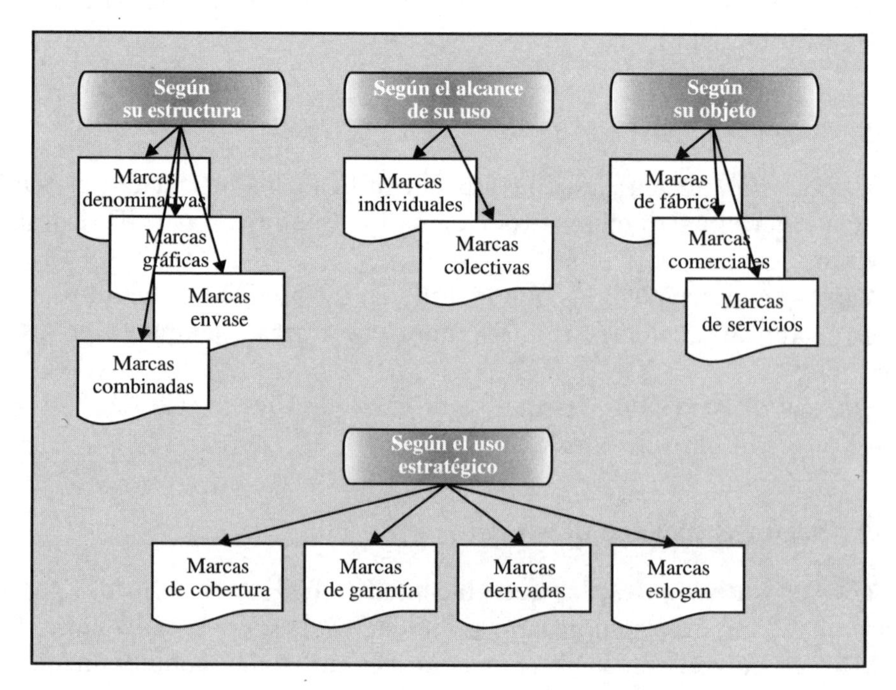

Figura 10.5

marcas sólo puede solicitarse por el titular de la marca principal. Por ejemplo: DIOR, Diorísimo; KAS, Kascol; etc.

Marcas eslogan: las constituidas por una frase publicitaria para la promoción de un determinado producto o servicio. A veces el eslogan supera su carácter complementario y alcanza más valor de reconocimiento que la marca original. Ejemplos: «a mí *plim,* yo duermo en Picolín»; «por siempre Coca-Cola»; etc.

5. Mercado objetivo. Clientes y consumidores

Toda nueva empresa debe tener desde el primer día de vida muy claro dónde y sobre quiénes ha de centrar su esfuerzo de venta. Se ha de ser realista en cuento al potencial inicial en conocimientos del producto, del mercado y la clientela, y de la propia gestión empresarial; por ello conviene concentrar los esfuerzos de la nueva empresa en un mercado objetivo concreto que se delimitará espacialmente e identificando a sus clientes y consumidores.

Se indicará en el plan estratégico cuál es el **mercado objetivo** al que la nueva empresa se va a dirigir: espacialmente sería el área en que centrará su actividad comercial (barrio, ciudad, provincia, etc.), desde la óptica de la clientela el tipo de clientes al que se dirigirá (ya veremos cuáles son las características que definirán la clientela). Pero dentro de ese mercado objetivo, y conforme a las propias potencialidades de la empresa y su producto, delimitaremos una **zona de influencia** en la que es más probable que se encuentren los clientes; dentro de esta zona de influencia aún podemos concretar más y señalar una **zona de actuación comercial** que es donde realmente la nueva empresa comenzará su actividad comercial, orientándose inicialmente hacia aquellos clientes, **sectores objetivos,** sobre los que se tiene más fácil acceso y por tanto es más factible la venta.

Aunque la mayoría de las veces coinciden, en no pocas ocasiones conviene distinguir entre **clientes y consumidores.** El **cliente** es quien adquiere el producto, al que principalmente hay que convencer para ello. Normalmente es el propio cliente quien lo consume, pero en otros casos el **consumidor** es otro: pañales, ropa infantil, regalos, etc., son ejemplos donde hay una dualidad cliente/consumidor.

Sea cual sea el caso en el plan estratégico debemos definir el perfil de los futuros clientes de la nueva empresa y, si fuera necesario, el de los consumidores de sus productos. Y debemos hacerlo de manera que resulte

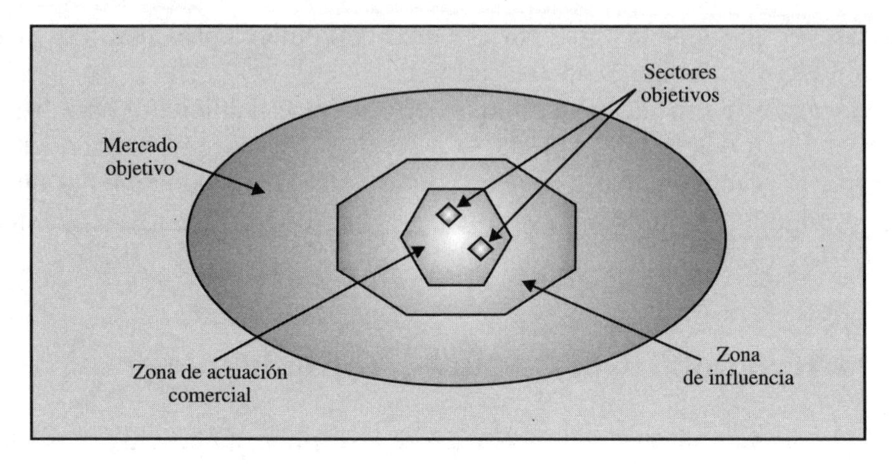

Figura 10.6

compatible con la definición del producto (en las cuatro dimensiones que señalamos). Para ello resultaría útil que esta definición respondiese a las siguientes cuestiones:

— Quiénes serán los clientes y consumidores finales.
— Cuántos serán.
— Qué poder adquisitivo tendrán.
— Dónde estarán ubicados.
— Qué necesidades y motivaciones de compran tienen actualmente.
— Qué están comprando actualmente.
— Grado de fidelidad a los actuales proveedores.
— Por qué motivos principales comprarán los nuevos productos.

6. Imagen y posicionamiento y ventajas competitivas de la empresa

La nueva empresa no debe renunciar a hacerse y tener una **imagen** y a buscar un **posicionamiento** en el mercado por el simple hecho de ser nueva y pequeña.

Desde el primer instante la futura empresa debe tener claro qué **imagen propia** desea tener, y hacer lo posible para conseguirla y mantenerla ante clientes, proveedores, competencia, inversores, entidades de crédito y financieras, sindicatos, organizaciones empresariales y administraciones publicas y otros entes agentes sociales y económicos.

Esta imagen debe estar bien definida, individualizada, ser perfecta y fácilmente identificable con la empresa, valorada por todos y reconocible con rapidez y facilidad entre otras. Es un error creer que la imagen de una empresa viene dada exclusivamente por su producto (bien o servicio); la imagen es el resultado de la sinergia de varios elementos relacionados, principalmente: producto, calidad (del producto y servicio de la empresa), precio, estilo de gestión, nombre comercial, marca, etc. La empresa debe decidir cómo debe actuar y con qué intensidad sobre cada uno de estos elementos. Todo ello hará que el cliente, el proveedor o quienquiera que se relacione con la empresa se «lleve» una imagen de la misma: atenta, económica, eficiente, organizada, etc. La imagen así conseguida se relacionará rápidamente con el nombre comercial de la empresa y con la marca de sus productos; de ahí también la importancia estratégica de ambos.

Según sobre qué elementos desee actuar principalmente la empresa y cómo lo haga podrá conseguir un **posicionamiento** en el mercado: entre las empresas de calidad, eficientes, económicas, etc. La **imagen y posicionamiento** que se consigan será uno de los principales *valores* o *activos* de la empresa, ya que será para la mayoría de los posibles y actuales clientes el determinante para adquirir los productos de la empresa o mantener la fidelidad.

Para mantener su imagen y posicionamiento, la nueva empresa debe establecer desde el principio cuáles van a ser sus **ventajas competitivas:** conjunto de atributos o características que una determinada empresa debe desarrollar o poseer para alcanzar una ventaja respecto de sus competidores. Estas ventajas competitivas, muy relacionadas con la imagen, pueden venir dadas por el precio, la calidad del producto, el servicio, o cualquiera de los elementos de la empresa que ya señalamos.

7. Localización, instalaciones y dimensión de la empresa

En el plan estratégico debemos explicar por qué vamos a ubicar la empresa en un determinado sitio, por qué hemos optado por unas determinadas instalaciones y cuál es y será la dimensión de la empresa en base a número de empleados, cifra de negocios o cualquier otro elemento de medida que consideremos adecuado.

A la hora de justificar la **localización** de la futura empresa deberemos tener en cuenta al menos los siguientes parámetros:

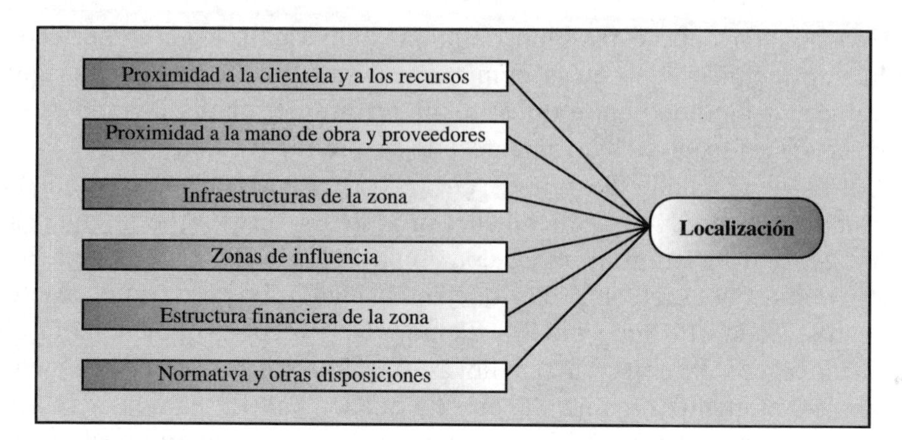

Figura 10.7

— Proximidad a la clientela.
— Proximidad a la mano de obra.
— Proximidad a recursos.
— Proximidad a proveedores.
— Infraestructuras de la zona.
— Zonas de influencia.
— Estructura financiera de la zona.
— Normativa y otras disposiciones: restricciones legales, subvenciones, etc.

También deben justificarse las **instalaciones** necesarias para que la empresa pueda desarrollar su actividad sin mayores contratiempos y con competitividad.

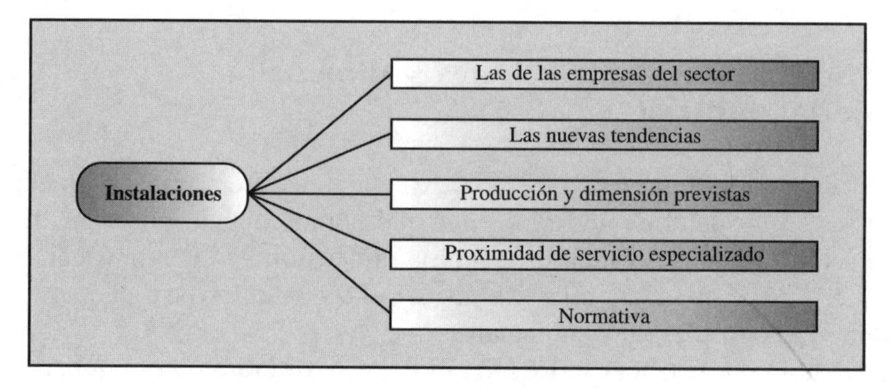

Figura 10.8

Las instalaciones pueden justificarse por ser las que suelen utilizar las empresas del sector, o por su novedad, o ser las más adecuadas al producto y al tamaño de la empresa, o porque está próximo el servicio o porque lo exige la normativa.

La **dimensión** hace referencia al tamaño de la empresa. Debemos tener claro cuál va a ser la dimensión inicial y cual la dimensión que deseamos tener en un horizonte temporal determinado, que será el que contemple este plan estratégico.

Inicialmente, la empresa debe optar por la **dimensión mínima** necesaria para su puesta en marcha y primeros momentos (meses o unos pocos años) de actividad, que vendrá **determinada** por:

— Sistema productivo utilizado, o nivel de compras si se subcontrata.
— Tamaño de la demanda.
— Tecnología que se utilizará en todos los procesos.
— Recursos financieros disponibles.
— Empresas del sector.

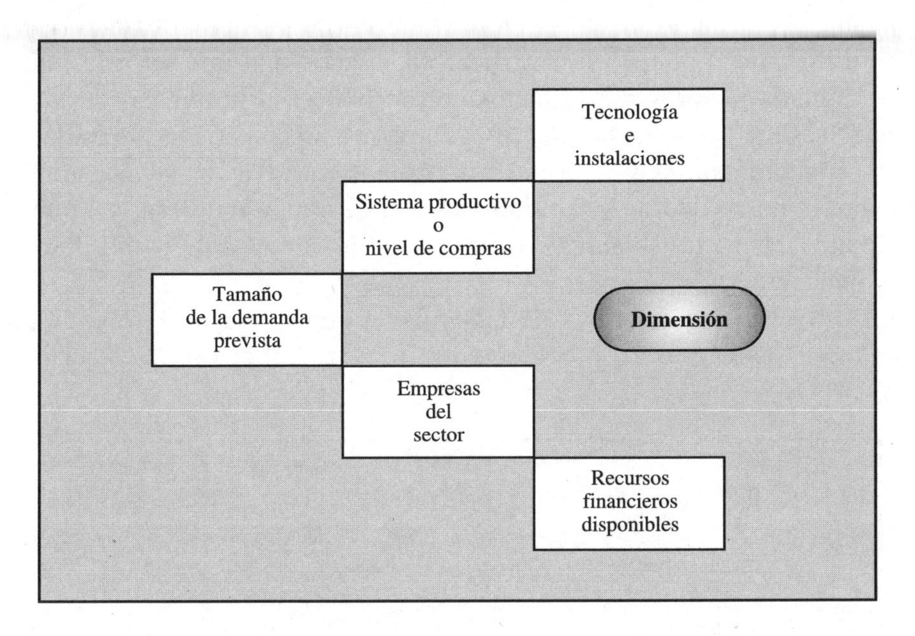

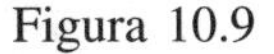
Figura 10.9

Debe preverse desde el principio la ***dimensión futura,*** teniendo para ello en cuenta la velocidad de crecimiento deseada, el nicho de mercado que se pretende «capturar» y los posibles límites, que vendrán determinados por el potencial de mercado y por la propia evolución de la competencia.

8. Estructura organizativa y cultura corporativa

Con frecuencia se comprueba la poca importancia, por no decir nula, que los emprendedores dan a la estructura organizativa de la nueva empresa y al hecho de crear en ella una cultura corporativa propia. Craso error, pues son elementos que ayudarán a orientar las decisiones y la marcha de la empresa —sobre todo en lo que compete a la estructura organizativa— y a conseguir que los empleados se identifiquen e impliquen con el futuro de la empresa, reduciéndose la rotación y manteniéndose la estabilidad laboral —por lo que respecta a la cultura corporativa.

Toda empresa es una organización, y como tal debe tener una estructura que le permita operar de la manera más eficiente. La ***estructura organizativa*** está condicionada por una serie de contingentes como la edad y el tamaño de la empresa y el sector, el entorno, el sistema técnico que se viene utilizando o que se va a utilizar en la actividad que se va a iniciar, y por algunos factores relacionados con el poder: la propiedad de la empresa (si está o va a estar muy concentrada o dispersa), la necesidad de poder, fundamentalmente formal (autoridad), que vayan a necesitar los miembros que se dediquen a administrar o dirigir la empresa, y también, en algunos casos, las modas en cuanto a estilos gerenciales, tipo de organizaciones, etc.

La estructura organizativa de cualquier empresa responde al siguiente modelo.

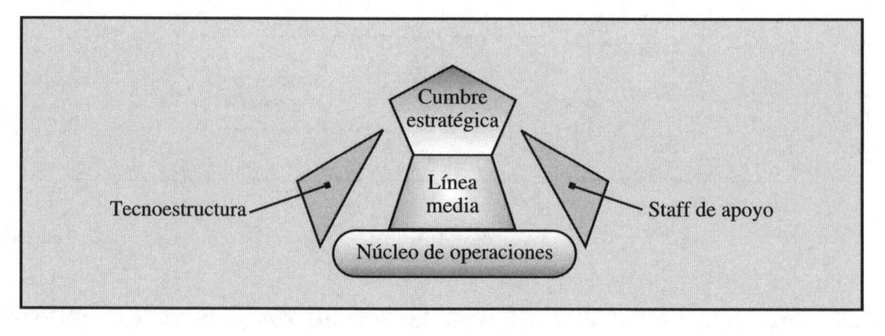

Figura 10.10

La parte central de la figura nos muestra los tres componentes principales de toda organización: **núcleo de operaciones, línea media** y **cumbre estratégica.**

En la **cumbre estratégica** se encuentra el máximo órgano de gestión y representación de la empresa. Es nombrado por la propiedad, y en la mayoría de las pequeñas empresas es la misma propiedad quien la ocupa. De aquí emana todo el poder formal de la empresa, pues se encarga de tomar las decisiones más trascendentes, de fijar los objetivos, estrategias y políticas. Puede ser un órgano unipersonal o colegiado.

El **núcleo de operaciones** es la base de la empresa, donde se encuentran los operarios; aquellos que carecen de poder de decisión y que se encargan de ejecutar la función o actividad operativa de la empresa (transformar *inputs* en *outputs;* realizar las tareas de producción o de prestación de servicios al público).

Cumbre y núcleo están siempre bien identificados en toda empresa, pero la **línea media** puede o no aparecer con claridad. Aquí se encuentran todos los directivos intermedios. Pueden existir varios niveles de autoridad formal delegada desde la cumbre. En las pequeñas empresas suele confundirse la línea media con la cumbre estratégica, al carecer de cuerpo directivo intermedio.

Estas tres partes de la estructura forman el cuerpo central e imprescindible de toda empresa, por donde discurre la autoridad y la información formal, así como las decisiones que se concretarán en actividades operativas.

La **tecnoestructura** puede no estar integrada formal y legalmente en la organización empresarial, pero de una manera u otra todas las empresas la tienen. Aquí se encuentran los analistas, sujetos que no intervienen de forma directa en las decisiones y actividad operativa, pero cuyo trabajo incide en las mismas: contables, asesores y otros analistas de los que precisa o puede necesitar la empresa.

En el **staff de apoyo** se concentran una serie de puestos que dan unos servicios a la empresa que sin serle imprescindibles pueden facilitar la actividad empresarial: limpiadoras, asesoría jurídica, cafetería, etc.

Siguiendo esta estructura, se han de diseñar y planificar los puestos que contendrá el núcleo con sus tareas y su autonomía de ejecución, así como los cargos intermedios de la línea media y el cuadro de alta gerencia de la cumbre. Los puestos y cargo se agruparán en unidades o departamentos cuyas actividades y competencias deben estar perfectamente definidas y planificadas.

Es también de sumo interés acompañar el **cuadro gerencial** con un bosquejo biográfico de sus componentes: formación, experiencia, actitudes, etc.

La **cultura corporativa** de la empresa tiene un valor estratégico cada vez mayor. Su establecimiento y desarrollo desde el mismo inicio es vital. Con ella inculcamos una serie de valores que contribuirán al éxito de la empresa y que pueden ser en sí mismos una importante ventaja competitiva. También supone la implantación de una ética empresarial. Todo ello impelerá un estilo y una filosofía de gestión que se plasmarán en la forma de trabajar a diario del personal y directivos, de resolver conflictos, en el grado de implicación y compromiso para el logro de los objetivos, y en suma serán un factor vital en el futuro de la empresa.

Los aspectos de la **cultura corporativa** que más contribuyen al éxito de una empresa son: liderazgo, espíritu de equipo (sentido misionario), fe en el proyecto, creatividad, objetividad, constancia, etc.

9. Otros elementos

A veces pueden tener carácter estratégico otros elementos no citados. Es el caso de una nueva empresa que tenga previsto algún tipo de **alianza estratégica** con otras empresas; o que se produzca la **participación de una sociedad de capital riesgo,** etc. En definitiva, muchas situaciones que por su importancia el emprendedor debe incorporar al plan estratégico.

11 El plan de marketing

1. Finalidad y contenidos

El **plan de marketing** que se incluye en el plan de empresa difiere en algunos aspectos de los planes de marketing que se realizan para el lanzamiento de algún producto. En el caso de la puesta en marcha de una nueva empresa, el plan de marketing va más allá del lanzamiento del producto, pues se trata además de lanzar la empresa.

El **plan de marketing (*PM*)** para la creación y puesta en marcha de una nueva empresa «es el resultado de la preparación de las decisiones comerciales de la empresa. Representa un conjunto de acciones sucesivas y coordinadas para alcanzar unos objetivos comerciales definidos» (Ortega, 1990).

En el *PM* debemos analizar primero, en relación con la nueva empresa y su producto, cada una de las variables comerciales, y a continuación plantear las acciones que se pretenden llevar en torno a cada una de esas variables para alcanzar los objetivos previstos en el plan estratégico.

Con el *PM* pretendemos alcanzar unos objetivos concretos a través de la aplicación del denominado ***marketing-mix***. La figura 11.1 nos muestra las distintas líneas de actuación (políticas) que se deben contemplar en el *PM* de una nueva empresa para su lanzamiento junto con el de su producto.

El ***marketing-mix*** hace referencia a la acción combinada sobre las variables comerciales bajo control de la empresa. Díez de Castro (1984) (véase la figura 11.2) nos proporciona una clara visión de la ubicación del marketing dentro de la actuación de la empresa sobre la demanda.

Conforme al cuadro, la demanda de los productos de una empresa viene determinada por una serie de variables o factores (explicativos). Una parte de éstos están **fuera del control** de la empresa, es decir, ésta no puede ejercer ningún tipo de acción sobre los mismos. Se clasifican en variables **autónomas** (costumbres, normativa, etc.) y la propia **competencia;** pero sin embargo, existen otras sobre las que sí puede actuar delibe-

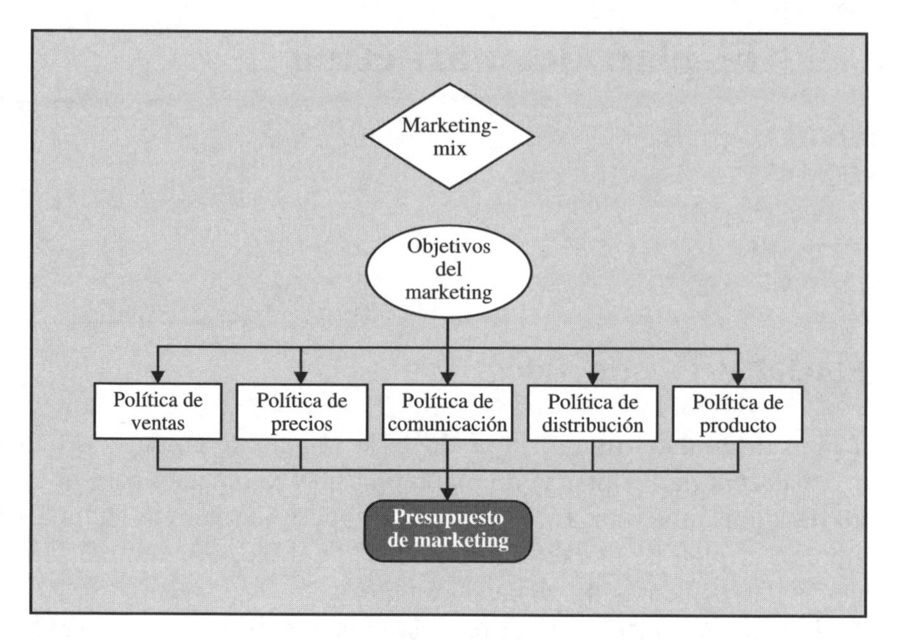

Figura 11.1

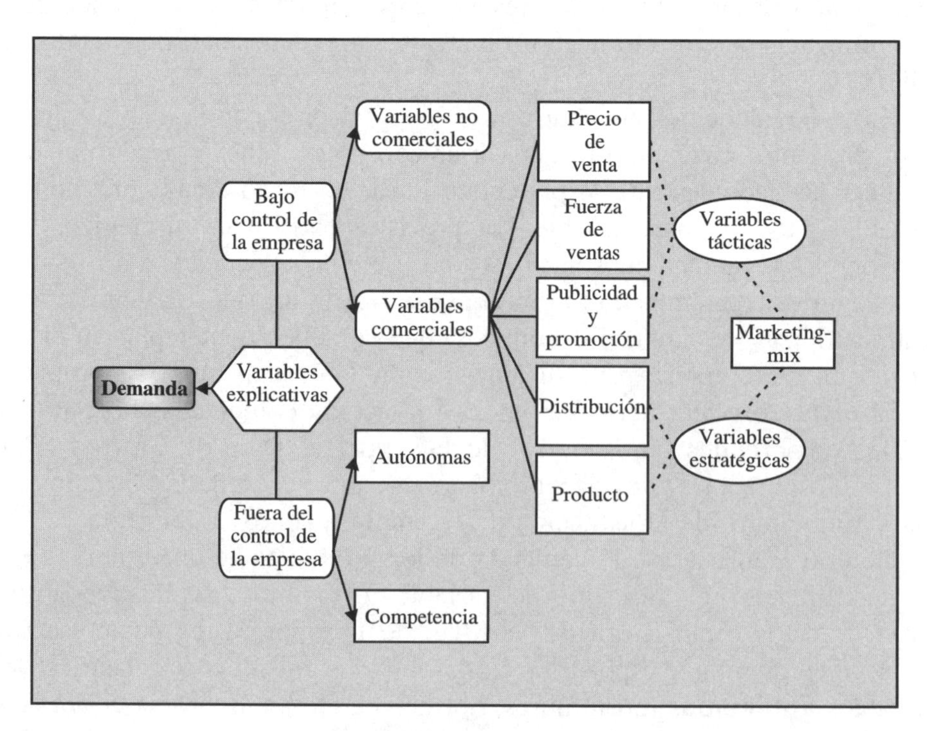

Figura 11.2

radamente en su favor, las que están **bajo su control,** de las cuales unas tienen una naturaleza **no comercial** (recursos financieros, materiales, humanos, etc.) y otras **comercial.** Estas últimas son las que configuran el denominado *marketing-mix,* y son el **precio de venta, la fuerza de venta, la publicidad y promoción, la distribución** y **el producto.** Las tres primeras son las denominadas **variables tácticas** por ser modificables a corto plazo, e incluso se aconseja su revisión continua; por su parte, la **distribución** y el **producto** son **variables estratégicas,** pues cualquier decisión sobre las mismas ha de ser a largo plazo, son difícilmente modificables, y cuando se actúa sobre ellas el costo es elevado y afecta al resto.

A continuación vamos a dar algunos consejos sobre el contenido de los distintos apartados que debe tener un PM, cada uno de ellos dedicado a las acciones sobre las variables del *marketing-mix.*

2. Política de producto

En el apartado correspondiente del plan estratégico (capítulo 10) ha debido quedar bien definido el producto en cuanto a sus atributos o características, las necesidades que atiende, lo que le diferencia de los demás productos similares de la competencia y las principales motivaciones que pueden llevar a los potenciales clientes a adquirirlo; e igualmente, si se ha considerado necesario, se habrá decidido una denominación o marca para él. En esta parte del plan de marketing debemos plasmar una serie de acciones que pretendemos llevar a cabo en relación con el producto, teniendo en cuenta que éste es una variable estratégica (no modificable a corto plazo) y que por tanto las consecuencias de estas decisiones se mantendrán en el tiempo tanto para bien como para mal.

Las principales decisiones o acciones que se tomarán dentro de la política de producto estriban en relación a las siguientes cuestiones (entre otras, pues la elaboración de un plan de empresa no sigue ni una estructura ni unas normas únicas e inflexibles).

1. Cómo obtener el producto.
2. De qué tipo de producto se trata.
3. En qué momento de su ciclo de vida se encuentra este tipo de productos.
4. Qué hacer para mejorar el producto de manera que satisfaga más adecuadamente las necesidades del consumidor.

Aunque estas son las tres cuestiones más importantes y que casi siempre deben abordarse en un plan de marketing para una nueva empresa, el emprendedor no debe detenerse en esta lista, sino que debe dejar correr su imaginación y creatividad y plantearse cuantas cuestiones estime necesarias para la mejora de la competitividad de su producto. Abordemos ahora cada una de estas cuestiones.

2.1. Obtención del producto

En cuanto a **cómo obtener el producto,** como recordará el lector, esta cuestión ya se planteó en el plan de viabilidad de la idea; luego si éste se ha llevado a cabo dispondremos de información para completar el presente subapartado del plan de marketing.

Como sabemos se pueden dar tres alternativas: fabricación propia, diseño y subcontratación de la producción o adquisición.

En cuanto a la **fabricación propia** aquí debemos exponer el por qué se tomará esa decisión, cómo se llevará a cabo y el volumen previsto de fabricación si procediese entre otras cuestiones. Si se trata de una empresa de servicios, se planteará toda la secuencia del servicio y también el volumen previsto del mismo.

También se puede optar por **diseñar y patentar el producto y subcontratar la producción** a una empresa bajo la marca propiedad de la nueva empresa. Se justificará y se planteará la producción prevista, etc.

Pero lo más habitual es que se opte por la **adquisición.** Se abordarán las cuestiones relativas al tipo de proveedor, condiciones de compra del producto, etc.

2.2. Tipos de productos

También es de gran utilidad para el emprendedor identificar **qué tipo de producto** va a ofertar la nueva empresa, pues ello condicionará muchas de las decisiones comerciales que pueda plantear y tomar en un futuro la nueva empresa.

Los productos pueden clasificarse siguiendo diferentes criterios, siendo los más habituales el tipo de consumidor y el proceso de decisión de compra, pues ambas variables son las que más condicionarán las acciones comerciales a tomar.

Según el consumidor sea un particular o una empresa distinguiremos entre **productos de consumo,** dirigidos a los particulares para su consumo

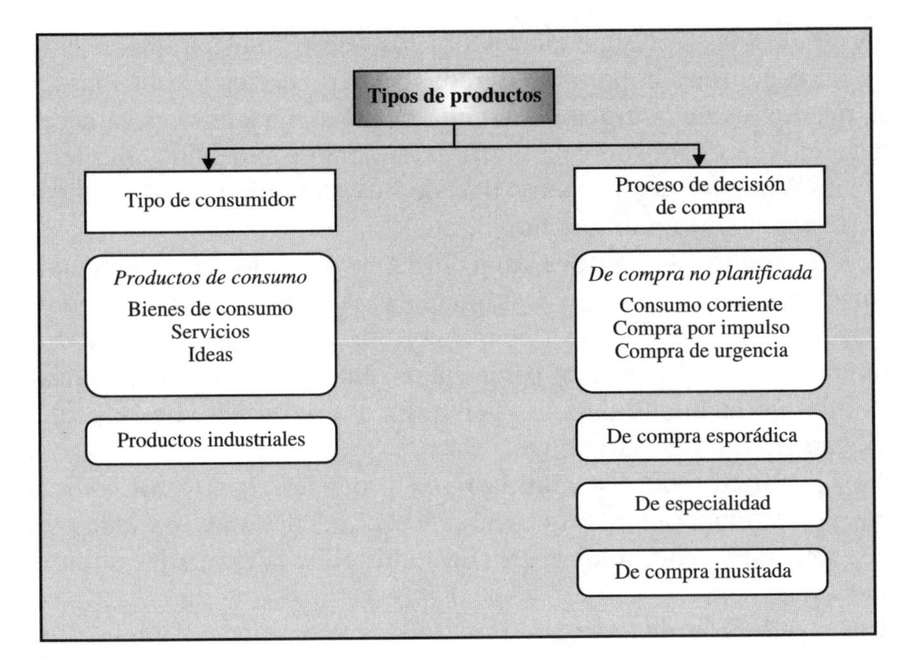

Figura 11.3

final, y **productos industriales,** dirigidos a empresas o empresarios que los incorporan a sus procesos productivos. Un mismo producto puede ser tanto de consumo como industrial (un automóvil es de consumo para un particular que lo usa para sus desplazamientos y ocio, e industrial si lo adquiere un taxista para el ejercicio de su oficio), y en ambos casos las necesidades que satisfacen y los motivadores que activa son distintos.

La otra clasificación sí es de gran interés y puede resultar muy útil al emprendedor cuando tenga que plantear acciones comerciales que recogerá en el plan de marketing a la hora de elaborar el plan de empresa, pues ofrece pistas muy interesantes sobre el comportamiento del consumidor en relación con el producto.

Los **productos de compra no planificada** o de **conveniencia** son aquellos que son adquiridos de forma inmediata por el consumidor, sin apenas búsqueda ni comparación; suelen tener un precio asequible o bajo y requieren escaso esfuerzo de venta. Entre ellos se encuentran los **productos de consumo corriente,** que responden a ciertos hábitos en el consumidor (el pan, la leche, prensa, ciertos medicamentos sin receta, productos de higiene personal, etc.); los **productos de compra por impulso,** que despiertan un deseo casi repentino en el consumidor por su mera visualización (golosinas, revistas, ciertos objetos, etc.) y en los que el contexto juega un papel muy importante (tiendas en aeropuertos y estaciones, etc.), y los **productos de compra de urgencia,** que son aquellos cuya necesidad se despierta en el consumidor de forma urgente e inmediata en ciertas situaciones (paraguas los primeros días de lluvia, alquiler de un coche en un viaje, reparaciones en el automóvil, etc.).

Los **productos de compra esporádica** no son adquiridos habitualmente por el consumidor debido a su precio y al tiempo, largo, que los suele mantener el consumidor en su poder; por ello requieren búsqueda, examen y comparación de precio y otros atributos, etc., pues una mala adquisición supondría un quebranto para el cliente. Es el caso de la vivienda, el automóvil, un equipo de música, etc.

Los **productos de especialidad** son productos conocidos individualmente por el comprador, y que cubren necesidades muy elevadas y concretas: ropa de diseño, relojes, etc. En todos ellos la marca juega un rol de primer orden.

Los **productos de compra inusitada** son productos que acaban de aparecer en el mercado o que no tienen una compra muy habitual y cuya utilidad no es muy conocida por el consumidor, por lo que hay que realizar un gran esfuerzo de información. Televisores de plasma, GPS, etc., son ejemplos de este tipo de productos.

2.3. Ciclo de vida del producto

Conocer en qué fase del **ciclo de vida** se encuentra un producto es muy importante, pues condicionará el tipo de decisiones que se tomen sobre el resto de las variables. El ciclo de vida de un producto se contempla relacionando la evolución de sus ventas a precio constante o en número de unidades a lo largo del tiempo. A veces estos datos son difíciles de obtener, pero sobre los productos más comunes no resulta hoy complicado obtener datos estadísticos sobre la evolución de sus ventas en las páginas web del Instituto Nacional de Estadística o de la confederación empresarial correspondiente.

Aunque no todos los productos tienen el mismo perfil de ciclo de vida, en casi todos podemos encontrar una estructura similar, en la que distinguimos varias fases (véase figura 11.4).

Cuando un producto se encuentra en la **fase de gestación,** quiere decir que prácticamente se está aún desarrollando o se ha terminado de desarrollar; es desconocido para la inmensa mayoría, y las empresas no saben

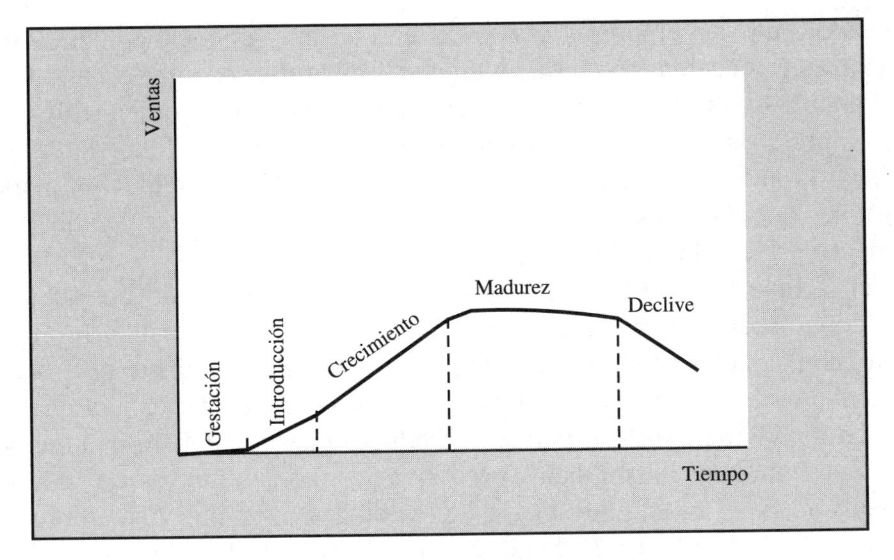

Figura 11.4.—Ciclo de vida de un producto.

muy bien cómo reaccionará el mercado ante el mismo. Las acciones más recomendables en este caso irán en el sentido de dar a conocer el producto de la manera más amplia posible, por lo que se centrarán en el ámbito de la comunicación.

Si está en la **fase de introducción** quiere esto decir que ya va siendo más conocido y apreciado por el mercado, el cual se está formando para el producto. En esta coyuntura, una nueva empresa, aun sabiendo el riesgo que supone un producto nuevo (además ofertado por una empresa nueva), debe tomar decisiones en cuanto a dar a conocer su producto en concreto diferenciándolo de los de la competencia (que aún será escasa), y también debe actuar en aquellas dimensiones como el precio y la venta para conseguir la mejor cuota de mercado y el mejor posicionamiento en éste.

En la **fase de crecimiento** el mercado ha sabido ya apreciar el producto y aumenta su demanda. La nueva empresa debe aprovechar este crecimiento potenciando las medidas propuestas en la fase precedente a fin de crecer lo más rápidamente posible su participación en el mercado y consolidarla para un futuro.

En la **fase de madurez** el mercado se ha formado, y por tanto la demanda se ha estabilizado. Cada empresa de las que ofrece el producto tiene su cuota, y la lucha se centra ahora en conseguir quitar cuotas a las demás. Una nueva empresa que vaya a ofertar un producto que se encuentra en la fase de madurez lo tiene muy difícil para hacerse un hueco en el mercado, pues las empresas que ya están son muy conocidas, tienen más fortaleza, y reaccionarán virulentamente y al unísono ante la entrada de cualquier nuevo intruso. Luego en principio no es muy recomendable crear una empresa para ofrecer un producto que está en la fase de madurez, y si se hace la nueva empresa debe actuar sobre aquellas variables de marketing a las que son más sensibles los clientes actuales: precio y calidad del producto principalmente.

En la **fase de declive** el producto va siendo abandonado por sus consumidores tradicionales; su mercado va desapareciendo. Resultaría imprudente, con carácter general, crear una empresa con un producto que ya está entrando en desuso, si bien pueden existir excepciones de manera que aún queden nichos de mercado para ese producto que no suelen ser atractivos para las empresas consolidadas pero sí para algunas nuevas de reducida dimensión. Es el caso, entre otros, de los discos de vinilo y sus reproductores, que aún tienen un mercado de nostálgicos, de los coches antiguos; etcétera.

2.4. Cambios en el producto

Hay una última cuestión que no debe ignorarse en la política de producto. La nueva empresa debe tener presente que durante el horizonte temporal para el que plantea su plan de empresa pueden producirse cambios en el mercado que afecten a la demanda del producto. Debe pues plantear las acciones que llevaría a cabo para, en caso de que esto se produjese, adaptar su producto a las nuevas exigencias.

3. Política de ventas

Dentro de esta política debemos definir cómo serán y cómo actuaremos en lo referente al ***sistema de ventas*** y a la ***fuerza de ventas*** que decidamos implantar y tener en la nueva empresa, y que como siempre ha de ser tal que contribuya al logro de los objetivos planteados.

Dentro del plan de marketing, en este apartado y conforme a los objetivos expuestos en el plan estratégico, el emprendedor debe indicar qué sistema o sistemas de ventas va a adoptar la nueva empresa y cómo será la fuerza de ventas que necesitará para ello.

En este sentido será de utilidad tener en cuenta algunas cuestiones de importancia en torno al sistema de ventas y la fuerza de ventas.

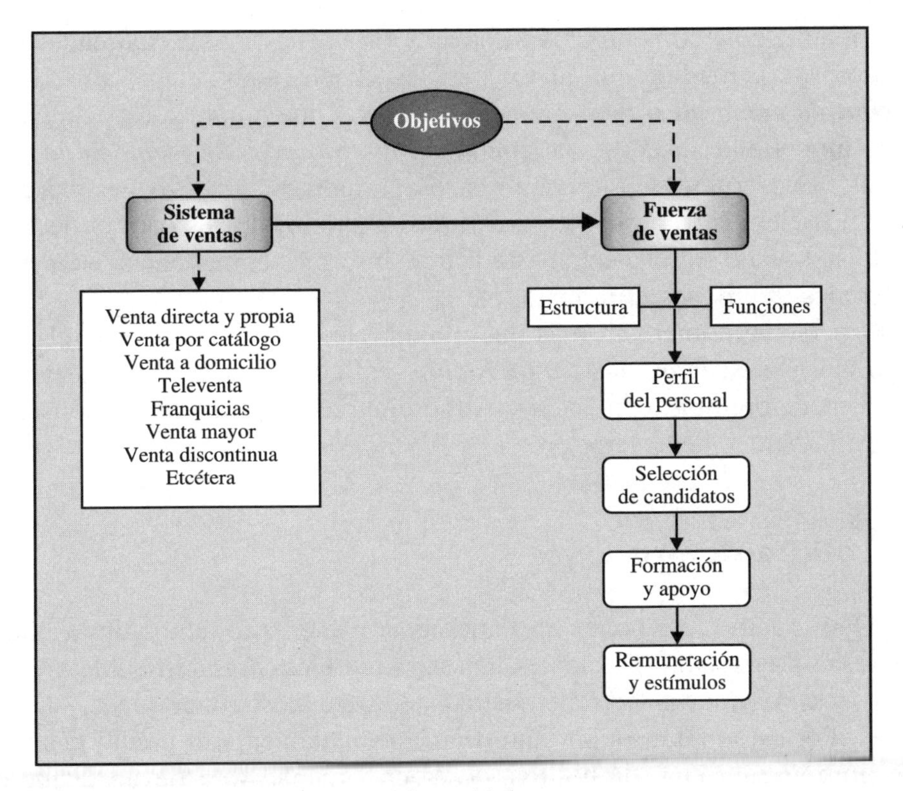

Figura 11.5

En función de los objetivos, debe decidirse el ***sistema de ventas*** que se adoptará para atraer a los clientes potenciales, mantenerlos y fidelizarlos. Actualmente existen múltiples posibilidades, gracias sobre todo a las nuevas tecnologías de la información y a los cambios en los consumidores.

La ***fuerza de ventas*** es el componente humano de esta política. En primer lugar debemos definir su *estructura* y *funciones*. La ***estructura*** debe ser ágil y eficaz y con un tamaño (número de personas que la compondrán) capaz de poner en marcha y extraer todo el potencial al *sistema de ventas* a fin de lograr los objetivos desde el mismo comienzo de la actividad. Las ***funciones*** se definen miembro a miembro, de manera clara y concisa.

Para que la *fuerza de ventas* consiga eficaz y eficientemente los objetivos de la *política de ventas,* hemos de prestar gran atención a la selección y preparación de sus componentes así como a otros aspectos. En primer lugar, para cada puesto definiremos el ***perfil del personal*** que lo ha de ejercer (por ejemplo, edad, estado civil, residencia, nivel de estudios, experiencia, conocimientos de idiomas y otras cuestiones, cualidades personales, etc.). En función de los perfiles, diseñaremos el proceso de ***selección de personal*** o bien lo encargaremos a una empresa especializada.

Es importante diseñar con antelación los procesos de ***formación,*** tanto inicial como continua, que vamos a proporcionar a nuestro personal, así como los elementos de ***apoyo*** que vamos a suministrarles para el desarrollo de su trabajo (información estadística, informes comerciales, elementos materiales, reuniones de trabajo, etc.).

El personal comercial, más que ningún otro, debe tener desde el principio claro su sistema de ***remuneración,*** así como los posibles ***estímulos*** en forma de premios, comisiones extraordinarias, etc., que puede conseguir con su trabajo y dedicación.

4. Política de precios

¿Qué precio debe poner el emprendedor a los productos de la nueva empresa? La variable precios es una variable táctica, modificable a corto plazo, y con importantes repercusiones comerciales, económicas y financieras. Por esto es tan importante fijar adecuadamente el precio desde el principio y tener clara la política de precios que se va a llevar a cabo en la nueva empresa.

El futuro emprendedor debe saber que el precio es una de las variables a la que más sensible es la demanda de un producto. En la mayoría de los casos toda variación del precio de un producto provoca una variación en

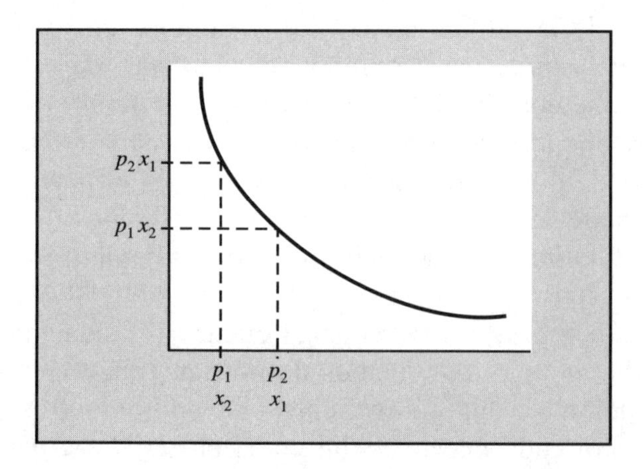

Figura 11.6.—Función de demanda respecto al precio.

su demanda de signo contrario. Es lo que se denomina elasticidad de la demanda.

4.1. Sistemas de fijación de precios

Ahora bien, cuando llega una nueva empresa a un mercado, ¿cómo debe fijar el precio de sus productos? En este apartado el emprendedor debe optar por algún sistema y exponerlo. Los más habituales son los que se señalan en la figura 11.7.

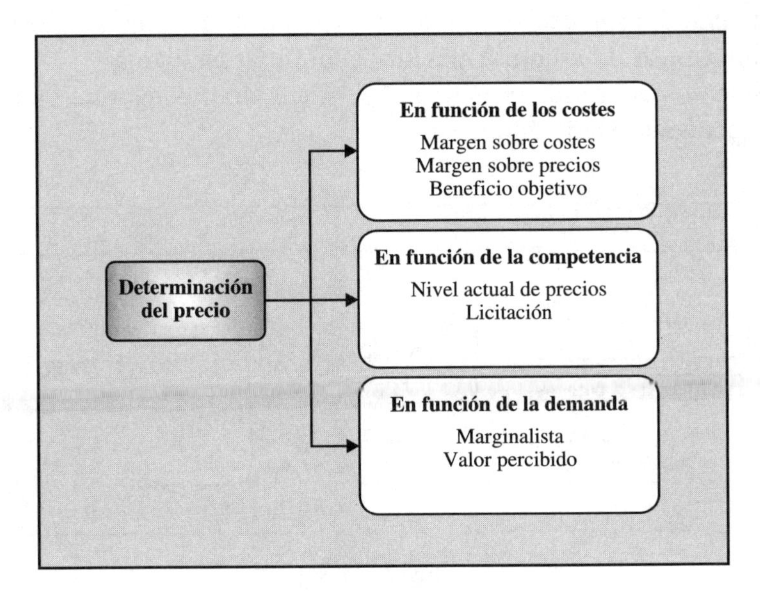

Figura 11.7

El primero de los sistemas, en **función de los costes,** exige conocer la estructura de costes del producto, lo cual no suele ser siempre fácil en una nueva empresa, y a partir de ahí se podrá tomar alguna de las modalidades expuestas. No lo aconsejamos.

El último sistema, en **función de la demanda,** exige conocer la curva de demanda del producto. Es poco factible para una nueva empresa de reducida dimensión.

Lo más aconsejable es optar por fijar el precio en **función de la competencia,** y en concreto teniendo en cuenta el *nivel actual de precios* de productos similares. Los precios en *licitación* es una modalidad donde el cliente, normalmente una gran empresa o alguna administración pública, hace una demanda pública de una cierta cantidad de un producto con unas condiciones y las empresas realizan sus ofertas, licitan, dentro de las condiciones impuestas.

4.2. Políticas de precios

Ya indicamos que el precio, al ser una variable táctica, se puede modificar a corto plazo, pero eso no debe interpretarse como que se puede improvisar sobre la marcha el precio que el emprendedor pondrá al producto o productos de la nueva empresa. El emprendedor ha de ser coherente en cuanto a sus decisiones de precios, pues ello afectará positivamente a la imagen de la empresa y a su cuenta de resultados.

Exponemos ahora las principales políticas de precios que una empresa nueva y pequeña puede adoptar.

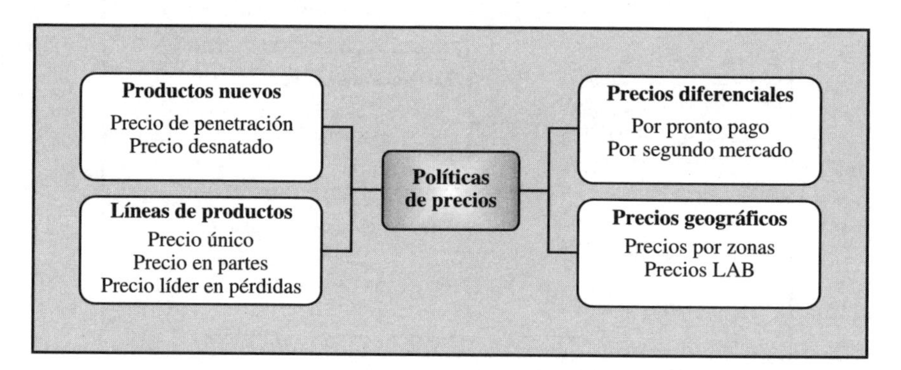

Figura 11.8

Las **políticas de productos nuevos** se aconsejan cuando se trata de una nueva empresa que desea introducir sus productos en un mercado donde no son conocidos o si además se trata de productos nuevos en un sentido amplio. En el primer caso, productos no conocidos en el mercado, se puede optar por una política de ***precio de penetración,*** consistente en poner el precio del producto lo más bajo posible para incitar a su consumo y a que lo conozca el mercado. Si se trata de un producto innovador de difícil emulación y por tanto con cierta exclusividad, se puede optar por una política de ***precio desnatado,*** que es el precio más alto que pueda soportar el mercado.

Si la nueva empresa tiene una línea de productos, debe optar por coger alguna de las **políticas de líneas de productos.** La política de *precio úni-*

co consiste en poner todos los productos de la empresa al mismo precio (tiendas de todo a un euro). Si la nueva empresa ofrece un producto susceptible de ampliación, se aconseja una política de *precio en partes*, donde se pone un precio al producto básico principal y se va incrementando a medida que se le van poniendo añadidos al producto o mejorando o aumentando su nivel de compra; es el caso de las pizzas, que tienen un precio el tipo base y se aumenta según se le ponen añadidos; también es el caso de las empresas de servicios; es decir, en el precio por partes hay una parte fija y otra variable. La política de *precio líder* se aconseja cuando la empresa tiene una línea de productos que se complementan; en este caso se ofrece un producto de la línea a un precio muy bajo para atraer al cliente y así mostrarle la línea completa; esta táctica es muy utilizada en el comercio.

Las **políticas de precios diferenciales** son también muy útiles en los primeros años de vida de una empresa. Puede ser una política de *pronto pago* cuando el cliente paga dentro de un breve plazo. También de *segundo mercado,* que consiste en ofrecer el mismo producto a un precio más bajo en función del tipo de cliente o del momento de la venta: precios especiales a estudiantes, jubilados, etc., precios más bajos a ciertas horas o en ciertos momentos, etc.

Las **políticas de precios geográficos** no suelen ser muy frecuentes en las nuevas empresas. Distinguimos la política de *precios por zona,* donde el precio del producto varía según la zona en que se venda, y política de *precios LAB,* siglas de «libre a bordo», es decir, en el lugar de ventas, siendo el coste de transporte del producto a cargo del cliente.

5. Política de comunicación

La nueva empresa tiene que tener prevista una serie de acciones de comunicación para darse a conocer y dar a conocer sus productos. «Con la política de comunicación se pretende despertar el interés en el público objetivo para que adquiera el producto, lo pruebe, quede satisfecho y repita» (Cañadas, 1996).

Luego si deseamos introducir y posicionar un producto y su marca, es imprescindible desarrollar una ***política de comunicación.***

A la hora de concretar los **objetivos** y **acciones** de la *política de comunicación* de la empresa, debemos partir previamente de un estudio de la que está llevando a cabo la competencia: acciones que realizan, resultados que están obteniendo, tipo de campaña, medios, etc.; igualmente debemos tener muy claras las características y posibles diferencias de nuestro producto, de la imagen corporativa que deseamos adquirir, en definitiva de las peculiaridades del producto y la empresa. Téngase en cuenta que la nueva empresa es una perfecta desconocida, así como sus productos y marcas, y por tanto si deseamos diferenciarnos de la competencia debemos partir de los dos *pilares referidos,* tal y como se muestra en la figura 11.9.

Esto nos permitirá definir el ***target,*** aquellos elementos que nos permitirán fijar nuestros *objetivos* y *acciones.* El *target* se definirá dando respuesta a las siguientes cuestiones:

a) ***¿Quién compone nuestro público objetivo?*** Es decir, a quiénes nos podemos dirigir para informarles y motivarles a adquirir nuestro producto.
b) ***¿Qué información reciben actualmente y de quién?*** Es decir, a quiénes están actualmente comprándoles o podrían hacerlo porque conocen sus productos, y por tanto tienen que recibir algún tipo de mensajes de ellos.

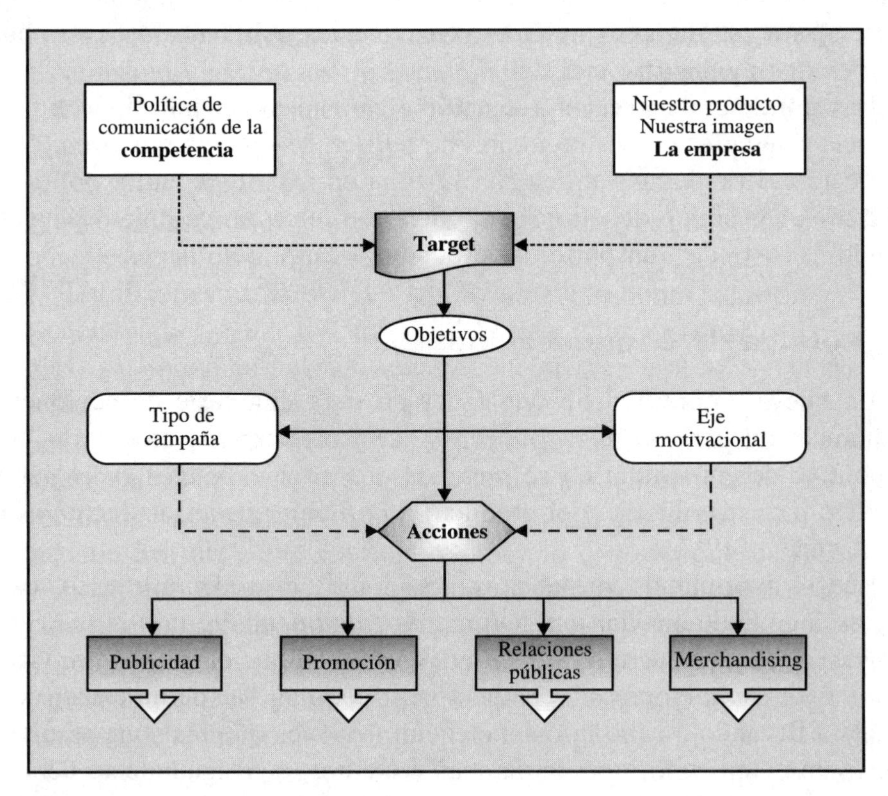

Figura 11.9

c) ***¿A quién dirigirnos más concretamente?*** Quiénes, dentro de la población objetiva, son para nosotros más interesantes o son más susceptibles a fin de poder adquirir nuestros productos, de manera que diseñemos nuestros mensajes teniendo en cuenta sus características, costumbres, motivaciones y comportamientos, y los dirijamos más exclusivamente a ellos.

d) ***¿Qué cobertura, y en qué plazo, deseamos?*** En un plazo determinado, a qué parte de esos clientes potenciales seleccionados queremos atender.

En base a todo lo anterior, fijaremos nuestros ***objetivos.*** Junto a éstos debemos tener claro el ***tipo de campaña*** de comunicación y el ***eje motivacional*** (o *eje de la campaña*) en el que se enmarcarán las distintas acciones.

Podrá optarse por los siguientes **tipos de campaña:**

— Generales.
— Individualizadas por productos.
— Personalizadas.
— Informativas.
— De imagen.
— Formativas.
— Motivacionales.

Toda campaña debe girar en torno a un **eje motivacional** o **de campaña,** en torno al cual se diseñarán todas las acciones: medios, mensajes, tipos de acción, etc.

Las **acciones de la política de comunicación** pueden ser del siguiente tenor o naturaleza:

— Publicidad.
— Promoción.
— Relaciones públicas.
— Merchandising.

Las **acciones publicitarias** pueden perseguir varios **objetivos,** tales como informar, crear una imagen, prestigiarla, motivar, defenderse de la competencia, facilitar la compra al cliente, etc.

Las **acciones promocionales** persiguen principalmente poner el producto a disposición del cliente e incitarle a su adquisición, y complementariamente fidelizar, potenciar la presencia del producto en los puntos de ventas, comprometer, etc.

Las **relaciones públicas** tienen como objetivo principal predisponer a la comunidad, al público en general y a los clientes, con la empresa (Cañadas, 1996).

El ***merchandising*** es el marketing en el punto de ventas, utilizando diversas acciones y elementos promocionales tales como demostraciones «en vivo», degustaciones, exhibición diferencial de los productos, carteles, medios visuales, etc. El merchandising persigue atraer al cliente y provocar su compra en el mismo punto de venta y en ese mismo instante, es decir, la compra por impulso. Junto a éste persigue otros objetivos tales como incidir en la imagen, procurar una mayor y más eficiente presencia, etc[1].

6. Política de distribución

A través de la misma estamos actuando sobre una de las variables comerciales estratégicas. Así, las decisiones que se tomen deben mantenerse en el tiempo en un horizonte largo, ya que suponen una inversión y disposición de recursos difícilmente modificables a corto. Con esta política pretendemos que los productos puedan adquirirse fácilmente por el cliente, estén a su disposición. Debe complementarse perfectamente con la política de ventas.

La **finalidad** de la **política de distribución** es la de llevar los productos a determinadas zonas, poniéndolos a disposición de determinados sectores y clientes, mediante la adecuada red de ventas.

La **política de distribución** comprende:

— Definir los futuros canales: ubicación, características, influencia, etc.
— Funciones a desempeñar por los canales seleccionados.
— Asignación de zonas y sectores a los canales.

Las acciones, y en concreto la elección de los canales de venta, dependerán de si se opta por una **distribución selectiva,** como sería el caso de determinados productos de elevada calidad y precios altos, o de si se pretende una **distribución en masa,** adecuada para productos corrientes, populares y con un amplio espectro adquisitivo.

---

[1] Véase Díez de Castro y Landa Bercebal (2000).

12 El plan financiero

1. Finalidad y contenidos

El plan financiero recoge cuantitativamente el plan de empresa. Su finalidad principal es demostrar la viabilidad del proyecto empresarial, tanto económica como financieramente.

La viabilidad económica viene a demostrar que la futura empresa, considerada como un proyecto de inversión, es rentable en un determinado horizonte temporal, es decir, que transcurrido ese tiempo la empresa ha generado los recursos necesarios para recuperar la inversión realizada para crear y poner en marcha la empresa, y además presenta un beneficio o rentabilidad global.

La viabilidad financiera se pondrá de manifiesto si se verifica que con los recursos previstos de explotación que genera cada año la empresa se hará frente a las obligaciones de pago contraídas por la misma para financiar la inversión: devolución de préstamos, pago de intereses y dotación a la amortización.

Pero además, y previamente, en el plan financiero se valorarán los elementos que componen la empresa y se designarán las fuentes para su financiación. También, y como paso necesario para determinar la viabilidad del proyecto, se hará una previsión de las principales variables empresariales y de sus cuentas principales (balance, ganancias y pérdidas, etc.), si bien de forma analítica, como veremos.

Resumiendo, el plan financiero persigue los siguientes fines:

— Valoración de los elementos que compondrán la empresa.
— Valoración y estructura de las fuentes de financiación.
— Previsión de ingresos y costes.
— Cuentas previsionales.
— Viabilidad económica del proyecto empresarial.
— Viabilidad financiera del proyecto empresarial.

Para ello el plan financiero contendrá:

— Estructura económica y financiera de la nueva empresa.
— Estimación y previsión de costes e ingresos.
— Cuentas previsionales.
— Análisis de viabilidad.

El emprendedor debe desarrollar el plan financiero con sumo cuidado, pues en él se deben poner cifras a todo el plan de empresa, y no hay nada más complicado que obtener estos datos cuantitativos.

2. Estructura económica y estructura financiera de la empresa

Para que la empresa sea una realidad y pueda iniciar su actividad necesitamos una serie de elementos que nos permitan producir, vender, cobrar..., en definitiva, actuar. Estos elementos son los que forman la **estructura económica** de la empresa, y son de muy diversa naturaleza: elementos materiales como locales, instalaciones, maquinaria, etc.; elementos materiales como los gastos de constitución, los de primer establecimiento, las patentes, las marcas, etc., y también financieros, como el remanente de tesorería que mantenemos para poder hacer frente a los primeros gastos, las existencias, etc. Contablemente la estructura económica se recoge en el activo del balance, en este caso inicial.

Pero todos esos elementos no son gratuitos; la empresa naciente, como entidad propia ya, ha debido adquirirlos, financiarlos con la aportación de los socios y/o préstamos bancarios o de otro tipo, de manera que estos fondos sean los justos y suficientes para financiar toda la estructura económica. Estas fuentes financieras por su importe forman la **estructura financiera** de la empresa, que se recoge en el pasivo del balance inicial, en este caso.

En el plan financiero el emprendedor debe recoger el activo y el pasivo, que representan a la estructura económica y a la estructura financiera respectivamente.

2.1. Estructura económica o activo

El activo de una empresa estará formado por activo fijo y activo circulante.

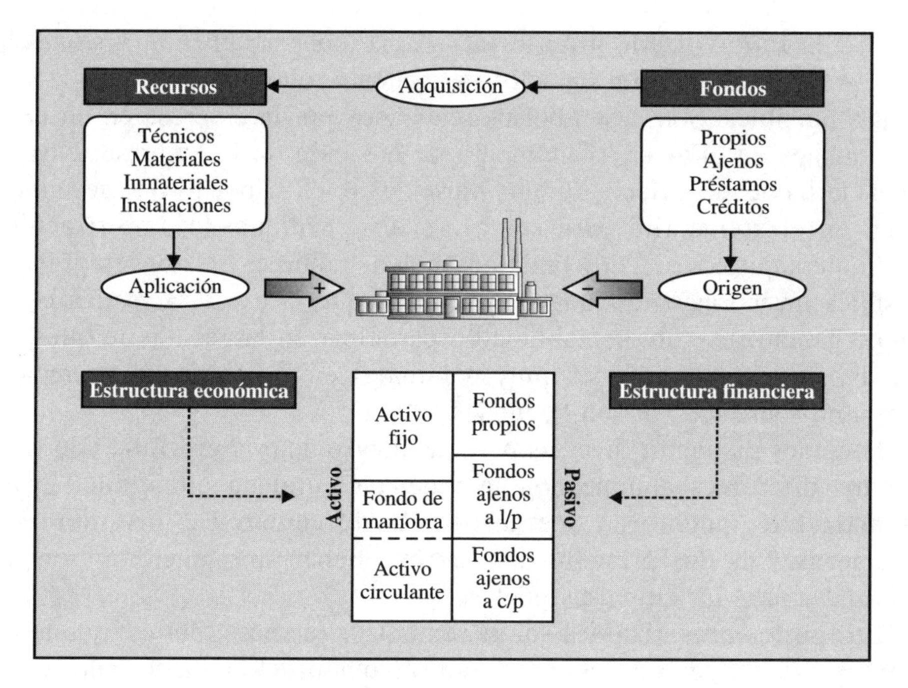

Figura 12.1

El **activo fijo** recoge lo que se denomina capital de inversión y también **inmovilizado;** es decir, aquellos **bienes, derechos y gastos** necesarios para que la nueva empresa pueda llevar a cabo su actividad y que van a tener un uso continuo y una permanencia duradera en la empresa. Distinguiremos entre **inmovilizado material** e **inmovilizado inmaterial** y **amortizaciones.**

A) El **inmovilizado material** estará formado por todos aquellos bienes de naturaleza tangible. Suelen ser mayoritariamente bienes técnicos *(inmovilizado técnico),* es decir, que contribuyen de manera directa al desarrollo de la actividad propia de la empresa. Pertenecerán a este grupo: terrenos, edificios, instalaciones, maquinaria, vehículos, mobiliario, equipos informáticos, útiles y herramientas, elementos de transporte, etc. También puede darse un inmovilizado de tipo social (inmovilizado social), entrando dentro de este grupo aquellas inversiones en inmovilizado cuyo objeto no es contribuir directamente a la actividad productiva de la empresa, sino que constituyen una atención social de ésta para con su personal (tanto operarios como directivos). Dentro de este grupo podemos encontrar viviendas, vehículos, instalaciones deportivas, comedores, etc.

B) El **inmovilizado inmaterial** agrupa todas aquellas inversiones hechas por la empresa con carácter permanente, que no se materializan en bienes tangibles. Son desembolsos realizados por la empresa en un período, muchos de ellos en el momento de creación de la empresa, cuya influencia ha de extenderse durante varios ejercicios, por lo que se inmovilizan en el activo fijo para ser asignados mediante la amortización a siguientes ejercicios. Pero también suelen incluirse en este epígrafe las posibles inversiones de carácter financiero que la empresa realiza con el fin de garantizarse una rentabilidad o participar en la gestión de otras empresas, y que no suelen ser muy habituales en las empresas de reciente creación, sobre todo si son pequeñas.

Podemos distinguir diversas partidas dentro de este epígrafe, con significados diferentes aunque con la misma naturaleza intangible: **gastos amortizables, patentes y marcas, fondo de comercio** e **inversiones financieras.** Las dos primeras son las que tienen más interés y son más habituales para las empresas nuevas.

Los **gastos amortizables** son desembolsos (a veces fuertes) que la empresa se ve obligada a realizar en un momento determinado, pero de los cuales va a beneficiarse durante los ejercicios siguientes, ya que son gastos necesarios para la actividad de la empresa. Adquieren gran importancia en las empresas de reciente creación, y con carácter general distinguiremos: **gastos de constitución,** aquéllos en los que ha de incurrirse para constituir legalmente la empresa; **gastos de primer establecimiento,** los que se afrontan para establecerse la empresa, que no suelen tener una naturaleza legal como los anteriores pero son igualmente necesarios (licencias, estudios, etc.); asimismo podríamos incluir los gastos necesarios para el lanzamiento de un nuevo producto (asesoramiento técnico, viajes, campañas publicitarias, estudios de mercado, etc.), para la ampliación de capital (folletos de emisión, gastos de captación de nuevos socios, etc.), para la emisión de un empréstito, etc. Como puede apreciarse, todos estos gastos, a pesar de realizarse durante un ejercicio concreto, benefician a ejercicios venideros, por lo que es lógico que su carga se reparta entre todos ellos.

Las **patentes y marcas,** y en general las denominadas propiedad industrial y propiedad intelectual, representan desembolsos realizados por la empresa con el fin de obtener el derecho de su explotación. Como en el caso anterior, estos desembolsos producirán sus efectos a lo largo de varios ejercicios siguientes, e incluso de toda la vida de la empresa, pero a diferencia de aquéllos sí pueden ser realizables, es decir, son susceptibles de ser vendidos o negociados. De hecho, las **patentes y marcas** son en algunas empresas parte de sus activos más valiosos (por ejemplo, marcas como Coca-Cola, Danone, Cola-Cao, El Corte Inglés, etc.).

El **fondo de comercio** (o *good will*) aparece en el balance de empresas que han adquirido otras o un negocio, y expresa el exceso pagado sobre su valor neto contable. Por ejemplo, cuando una empresa adquiere en bloque otra empresa (o una línea de negocio de otra), suele pagar un valor superior a su neto contable. Este exceso refleja las expectativas futuras de beneficio y crecimiento, y se recoge en el balance de la adquiriente bajo este epígrafe. No suele ser el caso de las empresas de reciente creación, salvo que se haya creado y constituido con un determinado capital para, con éste (en parte o también con financiación ajena), adquirir acto seguido una empresa o negocio que ya está en marcha.

El **inmovilizado financiero** recoge las **inversiones financieras,** también consideradas **inmovilizado inmaterial.** Son todas aquellas inversiones de naturaleza financiera realizadas por la empresa bien con una finalidad propia y concreta (participar en la gestión de otra empresa, obtener una rentabilidad, etc.), o por imperativo legal (mantener ciertas reservas o parte de capital en ciertos valores) como consecuencia de su actividad (seguros, banca, financiación, etc.).

C) Las **amortizaciones** recogen la depreciación de aquellos elementos del inmovilizado susceptibles de ser amortizados. La amortización es la constatación contable de la pérdida de valor de los elementos que se amortizan, o de la imputación de la parte de gastos amortizables al ejercicio correspondiente. Con este mecanismo podremos conocer en cada momento el valor neto de dichos elementos; repartir durante los años de su vida útil el coste producido por su depreciación; imputar dichos costes al coste de producción (y por ende al precio) de los bienes o servicios, y detraer de los beneficios la parte correspondiente de amortización que, compensando la pérdida de valor del inmovilizado, haga que el capital de la empresa, por lo que a esto respecta, permanezca constante, evitando así la descapitalización.

La amortización se debe considerar como un coste de producción más, ya que la pérdida de valor experimentada por los bienes de inmovilizado se debe, en su mayor parte, a su uso en el proceso productivo. Ahora bien, este coste no origina desembolso alguno, a diferencia de otros, ya que éste tuvo lugar cuando se realizó la inversión, y se devenga al final de cada ejercicio económico. Para cada bien existen unas tablas fiscales que nos indican cómo calcular el importe de la amortización y su mecánica.

Su importe acumulado aparece dentro del **activo fijo** con signo negativo.

Tabla 12.1

		AÑO 0	AÑO 1	...	AÑO *n*
ACTIVO FIJO	Total				
Inmovilizado material					
Técnico					
Social					
Inmovilizado inmaterial					
Gastos amortizables					
Patentes y marcas					
Fondo de comercio					
Inmovilizado financiero					
(-) Amortizaciones					

En el plan financiero debemos recoger el desembolso inicial (año 0) que se efectuará en cada una de las partidas y elementos que componen el **activo fijo,** y en función de la amortización estimar su valor para cada uno de los años del horizonte temporal para el que se elaborará el proyecto. La tabla anterior nos ofrece un modelo a seguir. Cada una de las partidas de activo fijo se contabilizará por su valor de adquisición o importe en el momento en que se produjo, permaneciendo este valor constante en la contabilidad, de manera que para estimar su valor en cada momento habremos de detraer del valor contable las amortizaciones acumuladas por dicho elemento. Si a lo largo del horizonte temporal hubiese prevista alguna nueva adquisición o desembolso amortizable, se recogería en el año o ejercicio que correspondiese.

El **activo circulante** o **realizable** (atendiendo al criterio de liquidez) refleja en el balance un conjunto de partidas y elementos en los que la empresa ha invertido fondos por exigencias de la actividad que va a realizar, pero que, en contraposición al inmovilizado, carecen del carácter de permanencia. Son elementos valorables que generalmente integran el denominado *proceso de maduración* de la empresa y que están sujetos a un continuo proceso de renovación, ligado con el ciclo productivo y comercial de aquélla.

Dentro de este **realizable** pueden distinguirse seis grandes grupos de elementos: **realizable de explotación, clientes y efectos a cobrar, anticipos a proveedores, deudores varios, otros realizables** y **disponible.** Todos ellos son valorables y representan derechos a favor de la empresa. En el momento inicial, algunos de ellos deberán estar necesariamente en el balance, pues son imprescindibles para su incorporación al proceso productivo o comercial de la empresa, a través del cual se volverán a recuperar con la venta y cobro de los productos o servicios.

A) El **realizable de explotación** está formado por los *stocks* o nivel de existencias que la empresa necesita para desarrollar su actividad productiva y comercial. Dentro de este epígrafe se engloban: **existencias en materias primas, existencias en materiales auxiliares, existencias de materiales de consumo, stocks en productos en proceso de fabricación** y **existencias en productos terminados** (si se tratase de una empresa exclusivamente comercial, no industrial, muchas de estas partidas no aparecerían en su balance). Es de vital importancia cuantificar adecuadamente el volumen de estas partidas; su defecto puede suponer un parón en la actividad de la empresa, mientras que su exceso un sobrecosto.

B) Los **clientes** y **efectos a cobrar** surgen del propio tráfico mercantil de la empresa, y en concreto de la venta a crédito. El saldo de ambas partidas refleja el volumen de ventas pendiente de cobro, diferenciándose en la documentación de dichos derechos de cobro. En el caso de la partida o cuenta de **clientes,** este saldo permanece aún documentado en la propia factura que se ocasionó en la venta, mientras que si se han generado a partir de dichas facturas otros documentos de cobro tales como letras, recibos o pagarés, se contabilizarán en **efectos a cobrar.**

C) Los **anticipos a proveedores** surgen de una práctica relativamente habitual, sobre todo con empresas recién creadas, que es la exigencia por parte de los proveedores de un anticipo sobre el importe del pedido, antes de recibir la mercancía y de producirse la venta real y el vencimiento de la obligación de pago. Hasta que no se produce la venta efectiva, la empresa tiene un derecho sobre el proveedor al haber entregado a éste una suma de dinero a cambio de algo que aún no ha recibido.

D) Los **deudores varios** recogen los créditos de que disfruta la empresa contra personas o entidades que no tengan el carácter de clientes o proveedores, o que, aun teniéndolo, sus deudas no se deriven de la propia relación comercial. Estas partidas tienen un escaso interés. En el momento de creación de una empresa puede aparecer un cierto saldo que respondería a anticipos o cantidades pagadas pendientes de la liquidación definitiva, entregados a fedatarios (notarios, registradores, corredores de comercio), empresas de instalación, suministradores de maquinaria, empresas de estudios, etc.

E) En **otros realizables,** a modo de «cajón de sastre», se incluyen aquellas partidas o elementos que, respondiendo al concepto antes indicado, no son encajables en ninguno de los epígrafes precedentes.

F) El **disponible** recoge la cantidad de fondos líquidos (dinero) con que cuenta la empresa para hacer frente a sus necesidades financieras y de pago de tipo corriente que se originen como consecuencia de su actividad. Pueden estar en *caja* en la propia empresa o en *depósitos bancarios a la vista* (cuentas corrientes).

La denominación de ***realizable,*** en general para todo el circulante, hace referencia a la facilidad con que estos elementos pueden convertirse en dinero; bien por su incorporación, y posterior recuperación en forma de dinero, al proceso productivo y ciclo de ventas, o bien porque es relativamente más fácil la enajenación de estos elementos que los del activo fijo.

Como en el caso del **activo fijo** o **inmovilizado,** en el plan financiero deben recogerse los importes de algunas de estas partidas, calculados para que nos permitan cubrir al menos un ciclo de producción y venta, y en base a las ventas previstas y sus cobros efectuar una previsión de compras y por tanto de dichos elementos. La tabla siguiente es un modelo equivalente al ya visto para el activo fijo, e igualmente aconsejable.

Tabla 12.2

		AÑO 0	AÑO 1	…	AÑO *n*
ACTIVO CIRCULANTE	Total				
Realizable de explotación					
Materias primas					
Materias auxiliares					
Materiales de consumo					
Productos en fabricación					
Productos terminados					
Clientes y efectos a cobrar					
Anticipo a proveedores					
Deudores varios					
Otros realizables					
Disponible (caja y bancos)					

2.2. Estructura financiera o pasivo

En general, en el **pasivo** se recogen las **fuentes financieras** del activo o estructura económica. Es decir, refleja de dónde proceden los fondos (origen de fondos) que nos han permitido adquirir todos los elementos que forman la **estructura económica** o **activo** (aplicación de fondos).

Debe existir una cierta sintonía entre las distintas partes **(fijo** y **circulante)** del **activo** y del **pasivo.** Como ya vimos, en el **activo fijo** se recogen aquellos bienes y derechos necesarios para la actividad y que van a permanecer de forma duradera en la empresa, y cuyo coste recuperaremos a través de la amortización a lo largo de varios ejercicios. Así pues, y en buena lógica, el **activo fijo** debe estar financiado por recursos cuya devolución sea en un horizonte temporal a largo, es decir, por **pasivo fijo.**

Las partidas del **pasivo fijo** suelen clasificarse de acuerdo a su grado de exigibilidad por parte de terceros en sentido ascendente (de menos a más), distinguiendo: **no exigible** y **exigible a largo plazo.**

A) El **no exigible** está integrado por aquellos recursos o valores propios de la empresa de los que solamente ella tiene derecho a disponer. Distinguimos dos partidas fundamentales, el **capital** y las **reservas.**

Como tendremos ocasión de ver en capítulos siguientes, el **capital social** de la empresa recoge las aportaciones de los socios, y su volumen mínimo depende de la forma jurídica que adopte la empresa.

Las **reservas** son, en su concepción y definición más genéricas, beneficios obtenidos por la empresa y que no han sido repartidos entre sus socios, permaneciendo por tanto invertidos en ella. Las reservas pueden ser **legales,** impuestas por imperativo de ley; **estatutarias,** que se constituyen en cumplimiento de lo establecido en los estatutos sociales; **voluntarias,** las acordadas por la junta general de socios en cada ejercicio, con independencia y sin menoscabo de las anteriores, y **por prima de emisión,** que no responden al concepto general de beneficio no distribuido, sino que éstas surgen cuando en la emisión de acciones o participaciones, en la creación de la empresa o en una ulterior ampliación de su capital, se exige a los socios un importe extra sobre el nominal de cada acción o participación. También pueden aparecer, junto con las reservas, los **resultados** obtenidos por la empresa en un ejercicio y que están pendientes de distribuir. Este importe puede ser positivo, cuando haya beneficios, o negativo, cuando no se produzcan. En este último caso, permanecerán en el balance «mermando» las reservas o el capital; en cualquier caso, afectando negativamente al neto patrimonial.

B) El **exigible a largo plazo** recoge las deudas contraídas por la empresa, cuyo vencimiento supera el plazo de dieciocho meses[1]. En este epígrafe se recogen los denominados fondos ajenos de financiación, los que realmente suponen una deuda de la empresa al no haber sido aportados por los socios en forma de capital. Aquí suelen recogerse los préstamos bancarios o financieros, usados en la adquisición de bienes de equipo o para financiar cualquier elemento o partida del activo (normal y mayoritariamente fijo); los empréstitos que pueda emitir la empresa en forma de obligaciones; y alguna otra deuda de carácter institucional (sanciones de la Hacienda Pública, o de la Seguridad Social, etc.) o privado, que recogeremos bajo el epígrafe de otros acreedores a largo plazo.

Tabla 12.3

		AÑO 0	AÑO 1	...	AÑO *n*
PASIVO FIJO	Total				
No exigible					
Capital					
Reservas					
Resultados					
Exigible a largo plazo					
Préstamos financieros					
Empréstitos					
Otros acreedores a largo plazo					

En el **pasivo circulante** se recoge el **exigible a corto plazo,** es decir, las deudas contraídas por la empresa y a las cuales deberá hacer frente en un plazo no superior a un año. Suelen ser de dos tipos; deudas que se derivan de la actividad propia de la empresa y deudas contraídas por la empresa como consecuencia del dinero obtenido en concepto de préstamos.

A) Las **deudas por la actividad propia** de la empresa son las contraídas con **proveedores**, **acreedores**, **anticipos de clientes** y **administraciones públicas,** y las adquiridas como consecuencia de la recepción de

[1] Algunos autores distinguen entre *exigible a c/p,* deudas con vencimientos hasta doce meses; *exigible a medio plazo,* deudas con un plazo superior a doce meses y hasta cinco años, y *exigible a largo plazo,* deudas exigibles en un plazo superior a los cinco años. Nosotros no consideraremos el tramo intermedio, distinguiendo a *corto plazo,* hasta dieciocho meses, y a *largo plazo,* más de dieciocho meses.

materias primas y productos (proveedores), utilizar servicios a crédito (acreedores), recibir cantidades a cuenta de algún servicio o pedido *(anticipos de clientes),* o producirse el devengo de algún impuesto, tributo o cotización a algún organismo de la Administración (administraciones públicas, Hacienda, ayuntamientos y Seguridad Social principalmente).

B) Las **deudas por préstamos** provienen de créditos a corto plazo que la empresa contrae con entidades financieras, pudiéndose distinguir tres grupos de partidas: **créditos de tesorería, descubiertos en cuenta y descuento comercial.**

Los **créditos de tesorería** se solicitan por la empresa en determinados momentos para cubrir sus necesidades normales de financiación (pago de las nóminas de un mes, compras al contado, etc.), o ciertos desajustes momentáneos entre ingresos y pagos. Estos créditos suelen ser muy habituales en aquellas empresas cuya actividad está sometida a una cierta estacionalidad (juguetes, empresas agrícolas, de confección de baño, ídem de abrigo, etc.), originándose un desfase temporal entre los desembolsos efectuados por imperativo del proceso productivo (adquisición de materiales, pago de jornales y otros gastos), y los reembolsos obtenidos por la comercialización y venta.

Los **descubiertos en cuenta** son créditos «automáticos» que a veces las entidades financieras (bancos y cajas) conceden a las empresas, al permitirles disponer de un saldo superior al existente en su cuenta. En el momento en que se produce el exceso, el saldo será favorable al banco y constituirá una deuda para la empresa. El plazo de estos descubiertos suele ser muy corto, normalmente de días. Además su costo es elevadísimo para la empresa, amén de otras consecuencias negativas que puede acarrearle en su crédito personal si se mantiene durante mucho tiempo.

El **descuento comercial** es habitual en aquellas empresas que venden a crédito fraccionando sus facturas o ventas a un cliente, y documentando esta fracción en letras de cambio (si se hace en recibos, para poderlos descontar habrán de transformarse en letras timbrando dichos efectos, es decir, pagando la póliza de letra que le corresponda). La entidad de crédito, antes de su vencimiento, descuenta a la empresa los efectos (letras o recibos timbrados[2]) sobre los que ésta desea obtener un crédito a cuenta del futuro cobro a su cliente y que se cancelará en la medida que dichos

---

[2] Suelen ser las propias entidades de crédito las que se encargan de timbrar los recibos para que puedan ser considerados como letras de cambio y por tanto descontarse.

efectos (letras o recibos) vayan venciendo y sean atendidos por el librado (cliente de la empresa). Se denomina *descuento* porque el banco cobra los intereses por adelantado, en el momento de conceder el crédito, por lo que la empresa no dispone del nominal total de los efectos descontados, sino que de dicho nominal se detraen en ese momento los intereses que cobrará el banco, los timbres en su caso y otros gastos propios de la operación.

Tabla 12.4

		AÑO 0	AÑO 1	...	AÑO *n*
PASIVO CIRCULANTE	Total				
Deudas por actividad					
Proveedores					
Acreedores					
Anticipos de clientes					
Administraciones Públicas					
Deudas por préstamos					
Créditos de tesorería					
Descubierto en cuenta					
Descuento comercial					

2.3. El fondo de maniobra

Debe existir un necesario equilibrio entre las distintas partes del activo y del pasivo, entre las estructuras económica y financiera de la empresa. En este sentido conviene tener presente una serie de reglas al objeto de armonizar los empleos y los recursos, las aplicaciones y los orígenes de fondos. Siguiendo a Lassegue, estas reglas son dos.

Una, la **regla de oro** o *regla del equilibrio financiero mínimo,* según la cual todo **activo fijo** debe estar financiado por **pasivo fijo,** así como todo **activo circulante** por **pasivo circulante.** Esta regla, lo que realmente viene a decirnos es que el plazo o duración de un recurso o fuente financiera que financia un elemento o partida del **activo** debe ser lo suficientemente largo o dilatado en el tiempo como para que su montante pueda ser reconstruido o recuperado por la acumulación de beneficios procedentes de la utilización de ese activo.

Dos, la **regla de seguridad.** El **pasivo fijo** debe ser superior al **activo fijo.** Con esto lo que se pretende es reforzar la solvencia empresarial (capacidad para hacer frente a sus obligaciones de pago más próximas), lo que no implica necesariamente que de no cumplirse una empresa sea insolvente. El cumplimiento de esta regla adquiere especial importancia en las empresas de reciente creación.

El exceso de **pasivo fijo** sobre el **activo fijo** que aconseja la **regla de oro** es lo que se denomina **fondo de maniobra (*FM*).** Éste no es más que la parte de **activo circulante** que está financiada con **pasivo fijo** (o la parte de **pasivo fijo** que financia **activo circulante**). Con esto lo que se pretende es disponer de una serie de recursos que se incorporan al ciclo productivo de la empresa, pero que al financiarse a largo permitirán a ésta disponer de un cierto margen o «colchón» hasta que la inversión empieza a ser productiva.

Vemos por tanto cómo la dotación de un **fondo de maniobra** es de vital importancia en las empresas recién creadas, ya que les garantiza su funcionamiento al menos durante un cierto tiempo (dependiendo del montante del fondo), máxime cuando no es normal que desde el primer día se obtengan los rendimientos deseados y necesarios.

El mantener un **fondo de maniobra** en la empresa proporciona a ésta unos recursos permanentes que pueden garantizar su funcionamiento en los momentos de más baja actividad comercial y de cobros.

Para estimar el volumen del **fondo de maniobra,** o lo que es lo mismo, la cantidad de pasivo fijo que debe financiar partidas de activo circulante, hemos de tener en cuenta dos cosas: los gastos medios de explotación periódicos de la empresa, ***GME*** (salarios, suministros, adquisición de materias primas, productos, etc.), y el período medio de maduración del ciclo de explotación de la empresa, ***PMM:*** tiempo que transcurre desde que la empresa inicia el proceso productivo o comercial hasta que vende y cobra el producto; puede venir dado en días, semanas, meses, etcétera.

Si el ***PMM*** lo consideramos en días, entonces:

$$GME = \text{Gastos de explotación del ejercicio}/365$$

y

$$FM = GME \cdot PMM$$

En el cuadro siguiente se muestra un modelo básico que puede utilizarse en el **plan financiero** para la estimación de la evolución de las estructuras económica y financiera de la empresa.

Tabla 12.5

	AÑO 0	AÑO 1	AÑO *n*
ACTIVO FIJO Total			
Inmovilizado material			
Técnico			
Social			
Inmovilizado inmaterial			
Gastos amortizables			
Patentes y marcas			
Fondo de comercio			
Inmovilizado financiero			
(-) Amortizaciones			
ACTIVO CIRCULANTE Total			
Realizable de explotación			
Materias primas			
Materias auxiliares			
Materiales de consumo			
Productos en fabricación			
Productos terminados			
Clientes y efectos a cobrar			
Anticipo a proveedores			
Deudores varios			
Otros realizables			
Disponible (caja y bancos)			

	AÑO 0	AÑO 1	AÑO *n*
PASIVO FIJO Total			
No exigible			
Capital			
Reservas			
Resultados			
Exigible a largo plazo			
Préstamos financieros			
Empréstitos			
Otros acreedores a largo plazo			
PASIVO CIRCULANTE Total			
Deudas por actividad			
Proveedores			
Acreedores			
Anticipos de clientes			
Administraciones públicas			
Deudas por préstamos			
Créditos de tesorería			
Descubierto en cuenta			
Descuento comercial			

3. Cuentas previsionales

En el plan financiero debemos recoger una estimación de la actividad de la empresa en un horizonte temporal determinado. Esta actividad de explotación se mide principalmente por el volumen de ventas, compras y resultados de la empresa, y nos proporcionará los datos principales de la explotación que nos permitirán estudiar la viabilidad económica y financiera del proyecto.

Debemos pues considerar un modelo previsional que recoja la actividad y el posible resultado de la empresa para el período u horizonte temporal considerado en el proyecto, bajo los supuestos que hayamos considerado en el plan estratégico, y más concretamente en el plan de marketing. A continuación recogemos un posible modelo analítico de previsión de ventas y resultados para una empresa comercial.

En las **ventas brutas** tomaremos las estimaciones que hayamos hecho, sin tener en cuenta los impuestos indirectos (IVA). A éstas les detraeremos los **gastos de ventas** —tales como comisiones (si es que se pagan a los vendedores), rápeles de ventas, etc.—, las **devoluciones de ventas** y los **descuentos sobre ventas** que pensemos efectuar. Esto nos proporcionará las **ventas netas.**

A las **compras brutas** (sin tener en cuenta el IVA) que tengamos que efectuar, y que se estimarán en función de las ventas brutas, les adicionaremos los **gastos de compras** —viajes a centros proveedores, etc.— y les restaremos los **descuentos por compras** que nos vayan a efectuar y las **devoluciones de compras** que estimemos que, en porcentaje de las compras brutas, vayamos a realizar; con ello obtendremos las **compras netas.**

Excepto en el primer ejercicio (en el que sólo consideraremos **existencias finales**), comenzaremos los siguientes con unas **existencias iniciales** de productos y los terminaremos con unas **existencias finales.** Sumando las iniciales a las compras netas y restando las existencias finales, obtendremos el **coste de ventas.**

El **resultado bruto** o **margen bruto** se obtendrá por diferencia entre las **ventas netas** y el **coste de ventas.**

Al resultado bruto le detraeremos los **costes de estructura** (aquéllos necesarios para el funcionamiento de la empresa, siendo los más comunes: **sueldos, salarios y retribuciones** al personal y a los administradores, **cargas sociales,** cotizaciones a seguridad social, a fondos de pensiones, etc., **suministros y alquileres** de todo tipo y **otros gastos de explotación** que consideremos tener: tributos locales, Impuesto sobre Actividades Económi-

Tabla 12.6

		AÑO 1	AÑO 2	AÑO *n*
(1)	**VENTAS BRUTAS**			
(a)	Gastos de ventas			
(b)	Devoluciones de ventas			
(c)	Descuentos por ventas			
(2) = (1) - (a) - (b) - (c)	**VENTAS NETAS**			
(3)	**COMPRAS BRUTAS**			
(d)	Gastos de compras			
(e)	Descuentos por compras			
(f)	Devoluciones de compras			
(4) = (3) + (d) - (e) - (f)	**COMPRAS NETAS**			
(g)	Existencias iniciales			
(h)	Existencias finales			
(5) = (4) + (g) - (h)	**COSTE DE VENTAS**			
(6) = (2) - (5)	**RESULTADO BRUTO (o margen bruto)**			
(i)	Sueldos, salarios y retribuciones personal			
(j)	Cargas sociales			
(k)	Suministros y alquileres			
(l)	Otros gastos de explotación			
(7) = (i) + (j) + (k)	COSTES DE ESTRUCTURA			
(8) = (6) - (7)	**(BAII): Beneficio antes de intereses e impuestos**			
(m)	Costes financieros			
(9) = (8) - (m)	**(BAI): Beneficio antes de impuestos**			
(n)	Impuestos sobre beneficio			
(10) = (9) - (n)	**BN: Beneficio neto**			
(11)	**Reservas**			
(12) = (10) - (11)	**Dividendos**			

cas, Licencias de apertura, etc.), y obtendremos el **Beneficio Antes de Intereses e Impuestos (BAII).**

Si al **BAII** le deducimos los *costes financieros* (intereses de préstamos y créditos y gastos que ocasionan), tendremos el **Beneficio Antes de Impuestos (BAI).**

Al **BAI** habrá que restarle el **impuesto sobre beneficios** (en el caso de empresas con personalidad jurídica, S.A., S.L., etc., será el Impuesto sobre Sociedades; para autónomos la parte que corresponda del Impuesto sobre la Renta de las Personas Físicas) para obtener el **Beneficio Neto,** el cual se distribuirá entre **reservas,** en primer lugar, y **dividendos** con lo que sobre una vez dotadas las **reservas.**

Las empresas industriales, aquellas que tienen una actividad fabril de transformación de inputs en output, presentan alguna modificación en el cuadro anterior hasta llegar a la determinación del **BAII,** siendo exactamente igual a partir de ese punto. En el cuadro siguiente se recogen estas peculiaridades hasta el cálculo del **BAII.**

Estas empresas no adquieren productos terminados para su ulterior venta, sino que adquieren materias primas (m.p.) y materias auxiliares (m.a.) que incorporarán al proceso productivo. Una vez estimadas las **compras netas de m.p. y m.a.,** como se indica en el cuadro siguiente, se determinará el consumo que de dichos inputs se efectúe a lo largo del ejercicio, sumando a las compras netas de m.p. y m.a. las existencias iniciales y finales que de las mismas se tengan respectivamente al comienzo y al final de cada ejercicio.

Además de existencias en inputs, las empresas fabriles, antes de tener totalmente fabricados sus productos, pueden encontrarse al comienzo y final del ejercicio con productos aún no terminados, denominados **productos en proceso de fabricación (p.p.f.).**

El **coste de fabricación** de un ejercicio viene determinado por el **consumo de m.p. y m.a.** más las **existencias iniciales de p.p.f.,** más la **mano de obra** y los **gastos de fabricación** que se necesitarán en el proceso, y menos las **existencias finales de p.p.f.,** que se incorporarán al proceso del ejercicio siguiente. Normalmente no todos los **productos terminados (p.t.)** se venden, sino que cada ejercicio partiremos de unas existencias iniciales de los mismos y lo concluiremos con unas existencias finales. Así pues, el coste de ventas se calculará a partir del **coste de fabricación,** añadiendo las **existencias iniciales de p.t.** y detrayendo las **existencias finales de p.t.**

Como en el caso de las empresas comerciales, el **Resultado Bruto** vendrá determinado por la diferencia entre las **ventas netas** menos el **coste de ventas.**

En el cálculo de los **costes de estructura** no consideraremos los costos de mano de obra que se incorporaron al proceso de producción, ya que se tuvieron en cuenta con anterioridad en la estimación del **coste de fabricación;** por el resto igual. Y de igual manera que para las empresas comer-

Tabla 12.7

		AÑO 1	AÑO 2	AÑO *n*
(1)	**VENTAS BRUTAS**			
(a)	Gastos de ventas			
(b)	Devoluciones de ventas			
(c)	Descuentos por ventas			
(2) = (1) - (a) - (b) - (c)	**VENTAS NETAS**			
(3)	**COMPRAS BRUTAS de m.p. y m.a.**			
(d)	Gastos de compras			
(e)	Descuentos por compras			
(f)	Devoluciones de compras			
(4) = (3) + (d) - (e) - (f)	**COMPRAS NETAS de m.p. y m.a.**			
(g)	Existencias iniciales de m.p. y m.a.			
(h)	Existencias finales de m.p. y m.a.			
(5) = (4) + (g) - (h)	**CONSUMO de m.p. y m.a.**			
(i)	Existencias iniciales de p.p.f.			
(j)	Existencias finales de p.p.f.			
(k)	Mano de obra directa			
(l)	Gastos de explotación			
(6) = (5) + (i) + (j) + (k) - (l)	**COSTE DE FABRICACIÓN**			
(m)	Existencias iniciales de p.t.			
(n)	Existencias finales p.t.			
(7) = (6) + (m) - (n)	**COSTE DE VENTAS**			
(8) = (2) - (7)	**RESULTADO BRUTO**			
(ñ)	Otros gastos de personal			
(o)	Cargas sociales			
(p)	Suministros y alquileres			
(q)	Otros gastos de explotación			
(9) = (8) + (ñ) + (o) + + (p) + (q)	**COSTES DE ESTRUCTURA**			
(10) = (8) - (9)	**BAII**			

ciales, se calcularán el **BAII,** por diferencia entre el **resultado bruto** y los **costes de estructura,** y los restantes resultados.

4. Costes y umbral de rentabilidad

A la hora de plantear el objetivo de ventas el emprendedor se plantea qué nivel debe alcanzar como mínimo para cubrir sus costes y tener un margen o excedente. Lo único cierto para la nueva empresa son los costes, luego lo ideal sería alcanzar un volumen de ventas o negocio que le permita cubrir los costes y a ser posible obtener un margen. Pero, ¿dónde está ese nivel? Esta cuestión la puede responder el **umbral de rentabilidad,** también llamado punto muerto o punto de equilibrio.

El **umbral de rentabilidad** es la cantidad mínima de ventas que debe alcanzar la nueva empresa para empezar a tener beneficios. Es decir, es un volumen de ventas para el cual, y en un determinado período, los ingresos por ventas son iguales a los costes totales. Es decir, a partir de ese nivel de ventas la empresa entra en beneficios.

El emprendedor, cuando realiza su plan de empresa, puede fácilmente, al menos para el primer año del horizonte temporal, hacer una previsión de sus costes. También puede determinar el precio al que va a comercializar su producto en ese primer ejercicio, pues con estas estimaciones y utilizando el concepto de umbral de rentabilidad puede determinar el nivel de ventas para el cual no obtendría ni pérdidas ni ganancias. A partir de aquí, cualquier objetivo de ventas que haga el emprendedor debe estar por encima del umbral de rentabilidad. Por tanto este concepto es de gran utilidad para fijar los objetivos de ventas de una nueva empresa.

Antes de pasar a calcular el umbral de rentabilidad, es preciso conocer la estructura de costes de la empresa.

4.1. Los costes en la empresa

Así como los ingresos de una empresa dependen de muchas circunstancias, y son por tanto un componente incierto, una vez en marcha los costes en que incurre una empresa son seguros, ya que representan el valor monetario de los insumos que tiene que emplear la empresa en su actividad. Estos costes pueden clasificarse tomando distintos criterios, pero el más utilizado es el que relaciona los costes en función del nivel de actividad en términos de ventas o producción de la empresa.

Conforme al criterio antes manifestado, en una empresa podemos distinguir los siguientes tipos de costes en un determinado período (el ejercicio económico equivalente a un año):

A) **Costes fijos (*CF*).** Aquellos que no varían conforme lo hace la producción o nivel de actividad de la empresa: el alquiler, el salario de los empleados, las amortizaciones, los intereses de los préstamos, etc. No están en función de la producción o nivel de actividad.

B) **Costes variables (*CV*).** Varían en función de la producción o nivel de actividad de la empresa. Los costes variables totales serán igual al número de unidades producidas o vendidas por el coste unitario de producir o vender una unidad, luego distinguiremos entre **coste variable unitario** (*Cv*), el de una unidad producida o vendida, y **coste variable total** (*CV*), que se corresponde con la totalidad de la venta y producción (*q*).

C) **Costes totales (*CT*).** Suma de los costes fijos más los costes variables totales.

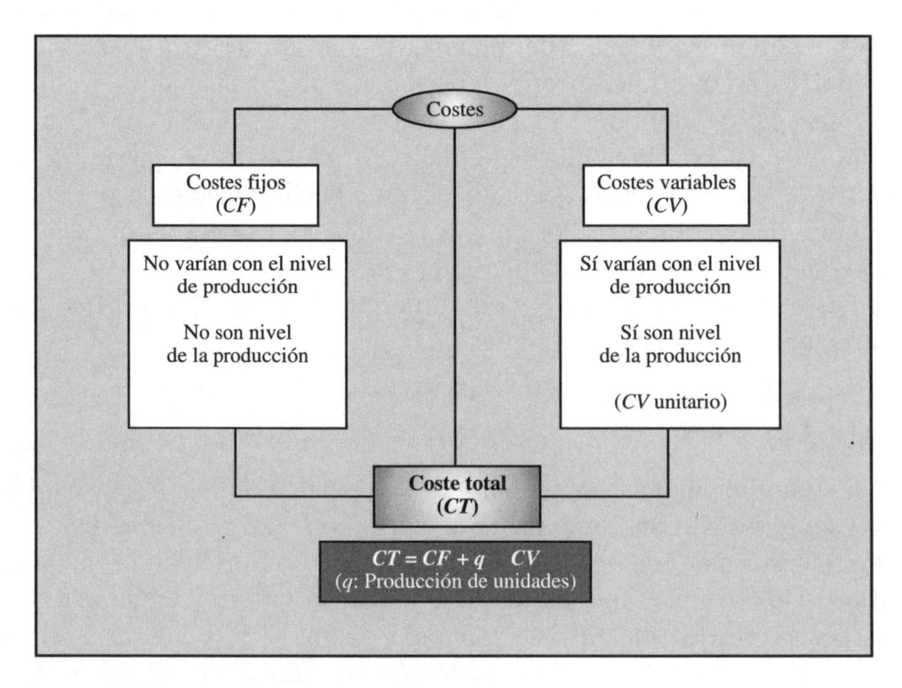

Figura 12.2

4.2. El umbral de rentabilidad

Si consideramos que todo lo que produce una empresa en un ejercicio se vende, el **umbral de rentabilidad (*UR*)** o punto muerto es el nivel de producción o ventas (que representaremos por la letra q) para el cual los **ingresos totales (*IT*)** y **costes totales (*CT*)** coinciden: $IT = CT$. Es decir, la empresa cubriría en ese período todos sus costes, no tendría pérdidas pero tampoco beneficios.

En el cálculo del *UR* intervienen las siguientes variables referidas a un período:

***p*:** precio unitario de ventas.
***q*:** ventas en unidades físicas.
***Cv*:** coste variable unitario.
***CV*:** costes variables totales ($CV = Cv \cdot q$).
***Cf*:** costes fijos.
***IT*:** ingresos totales.
***CT*:** costes totales.

El *UR* es el nivel de ventas o producción q donde los ingresos totales ($IT = p \cdot q$) coinciden con los costes totales ($CT = Cf + CV = Cf + Cv \cdot q$):

$$IT = CT$$
$$p \cdot q = Cf + Cv \cdot q$$
$$p \cdot q - Cv \cdot q = Cf$$
$$q \cdot (p - Cv) = Cf$$

Luego:

$$q = UR = Cf/(p - Cv)$$

Gráficamente, si representamos en el eje de abscisas la cantidad en unidades físicas de producción o venta (q), y en ordenadas tanto los ingresos totales (IT) como los costes totales (CT), en el plano tendremos varias líneas.

Para $q = 0$ los $IT = 0$, pero a medida que aumenta el número de unidades vendidas o producidas se va formando una recta IT.

Sea cual sea el nivel de actividad de la empresa, hasta si es nulo, siempre se tendrán los mismos costes fijos, que gráficamente se representarían por una recta paralela al eje horizontal.

Algunos autores consideran que los costes variables totales serán cero si el nivel de actividad de la empresa es nulo, pero la realidad nos muestra que aunque no haya actividad siempre se incurre en ciertos costes variables, y a partir de ese nivel aumentarán con el nivel de venta o producción, lo que gráficamente se correspondería con la recta *CV*.

Los costes totales serán la suma de los fijos más los variables totales, y vienen representados por la recta *CT*.

En un punto del plano se cortan las rectas de *IT* y *CT*, es decir, *IT* = *CT*; ese punto tiene una coordenada en el eje de abcisas que se corresponde con el nivel de ventas para el cual no hay beneficios ($B^o = IT - CT$): es el punto muerto o umbral de rentabilidad. Pero a partir de ese nivel de ventas la recta *IT* se sitúa en el plano por encima de la *CT*, lo cual quiere decir que $IT > CT$ y que por tanto habrá un excedente o beneficio bruto. Sin embargo, por debajo del umbral de rentabilidad la recta *IT* está por debajo de la *CT*, luego $IT < CT$, es decir, los costes totales superan a los ingresos totales y por tanto habrá pérdidas.

4.3. Uso práctico del umbral de rentabilidad

El UR será de gran utilidad para el emprendedor a la hora de fijar sus objetivos de venta en el plan de empresa, y de determinar la viabilidad económica del proyecto en el plan financiero. Daremos un par de recomendaciones de uso.

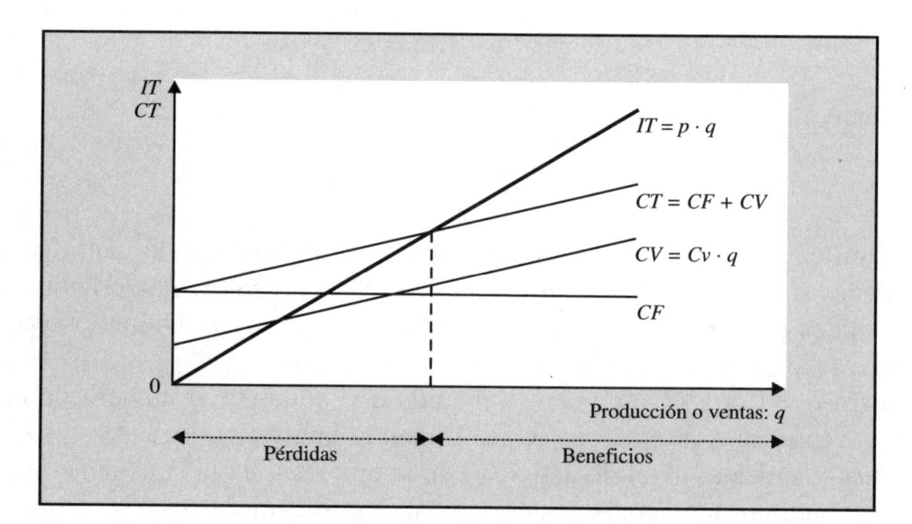

Figura 12.3

El emprendedor puede estimar los costes del primer ejercicio de la nueva empresa, y fijar un precio de venta para su producto. Con estos datos, y siguiendo el planteamiento anterior, calculará el *UR* del primer año del horizonte temporal que considere su plan de empresa. A partir de aquí se fijará como objetivo de ventas para el primer ejercicio alcanzar un nivel de ventas por encima del *UR*, ya sea en un determinado porcentaje o lo que él libremente fije. Para los años siguientes puede considerar que las ventas en unidades crecerán en un determinado porcentaje respecto del ejercicio precedente (el segundo respecto al primero, y así sucesivamente). Este porcentaje deberá ser como mínimo la inflación prevista (este dato podemos obtenerlo en las páginas web del Instituto Nacional de Estadística, del Banco Central Europeo, o en cualquier otro organismo económico de solvencia), si bien se aconseja que sea algo mayor para garantizar el crecimiento de la empresa.

Si dispone de datos puede calcular el *UR* para cada uno de los años del horizonte temporal, y como en el caso anterior considerar un objetivo de ventas por encima del correspondiente *UR*.

En cualquier caso el *UR* dará mucho juego al emprendedor tanto en la elaboración del plan de empresa como durante la vida de ésta.

5. La viabilidad de la nueva empresa como inversión. Variables

Uno de los objetivos del plan financiero contenido en el plan de empresa es que la nueva empresa considerada como inversión sea viable tanto económica como financieramente.

El proyecto de creación de una empresa es en sí mismo un proyecto de inversión, donde se van a inmovilizar una serie de recursos financieros (capitales propios de los socios y ajenos, préstamos) en elementos (edificios, instalaciones, gastos necesarios para la puesta en marcha, etc.) que a partir de un cierto momento van a permitir el desarrollo de una actividad (empresarial) con la que se obtendrá una serie de recursos periódicos *(cash-flow)* que debería permitir, en un período dado, recuperar la inversión y, a ser posible, obtener un excedente; y además, con ellos poder en su caso atender las obligaciones de pago o remuneración de los capitales invertidos en el momento inicial.

Así pues, como proyecto de inversión, en el proyecto de una empresa encontramos una serie de elementos o variables que nos definen lo que denominaremos **dimensión financiera** del proyecto: **desembolso inicial, valor residual, horizonte temporal, *cash-flow*** y **tasa de actualización.** Pasemos a estudiar cada una de estas variables.

5.1. Horizonte temporal y desembolso inicial

El plan de empresa no tiene una vigencia indefinida, sino que se plantea (sus acciones y objetivos) para un cierto período de tiempo que denominamos **horizonte temporal (*n*).** En este tiempo la nueva empresa debe alcanzar sus objetivos y ser viable en el sentido ya expresado (que se obtenga una rentabilidad global tras haber «recuperado» los capitales invertidos en ella). La cuestión radica en fijar la duración de ese horizonte temporal.

Lo habitual es que los planes de empresa (sobre todo los de pequeñas y medianas) contemplen un horizonte temporal de cinco años y cuando menos tres. ¿Por qué? No es que exista una regla escrita, sino que así lo aconseja el sentido común en base a los siguientes argumentos. Los elementos de activo fijo que forman la inversión en capital de la empresa tienen una vida útil contable/fiscal, durante la cual, y vía amortización, se recupera el valor del bien para su reposición. Obviamente, el máximo horizonte temporal que puede contemplar un plan de empresa sería la vida útil máxima de sus bienes de inversión amortizables (no se considerarían nunca los terrenos). Ahora bien, lo que realmente nos demostraría la potencia de la empresa como inversión rentable sería el recuperar dicha inversión antes de agotar la vida útil de sus elementos, por lo que se aconseja tomar como horizonte temporal un número de años menor. Por último encontramos que los bienes de inversión con una vida útil fiscal más larga tienen un horizonte de entre ocho y diez años, por tanto no es muy descabellado recuperar la inversión antes (en cinco años).

Además de lo dicho, en las nuevas empresas los treinta y seis primeros meses son los más críticos, en cuanto que la mayoría de éstas desaparecen en este período de su vida. Así pues, conviene plantear un horizonte temporal por encima de estos tres primeros años críticos.

El **desembolso inicial** (que representamos por ***A***) está formado por todos los activos fijos y gastos amortizables imprescindibles para crear y poner en marcha la nueva empresa considerada como inversión (más, cuando se estime conveniente, el fondo de maniobra), y que han sido adquiridos y financiados con recursos propios y/o ajenos. Entre éstos, y con carácter general, tenemos:

— **Elementos de activo fijo.**
— **Gastos amortizables:** estudio, constitución, primer establecimiento, etc. También se denomina activo ficticio.
— **Fondo de maniobra.**

Es muy importante que estos elementos hayan sido adquiridos y financiados con fondos propios y/o ajenos (préstamos o créditos), pues si no es así no se considerarán en la estimación de A. Es decir, no se considerarían los bienes de activo fijo que la nueva empresa vaya a tener en régimen de leasing, pues mientras no ejerza la opción de compra (si es que lo hace) ese bien está en alquiler y no en propiedad, que es de la empresa de leasing.

Los **gastos amortizables** a tener en cuenta son aquellos necesarios que, siguiendo los criterios del plan general de contabilidad, produciéndose en el momento inicial de creación y constitución de la empresa, afectarían a toda la vida de la misma o al menos al número de años durante los cuales se pueden amortizar. Es el caso, entre los más comunes, de los **gastos de constitución,** que comprenden los gastos en notarías, registro y otros similares necesarios para constituir legalmente la empresa; los **gastos de primer establecimiento,** como los que corresponden a una campaña promocional de la nueva empresa u otros parecidos; los **gastos de estudio,** si se ha encargado a algún profesional algún tipo de estudio necesario para la creación de la empresa; etc. En suma, gastos todos ellos que deberían distribuirse a lo largo de la vida de la empresa, pues son imprescindibles para que ésta surja y marche, y que el legislador permite su recuperación vía amortización.

El **fondo de maniobra,** cuyo concepto y finalidad hemos visto en este mismo capítulo, aunque se corresponde con elementos de activo circulante, está financiado con pasivo fijo y por tanto compromete recursos financieros a largo. Por eso, y por ser necesario para garantizar la actividad de la empresa durante un primer período de tiempo, se considera dentro de A.

5.2. *Cash-flow*

El *cash-flow* (Q_i) o flujo de caja puede tener muchas acepciones en su definición, y genera gran polémica en la literatura especializada. Nosotros vamos a considerarlo como el flujo neto producido período a período entre **ingresos por explotación** (por ventas, sin IVA) y gastos necesarios para obtener dichos ingresos, **gastos de explotación** (sin IVA).

Tanto los **ingresos** como los **gastos de explotación** los consideraremos bajo el principio del devengo, es decir, cuando se hayan producido, con independencia de su momento de cobro o pago; y podemos obtenerlos a partir de la cuentas previsionales que hemos visto en este mismo capítulo. Los **gastos de explotación** aquí considerados coincidirán con los costes totales, pero sin tener en cuenta las cuotas de amortización técnicas de los inmovilizados amortizables y que en el cuadro de las cuentas previsionales se recogían dentro del epígrafe de *Otros gastos de explotación.* El no considerar estas amortizaciones responde al hecho de que con los *cash-flow* lo que se pretende cada año es recuperar la inversión en activo fijo (amortizaciones), y en algunos casos pagar su costo (intereses de los préstamos usados para adquirir algunos de estos elementos de activo fijo). En el estudio sobre la viabilidad financiera tendremos ocasión de volver sobre esto.

Pero los ingresos y gastos así considerados en el cálculo de Q_i de cada período de los del horizonte temporal, nos determinarían un *cash-flow* bruto antes de impuestos, y resulta que al final de cada período la primera obligación que debe atender una empresa es el pago del impuesto sobre beneficio (Impuesto sobre Sociedades), por lo que antes de amortizar y pagar los intereses de las deudas contraídas para adquirir bienes de activo final, debe reservar una parte de esa tesorería o flujo de caja para pagar los impuestos (que también se habrán estimado en las cuentas previsionales). Luego el *cash-flow* que el emprendedor debe tener en cuenta y calcular para el análisis de viabilidad es el *cash-flow* después de impuestos.

Tabla 12.8

		AÑO 1	AÑO 2	…	AÑO *n*
(a)	Ingresos por explotación				
(b)	Gastos de explotación (sin amortizaciones)				
(1) = (a) + (b)	*Cash-flow* de explotación, antes de impuestos				
(c)	Impuestos sobre beneficios				
(2) = (1) - (c)	*Cash-flow* de explotación, después de impuestos				

5.3. Valor residual

Podría ocurrir que en algún momento dentro del horizonte temporal del plan de empresa, el emprendedor tenga previsto desprenderse, vendiéndolo, de algún elemento de la inversión, es decir, de algún elemento de activo fijo considerado en el cálculo del desembolso inicial, y que por ello espere obtener una cantidad de dinero. Esta cantidad sería un ingreso extraordinario que afectaría al propio proyecto de inversión que es la creación de la nueva empresa, pues supondría recuperar parte del capital invertido en dicho bien. A esta cantidad que se obtendría en el mercado en un momento dado dentro del horizonte temporal se le denomina **valor residual (*VR*)** del bien.

Vamos a suponer que el emprendedor estima que en algún momento i del horizonte temporal piensa vender un bien que forma parte del desembolso inicial y obtener por ello una cantidad de VR_i €. Podría darse el caso que esta venta hubiese generado una plusvalía fiscal para la empresa (ΔP_i), es decir, que el bien se vendiese por encima de su valor contable en ese momento (VK_i):

$$\Delta P_i = VR_i - VK_i$$

Entonces tendría que pagar impuestos, en concreto:

$$\text{Impuesto por plusvalía} = \Delta P_i \cdot t$$

siendo t la tasa impositiva que corresponda al régimen fiscal de la empresa.

Y sólo podría disponer de:

$$VR_i - \Delta P_i \cdot t = VR_{i,\ \text{después de impuestos}}$$

El valor contable de un bien en un momento dado se calcularía restando al valor contable del momento inicial (VK_0) la amortización acumulada de ese bien desde ese momento hasta el de la enajenación (AA_i):

$$VK_i = VK_0 - AA_i$$

Esta variable hay que tenerla en cuenta, caso de que el emprendedor estime que se puede dar la circunstancia que la genera, para la estimación de la viabilidad económica.

6. Viabilidad económica de la nueva empresa como inversión

Si deseamos poner en marcha una empresa hemos visto que necesitamos efectuar una inversión en los elementos de activo que van a dar forma y realidad a la misma. Es lo que hemos denominado desembolso inicial y representamos por ***A***.

Conforme al plan de empresa que se ha elaborado, se han fijado una serie de objetivos a alcanzar en un determinado horizonte temporal, entre ellos los de ventas, en el plan estratégico, y se han planteado una serie de acciones en el plan de marketing. La evolución de la empresa se reflejará cuantitativamente en las cuentas previsionales del plan financiero. Ahora, dentro de este mismo apartado, se ha de verificar que la nueva empresa es viable económicamente: en el horizonte temporal considerado generará con su actividad normal (de explotación) los recursos monetarios suficientes *(cash-flow)* que permitan recuperar la inversión (A) y además dar un excedente (rentabilidad global). Se trata pues de comparar la salida de dinero que supone crear la nueva empresa (A) con los ingresos netos que esta generará con su actividad habitual de explotación (*cash-flow* después de impuestos, Q_i) y otros ingresos extraordinarios por enajenación de activos de la inversión que se pudiesen dar (valor residual después de impuestos, VR_i) durante los años considerados como horizonte temporal (n) en el plan de empresa.

$$-A + Q_1 + Q_2 + \ldots + Q_n + VR_n$$

En principio, si esta comparación resultase positiva, podríamos decir que la empresa en ese tiempo ha generado fondos suficientes para recuperar la inversión y además hay un beneficio global, y que por tanto sería económicamente viable; si no fuese así la empresa no sería viable.

6.1. La tasa de actualización

Pero esta comparación nos plantea un serio inconveniente. Se comparan cifras en unidades monetarias heterogéneas en cuanto a su valor de adquisición. El desembolso inicial se produce en el momento inicial o cero, y son euros de ese momento, del actual. Los *cash-flow* y el valor residual vendrán dados en euros de los años a los que correspondan, es decir, euros del futuro. Debemos entonces transformar esos euros del futuro en euros de hoy, actualizando los *cash-flow* y los posibles valores residuales.

Para actualizar cada una de esas variables, dividimos la de cada año por la unidad más la tasa de actualización considerada (que llamaremos k), elevada al número de años transcurridos desde el momento inicial. El *cash-*

flow del año *i* vendrá expresado en euros del momento actual si lo actualizamos de la siguiente manera:

$$Q_i \,/\, (1 + k)^i$$

Obviamente, al ser el denominador mayor que la unidad $[(1 + k)^i > 1]$, el *cash-flow* así actualizado será menor que el original, pues habrá habido una pérdida de poder adquisitivo durante esos años.

$$Q_i > Q_i \,/\, (1 + k)^i$$

La cuestión reside ahora en qué «*k*» tomar. Como mínimo debe ser la inflación prevista para ese año, dato que puede obtenerse, su estimación, en diversas fuentes (páginas web del Instituto Nacional de Estadística, del Banco Central Europeo, del Ministerio de Economía, etc.). Pero también tenemos que tener en cuenta el principio de «coste de oportunidad».

Vamos a suponer que el emprendedor dispone del dinero suficiente para poner en marcha una nueva empresa. Si operase racionalmente y con criterio economicista estaría dispuesto a invertir en la creación de la nueva empresa si no hubiese otra alternativa de inversión en el mercado que le diese más rentabilidad con menos riesgo. Entonces estudiaría en el mercado los posibles productos de inversión en que podría colocar ese dinero y la rentabilidad que le proporcionaría, y tomaría como tasa de actualización esta rentabilidad, ya que con eso la pérdida de valor de los *cash-flow* y valores residuales sería la de la rentabilidad alternativa sin riesgo. Si al comparar los flujos actualizados con *A* le diese positivo, ello querría decir que la nueva empresa como inversión es más rentable que la alternativa del mercado sin riesgo. Por tanto, la tasa «*k*» debería ser como mínimo no ya la inflación prevista, sino la rentabilidad de oportunidad a la que se renuncia, si bien es aconsejable tomarla algo más alta, pues así se le exige más al proyecto de inversión de creación de una nueva empresa.

Resumiendo, tomaremos como «*k*» alguna de las siguientes alternativas, de menos a más exigentes:

k: Inflación prevista.
k: Inflación anterior más un diferencial.
k: Rentabilidad de oportunidad en el mercado a la que se renuncia.
k: Rentabilidad anterior más un diferencial.

6.2. Criterio del valor capital

El criterio del valor capital (*VC*) o valor actualizado neto (*VAN*) consiste en comparar el desembolso inicial con los *cash-flow* y valores residuales después de impuestos actualizados a una tasa «*k*» que se elegirá conforme alguno de los criterios expuestos anteriormente.

$$VC = -A + \frac{Q_1}{(1+k)^1} + \frac{Q_2}{(1+k)^2} \dots \frac{Q_n}{(1+k)^n} + \frac{VR_i}{(1+k)^i}$$

$$VC = -A + \sum_{i=1,\dots,n} \frac{Q_i}{(1+k)^i} + \frac{VR_i}{(1+k)^i}$$

VC $> 0 \rightarrow$ Económicamente viable

VC $\leq 0 \rightarrow$ Económicamente no viable

El valor capital nos da una medida de la rentabilidad global referida al momento actual de la inversión que es crear una nueva empresa.

En principio, el emprendedor optará por crear la nueva empresa conforme al plan de empresa si se verifica la viabilidad económica del proyecto, si bien y por prudencia ésta deberá complementarse con la comprobación de que también es financieramente viable.

7. Viabilidad financiera de la nueva empresa como inversión

Que un proyecto de creación de una nueva empresa sea económicamente viable es condición necesaria pero no ha de ser suficiente para que se lleve a cabo. La viabilidad económica debe complementarse con un análisis de su **viabilidad financiera:** comprobar para cada período del horizonte temporal que los *cash-flow* de explotación después de impuestos son suficientes para atender las obligaciones de pago que se derivan de la financiación ajena que se haya utilizado para la adquisición de elementos del desembolso inicial (amortización de los préstamos y pago de intereses), más amortizar contablemente el resto de los bienes financiados con fondos propios.

Que un proyecto sea financieramente viable significa que los *cash-flow* de explotación netos (después de pagar impuestos) son suficientes

Tabla 12.9

		AÑO 1	AÑO 2	AÑO *n*
(1)	*Cash-flow* de explotación, después de impuestos			
(a)	Costes financieros			
(b)	Amortizaciones financieras			
(c)	Amortizaciones contables			
(2) = (1) - (a) - (b) - (c)	**Remanente de explotación**			

para remunerar los capitales ajenos que financian el proyecto y reembolsar su principal, en el momento en que se producen dichas obligaciones, que será cada período, y además dotar un fondo de amortización para aquellos bienes que se han financiado con recursos propios de los socios de la empresa (lo que garantiza como mínimo el valor de su inversión); pudiendo quedar además un remanente que la empresa utilizaría en dotar reservas y/o remunerar los capitales propios (pago de dividendos).

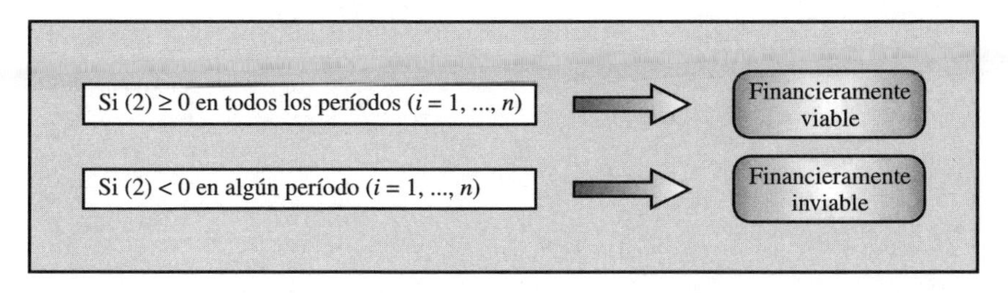

Figura 12.4

Por el contrario, si en algún período el remanente fuese negativo, quiere esto decir que los flujos generados son insuficientes para atender las obligaciones financieras de pago de intereses (costes financieros), devolución de principal (amortización financiera), e incluso amortizar los demás bienes, por lo que se tendrían problemas financieros que alterarían el desarrollo de todo el proyecto e incluso podrían dificultar su realización; en este caso decimos que el proyecto es financieramente inviable.

Se abordarán aquellos proyectos que sean económica y financieramente viables.

PARTE CUARTA
Constitución y puesta en marcha de la nueva empresa. Aspectos formales

13 La forma jurídica de la empresa

1. Tipología

La actividad empresarial debe desarrollarse siempre dentro del marco legal vigente, y para ello es obligatorio que la futura empresa adopte una forma jurídica. Nuestro ordenamiento jurídico contempla diferentes formas jurídicas, que a continuación recogemos.

Empresario individual.
Comunidad de bienes.
Sociedades civiles:
- Sin personalidad jurídica propia.
- Con personalidad jurídica propia.

Sociedades mercantiles personalistas y mixtas:
- Contratos en cuentas en participación.
- Sociedad colectiva.
- Sociedad comanditaria:
  - *a)* Simple.
  - *b)* Por acciones.

Sociedades mercantiles capitalistas:
- Sociedad de responsabilidad limitada.
- Sociedad unipersonal de responsabilidad limitada.
- Sociedad anónima.
- Sociedad anónima unipersonal.
- Sociedades laborales (anónimas y limitadas).

Sociedades mercantiles especiales.
Cooperativas.
- Las cooperativas de trabajo asociado.

Como ya vimos en el capítulo 1, conforme a los datos del Directorio Central de Empresas (DIRCE) del Instituto Nacional de Estadística (INE), la forma jurídica más común en nuestro país es la de empresario individual, seguida de las formas mercantiles de sociedad de responsabilidad limitada y sociedad anónima. A continuación vamos a ver con mayor detenimiento estas tres y expondremos las características fundamentales de las demás.

2. Factores a tener en cuenta a la hora de elegir una forma jurídica

La elección de la forma jurídica que daremos a la nueva empresa es una decisión de gran trascendencia, que no debe improvisarse y sí sopesarse, teniendo en cuenta una serie de **factores** que inciden en dicha decisión, entre los que destacaremos como **principales** a los siguientes.

a) Tipo de actividad y sector

La actividad a desarrollar y el sector productivo donde se ubicará la nueva empresa pueden condicionar la forma jurídica a elegir. Por ejemplo, bancos, seguros y similares han de adoptar por imperativo legal la forma jurídica de sociedad anónima.

b) Número de participantes en el proyecto

El número de personas que van a participar en el proyecto, así como su grado de implicación en la gestión del mismo, es un factor a tener en cuenta a la hora de elegir una u otra forma, como podremos ver más adelante.

c) Responsabilidad de los socios promotores

Es decir, si ésta va a ser meramente económica (se limitará a la aportación del capital) o también política (se intervendrá en la gestión efectiva); si se desea responder con todo el patrimonio o si por el contrario limitamos el capital que arriesgamos.

d) Relaciones entre los socios

Es decir, grado de conocimiento entre sí: relación de amistad, familiar, circunstancial, etc.; o bien si va a existir una vinculación por aportación de conocimientos, de actuación profesional o de otro tipo.

e) Dimensión económica del proyecto

La propia ley establece unos límites al capital social inicial, que en principio ha de ser el reflejo de la dimensión económica del proyecto. Así, las sociedades anónimas sólo pueden constituirse con un capital mínimo de 60.101 € y las limitadas con 3.005 €.

f) Control económico y político

El deseo de controlar la gestión empresarial puede hacer optar a los promotores por unas u otras formas jurídicas.

g) Cuestiones fiscales

Éstas están adquiriendo cada vez mayor importancia debido al tratamiento diferenciado de los beneficios, ayudas e incentivos a determinados proyectos bajo ciertas formas jurídicas: cooperativas, sociedades laborales y autónomos principalmente.

h) Otros factores

Afectan sobre todo a los promotores: su situación familiar, sus perspectivas de futuro personal, situación laboral, necesidades de liquidez, etc.

3. El empresario individual

También denominado «autónomo», si bien esta terminología es propia de una forma de alta y cotización a la Seguridad Social, a la que por otra parte han de acogerse la mayoría de los empresarios individuales. De las 2.942.583 empresas que había en España a finales de 2004, 1.738.456 (el 59,08 por 100) eran empresarios individuales. De éstos, 1.183.572 carecían de asalariados (personal empleado) a su cargo, 423.608 tenían hasta dos empleados, 97.321 entre tres y cinco empleados, 24.456 entre seis y nueve asalariados, 7.928 entre diez y diecinueve y, por último, 1.571 contaban con una plantilla de entre 20 y 49 empleados; es decir, predomina la microempresa. Y es que al empresario individual lo encontramos por doquier: el taxista, el dueño del bar al que solemos acudir, el quiosquero que nos vende la prensa, la dueña de la panadería del barrio, etc.

3.1. Aspectos fundamentales

Empresario individual o autónomo es cualquier persona física con capacidad legal para ejercer el comercio o una actividad empresarial, y así lo hace en nombre propio, por sí o por medio de representante.

En este caso, el empresario o promotor es responsable de las consecuencias de su actividad empresarial con todo su patrimonio presente y futuro, con independencia de la dedicación de los elementos patrimoniales a la actividad empresarial o a su privacidad no empresarial.

La ***normativa legal*** que lo regula se encuentra mayoritariamente en el **Código de Comercio** y en ciertos aspectos en el **Reglamento del Registro Mercantil** (RD 1597/1989 de 29 de diciembre y RD 1418/1991 de 27 de septiembre).

Para ser empresario individual hay que:

— Tener **capacidad para ser empresario:** mayores de edad o menores emancipados, no estar incapacitado judicialmente (tener libre disposición de sus bienes) ni por quiebra (cuando se esté incurso en el procedimiento de quiebra y no haya sido rehabilitado o autorizado en virtud del convenio de acreedores, se entenderá procede esta incapacidad, que más bien ha de entenderse como inhabilitación legal mientras dure la situación descrita); y excepcionalmente menores e incapacitados a través de sus representantes legales.

— No estar en alguno de los supuestos de **prohibiciones legales para el ejercicio del comercio.** Esta situación no debemos confundirla con la incapacidad, ya que realmente se trata de una incompatibilidad de ejercicio de actividades mercantiles debida a disposiciones legales o reglamentarias o por posesión de determinados cargos. Esta prohibición puede ser **absoluta** (a determinadas profesiones se les prohíbe, por la naturaleza de las mismas, que quienes las ejercen pueda ejercer en su propio nombre cualquier actividad mercantil dentro del territorio nacional: militares, clérigos, etc.), **relativa** (se circunscriben a un determinado territorio donde se ejerce una determinada profesión, a fin de evitar el posible conflicto de intereses: jueces, magistrados, fiscales, ciertos funcionarios, etc.) o en **relación con la actividad** (socios de determinados tipos societarios no pueden ejercer la misma o análoga actividad que la de su sociedad, es decir, constituirse como competencia).

Además, y eso es importantísimo, el empresario individual, respecto a su actividad empresarial, tiene una **responsabilidad ilimitada.** Al ejercerse la actividad mercantil en nombre propio, el empresario individual arrostra con todas las consecuencias de la misma, respondiendo de sus operaciones mercantiles no sólo el capital o patrimonio invertido en las mismas, sino también todo su patrimonio personal.

Conviene hacer una especial mención al caso del empresario individual que está casado, ya que la responsabilidad del mismo también afectaría a los bienes del matrimonio si, como es lo habitual, se encuentran en régimen de gananciales, que es la presunción de ley. Por tanto, es recomendable establecer en las capitulaciones matrimoniales el régimen de separación de bienes, el cual se puede establecer en cualquier momento, debiendo hacerse constar para que tenga efectos ante terceros. En estas capitulaciones se delimitarán los bienes que pertenecen a cada cónyuge y los comunes del matrimonio.

Si bien la organización, dirección y control de la actividad empresarial está bajo el libre albedrío del empresario individual, la ley limita a éste al imponerle determinadas ***obligaciones:***

- **Llevar la contabilidad,** si bien, y con carácter general, de forma muy básica pero ordenada, de manera que permita un seguimiento cronológico de sus principales operaciones, con la llevanza de ciertos libros obligatorios (de inventarios y cuentas anuales, diario, compras y ventas...).
- **Entregar facturas** o cualquier documento que refleje la naturaleza y realidad de sus operaciones mercantiles.
- **Conservar los libros contables,** correspondencia y cuantos documentos sean concernientes a su actividad y la justifique, al menos durante seis años.
- **Ser leales a las normas y usos mercantiles,** no realizando prácticas incorrectas y/o prohibidas.
- **Sometimiento a los procedimientos de suspensión de pagos y quiebra,** a fin de resolver las situaciones de crisis económica.

La inscripción del empresario individual en el Registro Mercantil es potestativa, salvo en el caso de los navieros que es obligatoria. Ahora bien, es aconsejable la inscripción, ya que si no se hace no podrá solicitarse la inscripción de ningún documento en dicho Registro, ni aprovechar sus efectos legales y de publicidad frente a terceros.

3.2. Cuándo ser empresario individual

Esta alternativa es la más idónea cuando se dan las siguientes circunstancias:

— Se es una persona responsable dispuesta a asumir el hecho de que se va a hacer frente a las deudas con la totalidad del propio patrimonio.
— Se pretende poner en marcha un «negocio familiar» o con amigos de mucha confianza.
— Se tiene un buen proyecto pero poco dinero.
— El proyecto empresarial se basa en el trabajo continuo, en el esfuerzo colectivo y en una gestión personalizada.
— Se es un profesional independiente, sólo o con amigos.

4. La sociedad anónima

Es una forma mercantil capitalista. En España, las últimas estadísticas nos mostraban que a finales de 2004 había 122.579 (4,17 por 100) empresas que habían adoptado esta forma jurídica, siendo en la que se da el mayor número de empresas medianas y grandes, si bien siguen predominando las micro y pequeñas (mypes).

4.1. Aspectos fundamentales

Podríamos decir que es la más clara expresión de una sociedad mercantil capitalista. Su capital social se encuentra dividido en partes alícuotas denominadas acciones que suscriben y desembolsan sus socios, limitándose su responsabilidad a su aportación. Las acciones son activos financieros primarios, títulos negociables susceptibles de transmisión.

En principio, la actividad u objeto de una sociedad anónima puede ser cualquiera siempre que sea lícito; algunas actividades han de desarrollarse, por imperativo de ley, por sociedades anónimas (banca, seguros, etc.).

Son sociedades democráticas (cada acción un voto) y abiertas (la condición de socio es transmisible), en las que para ser administrador no se requiere la condición de socio.

La **normativa legal aplicable** viene constituida principalmente por las siguientes normas:

— *Texto refundido de la Ley de Sociedades Anónimas* aprobado por el **Real Decreto Legislativo 1564/1989 de 22 de diciembre.**
— *Disposición adicional segunda* de la **Ley 2/1995 de 23 de marzo de Sociedades de Responsabilidad Limitada,** que modifica diversos artículos del *Texto Refundido* anteriormente citado.
— **Ley 19/1989, de 25 de julio,** sobre adaptación de la legislación mercantil a las directivas comunitarias en materia de sociedades.
— **Reglamento del Registro Mercantil, Real Decreto 1597/1989, de 29 de diciembre, y Real Decreto 1418/1991, de 27 de septiembre.**

En cuanto al **número de socios,** ha de ser como mínimo de dos (aunque se admiten sociedades anónimas unipersonales, en cuyo caso ha de hacerse constar en todos los documentos que emita: facturas, albaranes, etc.) con independencia del numero de acciones que suscriba cada uno (lo mínimo que se admite es que uno de ellos sólo tenga una acción). Al tratarse de una sociedad puramente capitalista, la personalidad del socio no tiene relevancia alguna, importando exclusivamente su aportación económica, que se pone de manifiesto en la titularidad o posesión de acciones.

La **fundación de la sociedad anónima** puede llevarse a cabo por dos procedimientos distintos según establece la ley en exclusiva para este tipo de sociedades: ***fundación simultánea*** y ***fundación sucesiva.***

La ***fundación simultánea*** es la más habitual. En un solo acto se suscribe la totalidad de las acciones que constituyen el capital social, siendo socios fundadores los que otorguen la escritura social de constitución, donde se recogerá el estatuto de gobierno.

En la ***fundación sucesiva*** los socios promotores de la empresa en el acto de creación de la sociedad no suscriben la totalidad de las acciones, sino que la misma se va produciendo de forma continuada, cubriéndose las siguientes **fases:**

— ***Primera.*** Redacción por parte de los promotores de un «programa fundacional».
— ***Segunda.*** Inscripción y publicación del «programa fundacional» en el Registro Mercantil y en su boletín.
— ***Tercera.*** Suscripción de acciones y desembolso al menos del 25 por 100 de su nominal (y de su prima de emisión si la hubiere).
— ***Cuarta.*** Convocatoria y celebración de una «junta general constituyente» de la sociedad.

— ***Quinta.*** Otorgamiento de «escritura pública de constitución» e inscripción de la misma en el Registro Mercantil.

En ambos sistemas de fundación los socios fundadores o promotores pueden reservarse ciertos derechos o ventajas que no podrán exceder el 10 por 100 del beneficio neto de la sociedad por un período máximo de diez años («bonos del fundador»). La ley regula detalladamente la responsabilidad de los promotores sobre los actos de la sociedad previos a su inscripción en el Registro Mercantil.

Las sociedades anónimas tendrán un **capital social** que no podrá ser nunca inferior a 60.096 €, dividido en partes alícuotas denominadas «acciones», de igual valor nominal (la suma de los valores nominales de las acciones coincidirá con el importe total del capital social) e idénticos derechos económicos (percibir beneficios cuando los haya y se distribuyan; participar en el reparto de la masa social neta en caso de disolución) y políticos (participación en las juntas y sus deliberaciones y derecho a voto: «una acción, un voto»).

Las **acciones** son activos financieros primarios, emitidos por la propia sociedad. Son títulos valores negociables y por tanto con un valor. Hay que distinguir entre ***valor nominal*** como parte alícuota del capital social; ***valor real,*** que refleja, para cada acción, la parte proporcional del valor del patrimonio neto de la empresa en un momento dado, y que también se llama *valor en libro,* ya que se calcula en base a los datos aportados por la contabilidad de la empresa; y ***valor de mercado*** o ***cotización,*** que es el valor que adquiere la acción en el mercado de compraventa de títulos como consecuencia de su oferta y demanda. Este último valor es de especial trascendencia en aquellas empresas o sociedades que cotizan en Bolsa (mercado secundario de capitales), y en él, de una forma implícita, se tienen en cuenta factores internos y externos de la empresa que inciden en su marcha y perspectivas de futuro: mercado de sus productos (demanda actual y prevista), su cuadro directivo, coyuntura económica, marcha del sector, etc.

Las **acciones** pueden ser **nominativas,** cuando en el título se identifica a su titular, o **al portador,** donde no se hace constar al propietario en el título, siendo su titular su último tenedor legítimo.

Existe plena libertad a la hora de elegir la **denominación social** de una sociedad anónima, imponiéndose la obligación de hacer constar la indicación de «Sociedad Anónima» o su abreviatura «S. A.» (o «Sociedad Anónima Unipersonal» o «S. A. U.», cuando hay un solo accionista) tras la misma, y la imposibilidad de elegir otra denominación igual o semejante a la de otra sociedad ya existente (debidamente inscrita en el Registro Mercantil); también se prohíben denominaciones que puedan ser iguales o parecidas a las de organismos oficiales o públicos, que induzcan a error o que alteren el orden público y las buenas costumbres.

4.2. El gobierno de la sociedad anónima

Los ***órganos de gobierno*** fundamentales de toda sociedad anónima son:

A) **La junta general de accionistas.** Máximo órgano soberano y deliberante; es la reunión de los accionistas debidamente convocada, para deliberar y decidir por mayoría sobre determinados asuntos sociales.

Corresponde a los administradores convocar la junta general, haciendo constar en la convocatoria la fecha, hora y lugar de celebración y los temas del orden del día, únicos sobre los que se podrá deliberar y votar.

Las juntas pueden ser de varios ***tipos:***

- ***Junta ordinaria.*** Aquella que se reúne cuando lo indican los estatutos. Obligatoriamente ha de celebrarse una dentro de los seis primeros meses del ejercicio para aprobar o censurar la gestión y las cuentas y balances del ejercicio precedente que se ha cerrado. Esta convocatoria ha de hacerse mediante la inserción de un anuncio de la misma en el Boletín Oficial del Registro Mercantil y en un periódico de la provincia con una antelación de al menos quince días.
- ***Junta extraordinaria.*** La convocada por los administradores por necesidad de los intereses sociales o a petición de socios que representen al menos el 5 por 100 del capital social.
- ***Junta universal.*** La celebrada espontáneamente y que queda válidamente constituida por estar presente todo el capital social desembolsado y con el acuerdo de todos los asistentes.
- ***Junta general obligatoria.*** Convocada judicialmente, bien a instancias del propio juez o porque se le ha requerido a éste por accionistas que representan al menos el 5 por 100 del capital social cuando la ordinaria no se ha celebrado dentro de plazo o la extraordinaria, solicitada por al menos el 5 por 100 del capital, no ha sido convocada por los administradores.

La **constitución de la junta general** será válida en primera convocatoria si los accionistas presentes o representados poseen al menos el 25 por

100 del capital suscrito con derecho a voto; en segunda convocatoria se admitirá su validez cualquiera que sea el capital concurrente. Este mínimo puede ser aumentado (nunca disminuido) estatutariamente.

Los **acuerdos ordinarios** de la junta general se adoptarán por la mayoría del capital concurrente (votos) y obligan a los accionistas presentes, a los ausentes y a los disidentes. Tanto legal como estatutariamente cabe el establecimiento de mayorías reforzadas para la adopción de ciertos acuerdos de gran trascendencia (modificación del objeto social, ampliación o disminución del capital, fusiones, etc.).

B) **Los administradores** constituyen el órgano encargado de ejecutar la voluntad social formada en la junta general, de la gestión y representación de la sociedad en juicio y en el comercio ordinario. Estatutariamente se establecerán los poderes de representación y gestión de éste órgano.

Pueden darse varias ***clases de administradores:***

a) ***Unipersonales.*** La administración recae en una sola persona. Su nombramiento se recogerá en escritura pública que se inscribirá en el Registro Mercantil, y en la que se recogerán los poderes que se le confieren.
b) ***Pluripersonales.*** El órgano de administración está formado por dos o más personas, pudiendo ser sus poderes y adopción de acuerdos ***solidarios, mancomunados*** o ***colegiados.***

— ***Administradores solidarios.*** Cada administrador puede actuar de forma separada, sin necesidad de consentimiento de los demás y obligando con sus actos a la sociedad.
— ***Administradores mancomunados.*** Se requiere que todos los administradores estén de acuerdo sobre el acto a realizar.
— ***Administradores colegiados.*** Configuran lo que se conoce como **Consejo de Administración,** que se formará por un número de personas, nunca inferior a tres, elegidos por la junta general. Actuarán colegiadamente y celebrarán reuniones en las que decidirán por mayoría y levantarán acta del contenido de la misma.

El nombramiento de los administradores de la sociedad se realizará en el mismo acto de constitución, siendo competencia de la Junta General su nombramiento, revocación o confirmación en el cargo. Legalmente, la duración del cargo de administrador es de cinco años máximo, si bien cabe la reelección por períodos iguales. Siempre deberán figurar inscritos estos cargos con sus competencias y duración en el Registro Mercantil.

Los administradores responden frente a la sociedad, a los accionistas y a los acreedores sociales de los perjuicios causados por su actuación negligente o contraria a la ley o los estatutos.

Nada impide que un socio pueda ser administrador.

4.3. Los estatutos de la sociedad anónima

La **escritura de constitución** que contendrá los **estatutos de la sociedad anónima** tendrá los siguientes **contenidos** mínimos:

— Denominación de la sociedad.
— Objeto y actividad social.
— Duración de la sociedad.
— Fecha de comienzo de las operaciones.
— Domicilio social.
— Capital social.
— Número y clases de acciones.
— Capital no desembolsado: plazo máximo y forma de desembolsarlo.
— Órganos que ejercerán la administración y representación.
— Límites de la capacidad de representación de los administradores.
— Convocatoria de la junta de socios: plazos y forma de convocatoria.
— Forma en que se tomarán los acuerdos.
— Restricciones a la libre transmisión de acciones.
— Otros pactos lícitos.
— Aportaciones no dinerarias y su valoración (si las hubiera).

La escritura de constitución con los estatutos, además de cuantos actos societarios lo exijan (modificación de estatutos, apoderamientos, actas de las juntas, etc.), ha de intervenirse por y ante fedatario público (notario) e inscribirse en el Registro Mercantil correspondiente.

La elaboración de los estatutos requiere gran atención por parte de los emprendedores. Conviene tener antes muy claras las ideas de cómo se quiere gobernar, cuál será el capital de la sociedad, su objeto social, etc., y trasladarlas a un profesional del derecho para que redacte los estatutos.

4.4. Cuándo adoptar la forma de sociedad anónima

La sociedad anónima es adecuada para las grandes empresas que requieren de un capital importante para su puesta en marcha, capital que habrá de ser obtenido principalmente a través de la financiación aportada por la suscripción de acciones.

Con carácter general, se recomienda esta forma de sociedad cuando se dan las siguientes circunstancias:

— Se tiene un capital mínimo de 60.096 €.
— Se quiere una entidad mercantil.
— Se desea mantener el propio patrimonio al margen de la actividad empresarial.
— Se quiere favorecer la movilidad en la transmisión de las acciones (de la propiedad).
— Aprovechar las ventajas de las sociedades mercantiles.
— Hay muchos socios.
— Gestión muy profesionalizada.

4.5. La sociedad anónima unipersonal

No se diferencia en nada de las demás, salvo que tiene un solo socio, siéndole de aplicación la misma normativa, además de la *disposición adicional segunda n.º 20* de la **Ley 2/1995 de 23 de marzo de Sociedades de Responsabilidad Limitada,** y el *capítulo XI* de esta misma ley, cuyos aspectos más relevantes comentamos en un siguiente apartado dedicado a las Sociedades de Responsabilidad Limitada Unipersonales.

Junto a su denominación, este tipo de sociedades ha de poner de manifiesto su carácter de unipersonal (por ejemplo, «X», sociedad anónima unipersonal).

Al existir un único socio, éste realizará las funciones de la junta general, por lo que sus decisiones deberán figurar en acta bajo su firma o la de su representante legal al efecto, pudiendo ser ejecutadas y formalizadas por el propio socio o los administradores de la sociedad.

5. Sociedad de responsabilidad limitada

Es la modalidad mercantil más utilizada; en 2004, según el DIRCE, 839.958 (28,54 por 100) empresas desarrollaban su actividad bajo esta forma jurídica.

5.1. Aspectos fundamentales

También denominada «Sociedad Limitada», siendo sus siglas «S. R. L.» o «S. L.». Es una sociedad mercantil (tiene su propia personalidad jurídica) de carácter capitalista. Los socios limitan su responsabilidad a la aportación que hacen a la sociedad, no respondiendo personalmente de los actos societarios, siendo ésta y subsidiariamente sus administradores quienes responden por los mismos. Su actividad u objeto social puede ser cualquiera con las limitaciones impuestas por la ley.

Su **capital** no puede ser inferior a 3.012 € y está dividido en partes alícuotas del mismo, que no podrán denominarse acciones ni incorporarse a títulos negociables, y han de estar desembolsadas en su totalidad desde el mismo momento de la fundación. Se denominan participaciones.

El **número mínimo de socios** será de dos (aunque se admiten sociedades limitadas unipersonales, en cuyo caso ha de hacerse constar en todos los documentos que emita: facturas, albaranes, etc.), adquiriéndose tal condición con la suscripción y desembolso de una o varias **participaciones.** Todas tendrán igual valor y los mismos derechos económicos y políticos: a participar en las ganancias sociales y en los resultados positivos de la liquidación, derecho de asistencia y voto en la junta general, derecho de información y derecho de suscripción preferente. También son indivisibles.

Las **aportaciones** de los socios pueden ser **pecuniarias** (en dinero), en **especies** (bienes tangibles) y en **derechos** (patentes, marcas, etc.), excluyéndose la simple aportación de trabajo o servicio de los socios, si bien nada impide que éstos trabajen para la sociedad con o sin retribución, pero nunca se integran como parte del capital social. Las aportaciones no dinerarias han de ser previamente valoradas; dicha valoración puede ser establecida unánimemente por los socios o por un perito independiente elegido por los mismos.

Cuando se denominen este tipo de sociedades, habrán de ir tras la razón social o nombre comercial las siglas «S. L.» o «S. R. L.».

Con carácter general, la normativa legal aplicable a este tipo de sociedad la encontramos en la **Ley 2/1995** de 23 de marzo de 1995 de *Sociedades de Responsabilidad Limitada;* **Ley de Sociedades Anónimas,** texto refundido aprobado por Real Decreto Legislativo 1564/1989 de 22 de diciembre; **Reglamento del Registro Mercantil,** RD 1597/1989, de 29 de diciembre, y **RD 1418/1991,** de 27 de septiembre.

5.2. El gobierno de la sociedad limitada

Los **órganos de gobierno** de toda sociedad limitada son la junta general y los administradores.

La ***junta general*** es el órgano soberano y deliberante, en cuanto reunión de socios partícipes debidamente convocada y constituida. La *junta general* funciona por ley conforme al principio mayoritario, es decir, las deliberaciones y decisiones sobre los asuntos sociales que trate se acordarán y tomarán por mayoría de votos válidamente emitidos. En principio cada participación confiere derecho a un voto, salvo disposición en contra de los estatutos. Los acuerdos sociales, con carácter general, se adoptarán por mayoría siempre que representen al menos un tercio de los votos de las participaciones en que se divide el capital social; no obstante lo dicho, ciertos acuerdos de gran trascendencia (como puede ser la ampliación o disminución de capital, fusión o disolución de la sociedad, etc.) necesitan contar con más de la mitad de los votos, y otros con los dos tercios como mínimo. El único límite legal a la voluntad de las partes es que no se pueden establecer en los estatutos reglas de unanimidad de votos.

Obligatoriamente la *junta general* se **convocará** al menos una vez en el ejercicio social dentro de los seis primeros meses del mismo, y en ella se han de aprobar las cuentas y gestión del ejercicio precedente; también se podrá convocar de forma **voluntaria** por los administradores; **necesaria,** por interés de los administradores o a solicitud de socios que representen al menos el 5 por 100 del capital social; **judicial,** si denegada la convocatoria por los administradores los socios que representan al menos el 5 por 100 del capital lo solicitan al juez de primera instancia, y **universal,** si reunidos todos los socios, sin convocatoria, deciden celebrarla.

Los ***administradores*** son el órgano encargado de la gestión y representación de la sociedad. Ésta podrá ser administrada por una o más personas, que pueden no ser socios, que serán nombrados en la escritura de constitución o posteriormente por acuerdo de la junta general que se elevará a público en escritura. El nombramiento, las competencias, atribuciones y duración en el cargo de los administradores han de recogerse en escritura pública.

La ley permite la adopción de diversas **formas de administración,** que deben recogerse, una vez elegida, en los estatutos sociales, de forma que si se cambia la forma de administración han de modificarse los estatutos sociales en los artículos que competan a este tema a través de escritura pública que se inscribirá en el Registro Mercantil.

Las clases de **administración** previstas por la ley son **unipersonal** y **pluripersonal,** y ésta a su vez puede ser mancomunada o solidaria.

La **administración unipersonal** es la ejercida por una sola persona, un administrador único.

La **administración pluripersonal** supone la creación de un órgano de administración formado por dos o más personas, que dependiendo de la forma en que puedan adoptar acuerdos y tomar decisiones serán administradores solidarios o administradores mancomunados. En la administración solidaria cada administrador podrá actuar de forma separada sin necesidad del consentimiento de los demás y obligando con sus actos a la sociedad. En la administración mancomunada se precisa el acuerdo de todos los administradores sobre el acto a realizar; se suelen organizar bajo lo que se conoce como Consejo de Administración, con un mínimo de tres miembros y un máximo de doce, adoptándose los acuerdos por mayoría.

Señalar que la ley establece una clara prohibición a los administradores: no podrán dedicarse por cuenta propia ni ajena a la misma actividad que constituye el objeto de la sociedad que administran.

5.3. Los estatutos de la sociedad limitada

La **escritura de constitución** y los **estatutos** de una sociedad limitada contendrán como mínimo los siguientes elementos:

- Identificación de los socios partícipes en la constitución (nombre y apellidos, nacionalidad y domicilio, NIF o pasaporte).
- Razón social.
- Objeto y actividad social.
- Domicilio social.
- Fecha de cierre del ejercicio social.
- Duración de la sociedad, que por defecto se considera indefinida.
- Capital social.
- Número de participaciones en que se divida el capital con su valor nominal y numeración correlativa.
- Valoración de las aportaciones en especies.
- Forma o formas posibles en que se organizará la administración social.
- Formas en que se deliberarán y tomarán acuerdos por la junta general de socios, sus convocatorias y constitución.
- Designación de los administradores y representantes.
- Cuantos demás pactos lícitos estimen convenientes incluir.

La escritura de constitución con los estatutos, además de cuantos actos societarios lo exijan (modificación de estatutos, apoderamientos, actas de las juntas, etc.), ha de intervenirse por y ante fedatario público (notario) e inscribirse en el Registro Mercantil correspondiente.

Como en el caso de las sociedades anónimas, aquí también hay que poner gran cuidado y atención a la hora de elaborar los estatutos, por lo que es igualmente aconsejable acudir a profesionales.

5.4. Cuándo adoptar la forma de sociedad limitada

Es la forma más idónea para las pequeñas empresas con pocos socios, pues facilita la gestión sencilla y flexible de la misma.

Dependiendo de la fiscalidad y de los aspectos comerciales será o no interesante la creación de una sociedad limitada unipersonal.

En cualquier caso se recomienda cuando se dan las siguientes circunstancias:

— Se tiene un capital mínimo de 3.012 €.
— No se dispone de mucho dinero líquido para invertir.
— Se quiere algo más que un simple negocio.
— Se desea mantener el propio patrimonio al margen de la actividad empresarial y no correr grandes riesgos individualmente.
— Se trata de una pequeña o mediana empresa.
— Se quieren aprovechar las ventajas de las sociedades mercantiles.
— Se desea llevar una gestión profesionalizada.
— Hay pocos socios (de uno en adelante).

En el caso de las sociedades limitadas, la aportación en especies al capital resulta mucho más sencilla y cómoda que la sociedad anónima; en ésta siempre se exige una tasación independiente de los bienes que se aportan. En la limitada basta con el común consentimiento de los socios en el momento de la constitución y suscripción, salvo que alguno o algunos exijan una tasación externa.

5.5. La sociedad limitada unipersonal

En sus aspectos más relevantes no difiere de la sociedad limitada normal, con la peculiaridad principal de que todas las participaciones en que se divide el capital social pertenecen a un único socio.

La condición de **unipersonal** puede adquirirse desde el mismo momento de la constitución o posteriormente. En el primer caso, existe un único socio fundador que suscribe y desembolsa todas las participaciones del capital social. En el caso de que se constituya como sociedad limitada normal con la participación de varios socios, puede darse el caso de que alguno de los socios o incluso un tercero se haga con la totalidad de las participaciones del capital, pasando entonces a ser una sociedad de carácter unipersonal. Pero siempre ha de hacerse constar públicamente la condición de unipersonal en todos los documentos tales como facturas, correspondencia o publicidad en que figure la razón social, de manera que tras las siglas S. L. o S. R. L. se indique «unipersonal» («X» S. L. unipersonal, o «X» S. R. L. unipersonal).

Aunque exista un único socio, al tratarse de una sociedad mercantil capitalista, la responsabilidad de éste se limita a su aportación, en este caso la totalidad del capital. Por la misma circunstancia, aquí no tiene sentido la junta general de socios como máximo órgano soberano de gobierno. El socio único y sus decisiones ejercerán las competencias de ésta; por ello sus decisiones deberán constar en acta bajo su firma o la de su representante legal, pudiendo ser ejecutadas y formalizadas por el mismo socio o por los administradores de la sociedad. En cuanto a los administradores, el socio único podrá optar por nombrar uno o varios administradores con las mismas características que las ya vistas con carácter general para la sociedad limitada.

6. Otras formas jurídicas

Las expuestas con anterioridad son las más comunes. A finales de 2004 el empresario individual suponía el 59,08 por 100 (1.738.456) del tejido empresarial español; la sociedad limitada, el 28,54 por 100 (839.958), y la sociedad anónima, el 4,17 por 100 (122.579). Es decir, estas tres formas jurídicas suponen casi el 92 por 100 del total. No obstante, conviene conocer los aspectos más generales de otras formas jurídicas que puede adoptar la empresa.

6.1. Comunidad de bienes

Conforme al artículo 392 del Código Civil, existe comunidad de bienes o condominio «cuando la propiedad de una cosa o un derecho pertenece en pro indiviso a varias personas». Esta cosa o derecho puede tener una naturaleza u objeto mercantil, siendo en este caso todos los comuneros responsables solidarios, adquiriendo la consideración de empresarios individuales, y les es de aplicación a cada uno de ellos todo lo concerniente al empresario individual, de forma solidaria.

6.2. Sociedades civiles

El Código Civil, artículo 1.665, define esta modalidad contractual como un «contrato por el cual dos o más personas se obligan a poner en común dinero, bienes o industria, con ánimo de partir entre sí las ganancias».

La sociedad civil es un contrato que surge de la voluntad de las partes, dos o más, y desde ese momento emanan una serie de obligaciones (aportar bienes, dinero, derechos, trabajo u otra cosa con el fin de obtener unos rendimientos, y compartir pérdidas y responsabilidades) y derechos (participar en el beneficio, cuando lo haya). En este contrato la condición empresarial de los socios es indiferente, pero todos tienen una responsabilidad solidaria, y en principio ilimitada, respecto de los actos de la sociedad.

La sociedad civil puede constituirse de cualquier forma, salvo que se aporten bienes inmuebles, en cuyo caso será necesaria la escritura pública y la realización de un inventario.

Puede ser ***particular*** o ***universal.*** La ***sociedad civil particular*** es la más común; tiene por objeto únicamente cosas determinadas, su uso o sus frutos, o una empresa señalada, o el ejercicio de una profesión o arte; en definitiva, exclusivamente tiene como aportación bienes concretos y determinados (art. 1.678 C.c.).

La ***sociedad civil universal*** puede a su vez ser ***de todos los bienes*** o ***de todas las ganancias.*** La ***sociedad universal de bienes*** es aquella en la que los socios aportan bienes muebles o inmuebles que pasan a ser propiedad común, así como las ganancias que de ellos se deriven (art. 1.673 C.c.), existiendo una auténtica copropiedad tanto sobre los bienes como sobre las ganancias. La ***sociedad universal de ganancias*** comprende todo lo que adquieren los socios por su industria o trabajo mientras dure la sociedad, considerándose que cada socio tiene la nuda propiedad sobre los bienes muebles o inmuebles aportados, adquiriendo la sociedad simplemente un derecho de usufructo sobre los mismos (art. 1.675 C.c.). Se trata pues de una sociedad de trabajo o industria, donde los socios repartirán las ganancias obtenidas conservando el dominio de sus bienes privativos.

En la sociedad civil la **responsabilidad de los socios** es ilimitada, respondiendo todos de las pérdidas en la forma pactada o, en defecto de convención, en proporción a su participación en la sociedad, pero en todo caso de forma subsidiaria (después de agotar los recursos de la sociedad), mancomunada (conjuntamente) e ilimitada (con bienes presentes y futuros).

La **organización administrativa** de la sociedad responderá a la libre voluntad de los socios, que en el contrato o con posterioridad pueden encomendar la administración a una o más personas, que actúen mancomunada o solidariamente. Si nada se hubiere pactado, la administración corresponde a todos los socios y lo que haga cualquiera de ellos obligará a la sociedad.

El **contrato** de la sociedad puede ser público o privado y contendrá como mínimo los siguientes **elementos:** identificación de los socios, domicilio social, nombre de la sociedad, duración (si no se indica nada se supondrá indefinida), aportación de cada socio con su valoración, administración de la sociedad (que salvo pacto, y como acabamos de ver, por defecto corresponde a todos los socios), derechos y obligaciones de los socios y régimen legal del contrato, y normativa aplicable a falta de pactos.

Conviene destacar que las sociedades civiles pueden tener *per se* personalidad jurídica o carecer de ella.

Sociedades civiles con personalidad jurídica

Para adquirir personalidad jurídica independiente de la de sus socios, los pactos entre los de la sociedad han de ser públicos y constituirse en escritura pública que se inscribirá en el Registro Mercantil. Como consecuencias inmediatas, los socios no podrán crear pactos en nombre propio con terceros a efectos de la actividad de la sociedad; la sociedad solicitará su propio número de identificación fiscal y estará sometida al impuesto de sociedades.

Sociedades civiles sin personalidad jurídica

En este caso los pactos entre los socios permanecen ocultos a terceros y cada socio actúa en nombre propio frente a éstos. Podrán constituirse mediante contrato verbal, privado o escrito, y contrato elevado a escritura pública en caso de aportar bienes inmuebles o derechos. Se regirán fundamentalmente por las reglas de la comunidad de bienes.

6.3. Sociedades mercantiles personalistas mixtas

En estas sociedades, a pesar de tener un carácter mercantil (poseen su propia personalidad jurídica), los socios son los principales responsables de la misma en lo que a sus actos societarios se refiere. De ahí su carácter personalista.

Dentro de este grupo encontramos las siguientes modalidades:

A) Contrato de cuentas en participación.
B) Sociedad colectiva.
C) Sociedad comanditaria.

A) El contrato de cuentas en participación

Aunque reconocido en el artículo 239 del C. de C., es una modalidad que no está claramente definida.

De acuerdo con su regulación y con la interpretación jurisprudencial, podemos definirlo como un contrato mercantil de colaboración o de cooperación económica, en virtud del cual una o más personas (partícipes) aportan capital o bienes a otra (gestor o dueño del negocio), para participar en los resultados prósperos o adversos de un acto o negocio mercantil que esta última desarrolla en su nombre propio.

La constitución de este **contrato** no está sometida a ninguna solemnidad especial (art. 240 C. de C.), puede pactarse privadamente tanto de manera oral como escrita, y no es necesaria (aunque sí recomendable) su inscripción en el Registro Mercantil, bastando como prueba de su existencia cualquiera de los medios admitidos a derecho. Las características del mismo permiten la colaboración ocasional o duradera entre empresarios y otras personas (partícipes), sin necesidad de revelar la identidad de éstas. Además, la falta de formalismo agiliza la obtención de recursos, cuya remuneración se vincula a la obtención de beneficios.

Como en todo contrato se distinguen al menos dos personas, una el empresario o gestor, tanto individual como social, propietario del negocio o empresa, y que recibe de la otra parte, el partícipe (persona o sociedad), una serie de bienes o recursos, en definitiva una aportación económica, que empleará en la gestión y marcha del negocio y que remunerará en función de dicha actividad.

Es el **gestor** quien responde ilimitadamente frente a terceros por los actos societarios, no teniendo el partícipe responsabilidad alguna (pues su identidad y aportación se oculta) salvo que, por alguna razón, garantice alguna operación, o el gestor, con su consentimiento, utilice su nombre para reforzarla, siendo sólo en estos casos cuando debe responder el partícipe.

El **gestor** tiene que cumplir estrictamente una serie de **obligaciones,** en concreto y como mínimo las siguientes:

— Destinar la aportación del partícipe a lo pactado y no a otro tipo de operaciones.
— No modificar libremente su objeto social ni su domicilio social.
— No vender ni deshacer la empresa o negocio sin el consentimiento del partícipe.

Por su parte, el **partícipe** habrá de efectuar la aportación económica pactada y tendrá derecho a ser informado de la gestión de su aportación y, a la finalización o periódicamente (si es de duración indefinida), según los resultados a percibir, la parte del beneficio o resultado que le correspondiera, en caso de que los haya, o en caso contrario sufrirá la pérdida, salvo pacto en contra.

Este tipo de colaboración que se creía en desuso se está reactivando considerablemente en los últimos años, debido a su agilidad y a las nuevas formas de hacer negocio y asociacionismo que está imponiendo la globalización.

B) La sociedad colectiva

Es una «sociedad personalista dedicada, en nombre colectivo y bajo el principio de responsabilidad personal, ilimitada y solidaria de los socios, a la explotación de una industria mercantil» (Garrigues).

Es una ***sociedad personalista*** donde la cualidad del socio es determinante, lo que se traduce en la imposibilidad de su transmisibilidad, así como el no poder sustituir uno de ellos por otro sin el consentimiento de los demás socios colectivos; es una *sociedad de trabajo,* pues los socios colectivos aportan, además de sus bienes, su esfuerzo personal en la consecución del objeto social; por tanto su nombre colectivo ha de estar formado por el nombre de todos los socios, o bien algunos o uno sólo pero añadiendo las palabras «y compañía», no admitiéndose el uso de nombres de fantasía, ni la inclusión en el nombre social de personas que no pertenezcan a la sociedad (de hacerse quedará sometido a las mismas responsabilidades que los socios), y la responsabilidad personal de todos los socios es ilimitada y solidaria frente a las deudas y obligaciones sociales, respondiendo con sus propios patrimonios.

Como sociedad mercantil, tiene su propia personalidad jurídica y por tanto identificación fiscal, estando sometida al impuesto de sociedades y a las obligaciones contables propias de las entidades mercantiles.

Se constituirá mediante **escritura pública** que se inscribirá en el Registro Mercantil, y que **contendrá** como mínimo los siguientes elementos:

— Identificación completa y domicilio de los socios, razón social, y socios a los que se encomienda la gestión de la compañía (si no se dice nada se entiende que corresponde a todos, por lo que cualquiera puede obligar a la compañía).
— Conviene dejar fijado un órgano de gestión que puede estar formado por uno o varios socios, y en este caso podrán actuar solidaria, mancomunadamente o con una fórmula mixta, e incluso introducir a un tercero ajeno a la propiedad).
— Aportación de cada socio y su valoración.
— Duración de la sociedad (por defecto se considerará indefinida).
— Fecha de comienzo de las actividades societarias.
— Cuantos pactos lícitos se estimen convenientes.

C) La sociedad comanditaria

O sociedad en comandita. Viene a ser una sociedad colectiva con algunas notas de la sociedad anónima capitalista, de ahí que se le considere como una forma mixta (entre personalista y capitalista). La característica principal de las sociedades comanditarias es la coexistencia de dos clases diferentes de socios: **socios colectivos** con una responsabilidad personal, solidaria e ilimitada de las deudas sociales, y unos **socios comanditarios** que tienen una responsabilidad limitada a su aportación a la sociedad.

La **denominación** de estas sociedades, al igual que la de las colectivas, contendrá los nombres de todos los socios colectivos, o uno o algunos de éstos pero seguidos por la expresión «y compañía»; no aparecerá nunca el de los socios comanditarios.

La **administración** corresponderá exclusivamente a los socios comanditarios, estableciéndose en la escritura pública las normas que regirán la gestión y representación de la sociedad.

La **escritura pública** contendrá como mínimo los siguientes **elementos:**

— Identificación y domicilio de los socios colectivos y comanditarios.
— Razón social.

— Nombre de los socios a los que se asigna la administración (en su defecto, todos los colectivos solidariamente).
— Aportaciones de los socios colectivos y su valoración.
— Ídem socios comanditarios.
— Duración de la sociedad (en principio indefinida).
— Fecha de comienzo de sus actividades, y otros pactos lícitos.

Todo lo dicho será de aplicación a las denominadas **sociedades comanditarias simples,** pero existe una modalidad especial de éstas denominada **sociedad comanditaria por acciones,** caracterizada porque su capital social se encuentra dividido en acciones.

En la **sociedad comanditaria por acciones,** por tanto, el capital social estará dividido en acciones, y estará formado por las aportaciones de los socios, de los cuales uno al menos tendrá la condición de colectivo, con las consecuencias que de ello se deriva (responderá de las deudas sociales de manera personal e ilimitada). Otras peculiaridades son: como mínimo su capital social será de diez millones de pesetas; en la escritura de constitución habrá de incluirse el número y clase de acciones, las convocatorias y quórum de juntas de socios, las restricciones a la libre transmisión de acciones comanditas, y otros pactos lícitos.

Como entidades mercantiles, tienen semejantes obligaciones fiscales y contables que las anónimas y limitadas.

La regulación de este tipo de sociedades la encontramos en C. de C. (arts. 145 a 157) y en el Real Decreto-legislativo 1564/1989.

6.4. Las sociedades laborales. Anónimas y limitadas

Esta nueva figura responde a la necesidad de flexibilizar y allanar el camino de aquellos trabajadores que, inmersos en una situación de paro por regulación de empleo o cierre de su empresa, o simplemente por no encontrar un primer empleo, deciden aprovechar sus conocimientos y experiencia adquiridos asociándose para seguir desarrollando su actividad en su doble vertiente de obreros o empleados y empresarios o propietarios de la empresa o actividad.

Las sociedades laborales tienen como principal finalidad fomentar el acceso de los trabajadores a los medios de producción, contando para ello con una atención preferente tanto de carácter fiscal (bonificaciones y exenciones en ciertos impuestos y tributos) y financiero (reducción y subvención de tipos de interés de créditos) como laboral (ayudas a la creación de la empresa, a la contratación, en las cotizaciones y a la formación de los trabajadores). Además, la creación de este tipo de sociedades da derecho a solicitar el pago único de prestación por desempleo, en caso de que se esté percibiendo. Todos sus socios trabajadores estarán afiliados, según proceda, al Régimen General o a alguno de los Regímenes Especiales de la Seguridad Social, incluidos los miembros de los órganos de gobierno o administración, tengan o no competencias directivas.

Les sigue siendo de aplicación supletoria la Ley de Sociedades Anónimas y la Ley de Sociedades de Responsabilidad Limitada. Sin embargo debemos destacar importantes diferencias con esta normativa: el infranqueable derecho preferente de suscripción por parte de los socios trabajadores en caso de transmisión de acciones o participaciones de la clase laboral, y que todas las acciones han de ser iguales en todo, prohibiéndose la emisión de acciones con diferentes clases de derechos.

De forma genérica, las **definiremos** como aquellas sociedades en las que al menos el 51 por 100 del capital social pertenece a los trabajadores que prestan en ellas sus servicios, estando éstos retribuidos de forma directa y personal, y cuya relación laboral lo sea por tiempo indefinido y en jornada completa en las condiciones reguladas por la ley.

Determinadas comunidades autónomas (Comunidad Autónoma de Andalucía, Cataluña, Canarias, Euskadi, Galicia y Valencia) tiene transferidas las competencias en materia de Sociedades Laborales.

La principal **normativa legal** aplicable la forman la **Ley 1/1997, de 24 de marzo, de Sociedades Laborales,** y suplementariamente las ya citadas leyes de sociedades anónimas y limitadas.

El **número de socios** mínimo ha de ser de tres, como se deduce del tenor de la ley (art. 5), que señala que ninguno de los socios podrá tener participaciones (en el caso de las sociedades limitadas laborales) o acciones (para las sociedades anónimas laborales) que representen más de un tercio del capital social, salvo que se trate de sociedades laborales participadas por el Estado, Comunidades Autónomas, Entidades Locales o Sociedades Públicas, en cuyo caso podrán tener estos organismos e instituciones hasta el 49 por 100 del capital social, pero también en este supuesto se exige que al menos tres de los socios sean trabajadores de la empresa con una relación laboral indefinida y a tiempo completo.

En la estructura social de estas sociedades se distinguen dos **clases de socios: socios trabajadores** y **socios no trabajadores.** Los **socios trabajadores** son accionistas o partícipes ligados a la sociedad mediante un contrato laboral por tiempo indefinido a jornada completa; estos socios han de ser mayoría en el sentido de poseer al menos el 51 por 100 del capital social. Los **socios no trabajadores,** o socios capitalistas, están ajenos a cualquier relación laboral u otras prestaciones por cuenta propia o a tiempo parcial; el máximo de su participación en el capital se fija en el 49 por 100.

Como en las limitadas y anónimas normales, el capital social no podrá ser, respectivamente, inferior a 3.012 o 60.096 € para las sociedades limitadas laborales y sociedades anónimas laborales. Se dividirá en acciones nominativas (sociedades anónimas laborales) o participaciones (sociedades limitadas laborales), con ciertos límites a su transmisión, en concreto cuando se realiza a socios no trabajadores, en cuyo caso requiere siempre una oferta previa a los demás socios trabajadores y a la propia sociedad (que puede adquirirlos para su amortización o la autocartera). Las acciones o participaciones pertenecientes a socios trabajadores se denominan de «clase laboral», y las otras de «clase general».

En la denominación de este tipo de sociedades siempre ha de hacerse mención expresa de su naturaleza o carácter laboral.

Los **órganos de gobierno** de este tipo de sociedades no difieren de los ya vistos para las sociedades anónimas y limitadas, siendo su normativa aplicable aquí.

Además de todos los elementos propios de una sociedad anónima o mercantil, en la **escritura de constitución y estatutos** de las sociedades laborales han de incluirse de forma expresa los siguientes elementos: número y clase de acciones o participaciones; las acciones o participaciones de clase laboral que se reservan a los socios trabajadores (como mínimo el 51 por 100), y las restricciones a su libre transmisión.

6.5. Las cooperativas

Son sociedades con capital variable, estructura y gestión democráticas, que asocian en régimen de libre adhesión y baja voluntaria a personas que tienen intereses o necesidades socioeconómicas comunes, para cuya satisfacción, y al servicio de la comunidad, desarrollan actividades empresariales, imputándose los resultados económicos a los socios, una vez atendidos los fondos comunitarios, en función de la actividad cooperativizada que realizan.

La **normativa legal** que le es aplicable está constituida por las siguientes normas principales: *Ley 3/1987 de 2 de abril, General de Cooperativas; Ley 20/1990 de 19 de diciembre, sobre Régimen Fiscal de Cooperativas,* además de la legislación correspondiente de la Comunidad Autónoma donde se cree la cooperativa.

La *Ley General de Cooperativas* agrupa las distintas **clases de cooperativas** que contempla en ***cooperativas de primer grado*** y ***cooperativas de segundo grado.***

Las ***cooperativas de primer grado*** son de las siguientes clases: **cooperativas de trabajo asociado, de consumidores y usuarios, de viviendas, agrarias, de explotación comunitaria de la tierra, de servicios, del mar, de transportistas, de seguros, sanitarias, de enseñanza, de crédito** y **educacionales.** Las **cooperativas de segundo grado** son uniones de dos o más cooperativas de primer grado de la misma o diferente clase.

El **capital social** estará constituido por las aportaciones obligatorias y voluntarias de los **socios** y, en su caso, los **asociados.**

Los **socios** son aquellas personas físicas o jurídicas, públicas o privadas, que realizan la aportación mínima obligatoria fijada en los estatutos y desarrollan las actividades cooperativizadas, y los **asociados** son aquellas personas físicas o jurídicas, públicas o privadas, que realizan una aportación económica fijada en los estatutos, pero que aun teniendo como los socios derecho a voto no realizan las actividades cooperativizadas, ni forman parte de los órganos de gobierno, teniendo sus aportaciones un tope máximo del 33 por 100 de las aportaciones de los socios y remunerándose con un interés pactado.

En las cooperativas de primer grado, la aportación de cada socio nunca podrá ser igual o superior al 25 por 100 del capital social (de lo que se deduce que el número mínimo de socios será de cinco). Las aportaciones se efectuarán en dinero legal, si bien se pueden admitir aportaciones de bienes y derechos. Los estatutos fijarán la cantidad mínima que debe aportar cada socio. En principio las aportaciones obligatorias serán idénticas para todos los socios, y cada uno de ellos deberá desembolsar al menos el 25 por 100 de las mismas en el momento de la constitución. Se admiten aportaciones voluntarias de socios o asociados mayores que las obligatorias.

Las cooperativas son entidades de economía social, por lo que su régimen económico está determinado legalmente, existiendo la obligación de crear unos **fondos de capital obligatorios** con una finalidad determinada, en concreto el **fondo de reserva obligatorio** y el **fondo de educación y promoción social.**

Toda sociedad cooperativa deberá hacer constar en su denominación social su naturaleza incluyendo «sociedad cooperativa» o abreviadamente «S. Coop.»

La **responsabilidad** de los socios y asociados en principio se limita a sus aportaciones, salvo que en los estatutos se fije otro tipo de responsabilidad adicional.

Las cooperativas tienen los siguientes **órganos de gobierno: asamblea general, consejo rector, interventores** y **comité de recursos.**

La ***asamblea general*** es la reunión de todos los socios y asociados, si los hay, para deliberar y tomar acuerdos como órgano supremo de representación y expresión de la voluntad social, obligando a todos con sus acuerdos. Existen dos **clases de asambleas: ordinaria,** de carácter anual, que se encarga de examinar la gestión social, aprobar, si procede, las cuentas anuales, imputar los excedentes o pérdidas del ejercicio cerrado anterior y establecer la política general de la cooperativa; y **extraordinaria,** que se convoca y reúne a petición al menos del 10 por 100 de los socios o interventores.

El **consejo rector** es el órgano de gobierno encargado de la gestión y representación de la cooperativa. Su presidente lo será también de la cooperativa y ostentará la representación legal de la misma.

Los **interventores** son el órgano de fiscalización de la cooperativa, y tienen que ser de uno a tres socios; tienen como misión censurar las cuentas anuales, además de aquellas otras cuestiones o informes que fijen los estatutos.

El **comité de recursos** es un órgano de creación voluntaria en las cooperativas, que fundamentalmente tramitará todo tipo de recursos contra sanciones a los socios o asociados.

La **escritura de constitución y los estatutos** de una cooperativa contendrán como mínimo los siguientes elementos:

— Denominación de la cooperativa.
— Domicilios social y fiscal.
— Ámbito territorial en que desarrollará sus actividades.
— Actividades empresariales a desarrollar.
— Duración (en principio indefinida).
— Responsabilidad de los socios por las deudas sociales.
— Requisitos para la admisión de socios y, si procede, asociados.
— Participación mínima obligatoria de cada socio.
— Normas de disciplina social, faltas y sanciones.
— Formas de publicidad y plazo de convocatoria de la *asamblea general.*
— Capital social mínimo.
— Aportaciones obligatorias mínimas a dicho capital social.

— Otras obligaciones específicas legales dependiendo de la clase de cooperativa.

Las **cooperativas de trabajo asociado** son las más habituales, teniendo una gran importancia en la promoción de empleo.

Asocian a personas naturales, con capacidad legal y física para desarrollar la actividad cooperativizada de prestación de un trabajo, y tienen por objeto proporcionar a sus socios un puesto de trabajo, para producir en común bienes y servicios para terceros (art. 118,1 de la *Ley General de Cooperativas*). Deben realizar una actividad industrial y productiva, que se regula en los artículos 118 a 126 de la mencionada ley. Sus socios trabajadores pueden ser españoles o extranjeros mayores de 16 años con las capacidades referidas. Los asociados nunca podrán superar al 10 por 100 de los asociados.

Por el trabajo realizado, todos los socios tienen derecho a percibir un salario, en concepto de anticipos —del retorno—, en las mismas condiciones del sector y la zona donde se presta la actividad.

14 Trámites de constitución y obligaciones legales de funcionamiento

1. Empresario individual y comunidad de bienes

El empresario individual, aunque no adquiera una personalidad jurídica propia sino que tiene la del sujeto que realiza por cuenta propia la actividad empresarial, debe para poder iniciarla verificar una serie de trámites, y una vez en marcha cumplir una serie de obligaciones legales en los distintos ámbitos mercantil, fiscal y laboral. La comunidad de bienes por su similitud requiere los mismos requisitos.

1.1. Trámites para la constitución

Para poder iniciar la actividad empresarial, el emprendedor debe realizar los siguientes trámites:

a) Declaración censal y solicitud del CIF.
b) Alta y pago del Impuesto de Actividades Económicas.
c) Licencia Municipal de Apertura.
d) Licencia de Obras, si hubiese que realizarlas.
e) Alta en contingencia de accidentes de trabajo y enfermedad profesional.
f) Inscripción en la Seguridad Social.
g) Alta de autónomos.
h) Afiliación de los trabajadores, si los hubiere.
i) Legalización del «Libro de Matrículas de Personal».
j) Legalización del «Libro de visitas de la inspección de trabajo».
k) Plan de prevención de riesgos laborales.
l) Licencias de aperturas de centros de trabajo.
m) Calendario y horario laboral.
n) Impuesto de bienes inmuebles.

1.2. Principales obligaciones legales

Una vez iniciada la actividad y durante todo el tiempo que dure la misma, el empresario individual está obligado básicamente a:

Uno

Llevar una contabilidad ordenada y documentada donde se plasmen sus operaciones empresariales de forma cronológica. Para ello, deberá **diligenciar** y **cumplimentar** los siguientes documentos:

— **Libro de inventarios y cuentas anuales.**
— **Libro diario.**
— **Libros y registros impuestos por la normativa fiscal:**

- **Libro de facturas emitidas.**
- **Libro de facturas recibidas.**
- **Registro de gastos y cuentas de banco y caja.**

Todos estos procedimientos y documentos pueden llevarse de manera informatizada, sin que ello suponga la exención de la obligación de **diligenciarlos** o legalizarlos en el Registro Mercantil que territorialmente le corresponda (donde esté el domicilio fiscal).

Dos

Están obligados a emitir facturas o documentos sustitutivos de sus operaciones mercantiles, y recibir y guardar los que reflejen las adquisiciones a sus proveedores y suministradores.

Tres

Están obligados a conservar todos los libros y documentos antes referidos, durante al menos seis años a partir del último asiento practicado en ellos.

Cuatro

Como cualquier entidad mercantil, están sometidos, cuando proceda, a los procedimientos concursales legalmente previstos para resolver las situaciones de crisis económica: suspensión de pagos y quiebra.

Cinco

Están obligados al pago del Impuesto de la Renta de las Personas Físicas en la modalidad que corresponda a su actividad, y a cuantas otras obligaciones fiscales se deriven de la misma.

Seis

Están obligados al pago de las cuotas de seguridad social que les corresponda como autónomos y al pago correspondiente de las cuotas empresariales por sus empleados, si los hubiere.

Siete

A cumplir toda la normativa laboral y de prevención de riesgos laborales que corresponda por su actividad.

Ocho

Todo esto se puede concretar en la exigencia de ser leales en el tráfico mercantil y no llevar a cabo prácticas que puedan vulnerar la ley o dañar este tráfico.

2. Sociedades mercantiles: anónimas y limitadas

Cuando se opta por alguna de estas formas jurídicas, la empresa adquiere personalidad jurídica propia e independiente de la de sus fundadores y propietarios. En este caso los procedimientos de constitución son algo más complejos, como también más exigentes las obligaciones legales durante su vida.

2.1. Trámites para la constitución

Para constituir legalmente una empresa como entidad mercantil hay que cumplir los siguientes trámites:

a) Certificación negativa del nombre.
b) Otorgamiento de escritura pública y aprobación de estatutos.

c) Pago del Impuesto de Transmisiones Patrimoniales y Actos Jurídicos Documentados.
d) Inscripción en el Registro Mercantil.
e) Declaración censal y solicitud del CIF.
f) Liquidación del Impuesto sobre Actividades Económicas.
g) Licencia Municipal de Apertura.
h) Alta de contingencia de accidentes de trabajo y enfermedad profesional.
i) Inscripción de la empresa en la Seguridad Social.
j) Afiliación de los trabajadores.
k) Alta de los trabajadores a la Seguridad Social.
l) Libro matrícula de personal.
m) Libro de visitas e inspección de trabajo.
n) Plan de prevención de riesgos laborales.
o) Licencias de aperturas de centros de trabajo.
p) Libro de sanciones.
q) Calendario y horario laboral legalizado.
r) Legalización de libros de documentación social y contables (actas, diario e inventario y balances).
s) Licencia de obras.
t) Impuesto sobre Bienes Inmuebles.

2.2. Principales obligaciones legales

Una vez iniciada la actividad y durante todo el tiempo que dure la misma, la empresa como entidad mercantil tiene una serie de obligaciones legales similares a las del empresario individual, pero más complejas al estar más profesionalizadas.

Uno

Llevar una contabilidad ordenada y documentada donde se plasmen sus operaciones empresariales de forma cronológica. Para ello, deberá **diligenciar** y **cumplimentar** continuamente los siguientes documentos:

— **Libros contables:**

- Libros de Inventarios y Cuentas Anuales (todas las sociedades).
- Libro diario (todas las sociedades).

- Libros y registros fiscales (todas las sociedades): IVA recibido, IVA devengado.
- Libros de informes de censura de cuentas (cooperativas).

— **Libros sociales:**

- Libro de actas (todas las sociedades).
- Libro de actas de la asamblea general del consejo rector (cooperativas).
- Libro de actas del comité de recursos (cooperativas, si procede).
- Libro registro de acciones (las sociedades anónimas).
- Libro registro de socios (sociedades limitadas, cooperativas y otras colectivas).
- Libro registro de asociados (si los hay, cooperativas).
- Libro registro de acciones nominativas y socios (sociedades laborales).

Todos estos procedimientos y documentos pueden llevarse de manera informatizada, sin que ello suponga la exención de la obligación de **diligenciarlos** o legalizarlos en el Registro Mercantil que territorialmente le corresponda (donde esté el domicilio fiscal).

Dos

Están obligados a emitir facturas o documentos sustitutivos de sus operaciones mercantiles, y recibir y guardar los que reflejen las adquisiciones a sus proveedores y suministradores.

Tres

Están obligados a conservar todos los libros y documentos antes referidos, durante al menos seis años a partir del último asiento practicado en ellos.

Cuatro

Están sometidas, cuando proceda, a los procedimientos concursales legalmente previstos para resolver las situaciones de crisis económica: suspensión de pagos y quiebra.

Cinco

Están obligadas a la declaración anual y al pago si procede del Impuesto sobre Sociedades en la modalidad que corresponda a su actividad, y a cuantas otras obligaciones fiscales se deriven de la misma: pago a cuenta, declaración de operaciones con terceros...

Seis

Están obligadas a la liquidación trimestral (mensual) y anual del Impuesto sobre el Valor Añadido.

Siete

Están obligadas a retener y liquidar a cuenta del Impuesto sobre la Renta de las Personas Físicas, por el pago a sus empleados y otros pagos que procedan a profesionales y empresarios individuales.

Ocho

Están obligados al pago de las cuotas de seguridad social que les corresponda como empresa y al pago correspondiente de las cuotas empresariales por sus empleados si los hubiere. Debe hacerse mensualmente.

Nueve

A cumplir toda la normativa laboral y de prevención de riesgos laborales que corresponda por su actividad.

Diez

Todo esto se puede concretar en la exigencia de ser leales en el tráfico mercantil y no llevar a cabo prácticas que puedan vulnerar la ley o dañar este tráfico.

3. Cuadro resumen de trámites y documentos

A fin de facilitar la documentación de los trámites de constitución e inicio de la actividad empresarial, recogemos en el siguiente cuadro los documentos necesarios y las administraciones donde se llevarán a cabo tales trámites.

Tabla 14.1

TRÁMITES	DIRECCIÓN	IMPRESO
A) Certificación negativa del nombre. *B*) Inscripción en el registro mercantil. *C*) Registro de los libros contables.	Registro Mercantil.	*a*) Solicitud de certificación. *b*) Solicitud de legalización.
A) Declaración censal y concesión CIF. *B*) Alta pago IAE.	Delegación provincial de la Agencia Estatal Tributaria.	*a*) Modelo 036 y Modelo 0379. *b*) Modelo 845 y Modelo 846.
A) Impuesto sobre Transmisiones Patrimoniales y Actos Jurídicos Documentados (ITPAJD).	Delegación Provincial de la Consejería de Economía y Hacienda de la comunidad autónoma.	*a*) Modelo 600.
A) Inscripción empresa (-rio) S.S. *B*) Documentación cotización S.S. R.G. *C*) Alta trabajadores en la S.S. *D*) Afiliación de trabajadores a S.S. *E*) Alta contingencias accidentes de trabajo y enfermedad.	Tesorería General de la Seguridad Social.	*a*) Modelo A2-AT y Modelo A6. *b*) Modelos TC1,TC2 y TC2-1. *c*) Modelo A-2/2. *d*) Modelo A1 y Modelo P1. *e*) Documentos de Asociación y de Proposición.
A) Libro de matrículas. *B*) Libro de visitas de la inspección. *C*) Ordenanza general de seguridad e higiene.	Delegación Provincial de Trabajo.	
A) Apertura centro de trabajo.	Delegación Provincial de la Consejería de Trabajo-Industria de la Comunidad autónoma.	
A) Impuesto sobre bienes inmuebles (IBI). *B*) Licencia de apertura. *C*) Licencia de obras.	Ayuntamiento de la localidad.	*a*) Modelo 901 y 902.
A) Cualificación de los estatutos de la cooperativa. *B*) Inscripción de la cooperativa. *C*) Inscripción sociedad laboral (anónima o limitada).	Registro de Cooperativas y Sociedades Laborales.	

PARTE QUINTA
La financiación crediticia de la empresa

15 El sistema financiero español

1. Introducción

Una de las cuestiones que más preocupa a los emprendedores y a los empresarios, en general, es la búsqueda y obtención de financiación bancaria y crediticia en general. Afortunadamente tenemos un sistema financiero moderno y eficaz; hay un gran número de entidades financieras y la oferta de productos de financiación es amplia y diversa. Pero sin embargo el emprendedor, muy particularmente, se siente «inseguro» en este mundo financiero, y se enfrenta a verdaderos problemas a la hora de obtener financiación de bancos, cajas y otras entidades de financiación.

A lo largo de estos años podemos afirmar con carácter general que, aunque se ha avanzado mucho, el joven empresario, el emprendedor, adolece aún de los adecuados conocimientos financieros para poder plantear la forma de financiación más adecuada para él y su empresa y saber elegir entre la oferta que hay en el mercado.

En este capítulo y los siguientes vamos a intentar paliar estas carencias suministrando unos conocimientos básicos pero prácticos sobre financiación crediticia. Lo primero que debe conocer el emprendedor es la estructura y composición de nuestro sistema financiero, las entidades e instituciones que lo forman y sus funciones (que abordamos en este capítulo). De gran importancia es conocer los elementos que intervienen en la financiación crediticia o bancaria y el funcionamiento de sus principales instrumentos de financiación. Pero no debe el emprendedor limitarse exclusivamente a la banca tradicional, pues hay otros instrumentos que le pueden resultar de gran utilidad (capítulo 17). Y por último es imprescindible que sepa cómo negociar con la banca, cómo pedir un préstamo (capítulo 18).

2. Estructura del sistema financiero español

La figura 15.1 nos muestra una panorámica general del sistema financiero español desde la integración plena en la Unión Europea.

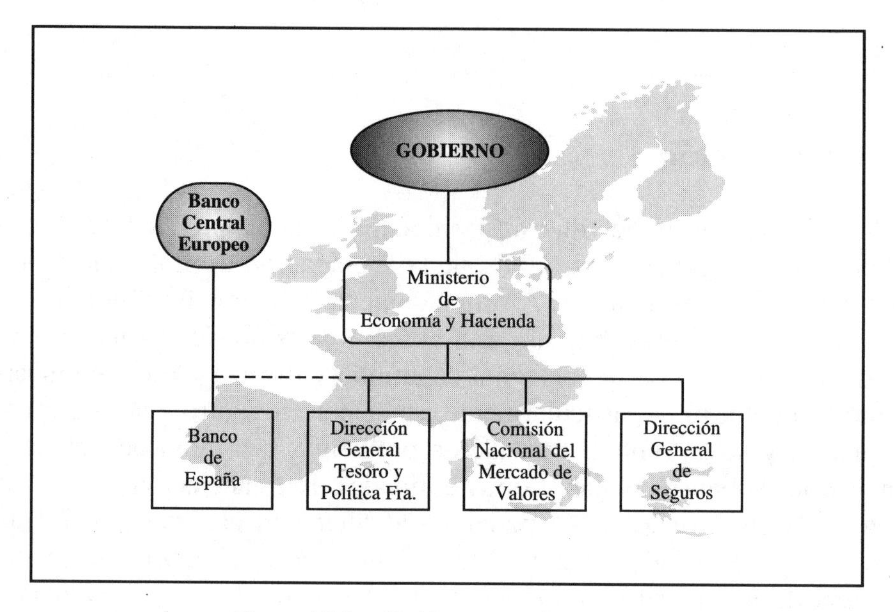

Figura 15.1.—Unión monetaria europea.

El primero de enero de 1999 el euro se convirtió en la moneda oficial de los once países de la UEM, y comenzó a ser totalmente operativo el **Banco Central Europeo** (BCE), pasando los bancos centrales de dichos países a formar parte del **Sistema Europeo de Bancos Centrales** (SEBC). Desde ese mismo instante, el BCE se convierte en la máxima autoridad monetaria de la UEM, responsable de la *política monetaria común* y de la fijación de los tipos de interés a través de un interbancario *transnacional* dentro de la UEM, y el Banco de España, al igual que los otros diez bancos centrales, renuncia a sus competencias de política monetaria y fijación del coste del dinero en su ámbito nacional, siendo sus labores, en este sentido muy particularmente, las demás propias de su naturaleza, que ya veremos, y velar por el cumplimiento de la política monetaria común en nuestra geografía. En suma, se somete a la autoridad del BCE y opera como entidad delegada en nuestro país (véase la figura 15.2 en la página siguiente).

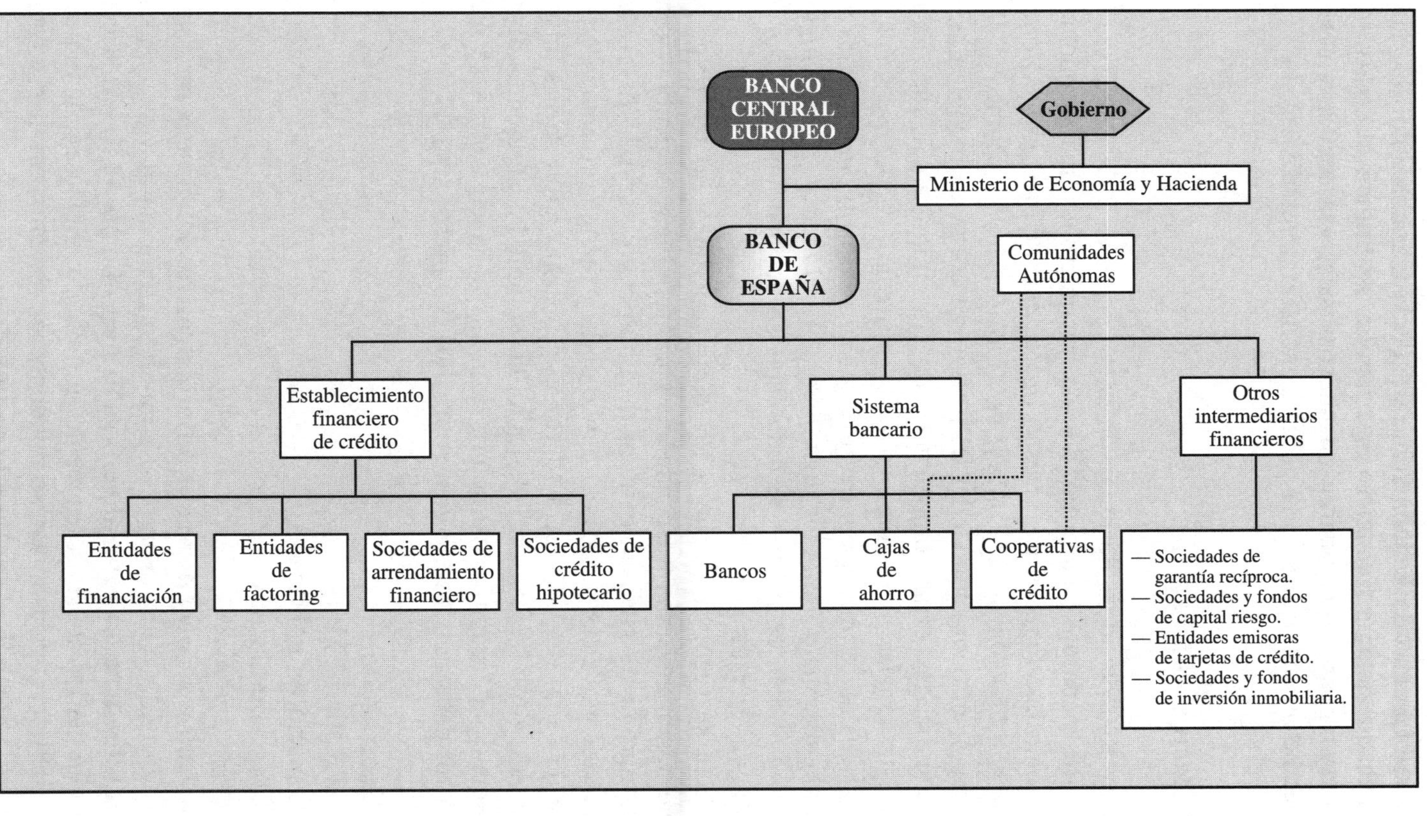
BANCO CENTRAL EUROPEO
Gobierno
Ministerio de Economía y Hacienda
BANCO DE ESPAÑA
Comunidades Autónomas
Establecimiento financiero de crédito
Sistema bancario
Otros intermediarios financieros
Entidades de financiación
Entidades de factoring
Sociedades de arrendamiento financiero
Sociedades de crédito hipotecario
Bancos
Cajas de ahorro
Cooperativas de crédito
— Sociedades de garantía recíproca.
— Sociedades y fondos de capital riesgo.
— Entidades emisoras de tarjetas de crédito.
— Sociedades y fondos de inversión inmobiliaria.

Figura 15.2

Si bien el Banco de España sigue siendo la máxima autoridad autónoma en nuestro sistema financiero, sus labores se limitan al control de las entidades y agentes que operan en nuestro país, y a vigilar y seguir la implementación y marcha de la política monetaria común.

3. El Banco de España

La *Ley 13/1994,* de 1 de junio, *de autonomía del Banco de España,* se ha visto mermada en cuanto que dos de las funciones que reconocía a la entidad central, *definición y ejecución autónomas de la Política Monetaria* e *instrumentalización de la Política de Tipo de Cambio,* como ya señalamos, pasan a ser competencia del BCE. En esta norma se recogían, además de las ya indicadas, otras competencias de gran importancia que aún mantiene, y que son las siguientes: *medios y sistemas de pagos, servicio de tesorería y deuda pública, control e inspección de entidades de crédito y otras financieras, información institucional y pública* y *asesoramiento al gobierno.* También en alguna medida éstas se ven mediatizadas por la situación actual y futura.

También se recogen en dicha ley otras funciones, no tan principales, pero que tienen una gran trascendencia para el público en general: **central de información de riesgos, central de balances** y **servicio de reclamaciones.** A través de las mismas el banco emisor recoge información personalizada de cada usuario, que a su vez está a disposición de los mismos.

La citada *Ley 13/1994,* de 1 de junio, contempla los siguientes **órganos de gobierno,** en cuanto a estructura de nuestro banco central se refiere, que está formada por los siguientes órganos rectores:

1. Gobernador.
2. Subgobernador.
3. Consejo de gobierno.
4. Comisión ejecutiva.

En cuanto a la **organización administrativa del Banco de España,** ésta puede dividirse en dos ramas: administración central y sucursales.

La **administración central** se organiza en oficinas o servicios centrales, al frente de los cuales se encuentra un jefe de oficina ayudado por uno o varios subjefes. Las oficinas se dividen a su vez en secciones y éstas en negociados, todos ellos con un jefe al frente.

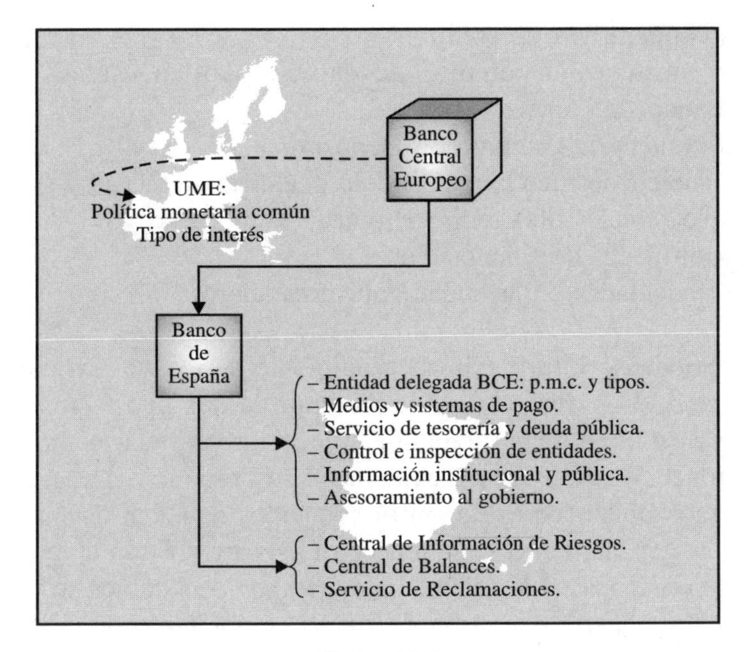

Figura 15.3

Las **sucursales** forman un conjunto muy heterogéneo, de diversa importancia y con funciones principalmente operativas. Al frente de cada sucursal se encuentra un **director** auxiliado por tres jefes: un **interventor,** que ejerce las funciones de jefe de contabilidad y fiscalización de todas las operaciones realizadas; un **cajero,** responsable de la custodia, anotación y buen orden de los fondos, efectos en cartera y cualesquiera otro valor en la caja de la sucursal, y un **secretario** bajo la autoridad inmediata del director, auxiliando a éste en la información y clasificación del crédito, llevando además la correspondencia de la sucursal y levantando actas de las sesiones del Consejo Local.

La **central de información de riesgos** fue creada en 1962 con el objeto de elaborar, con los datos recibidos de las entidades bancarias y crediticias, la estadística general del desarrollo crediticio en España y notificar a dichas entidades aquellos casos de prestatarios que pudieran representar un riesgo excepcional.

Actualmente están obligados a declarar a esta central las siguientes entidades:

— Los bancos operantes en España, incluso si son extranjeros.
— Las cajas de ahorro, incluida la CECA.

— Las cooperativas de crédito.
— Las entidades de crédito de capital público estatal y el ICO.
— El Banco de España.
— Los Fondos de Garantía de Depósitos.
— Las sociedades de Garantía Recíproca, Mixta 2.° aval y subsidiarias.
— Las sociedades de Crédito Hipotecario.
— Las entidades de financiación.
— Las sociedades de arrendamiento financiero.

Estas sociedades informarán mensualmente de los riesgos contraídos y de sus titulares. Los riesgos a declarar serán de dos tipos: directos e indirectos, según se contraigan directamente con los prestatarios en las distintas operaciones, o se refieran a garantías o avales.

Los riesgos objeto de este control son todos aquellos que contraen los residentes en España, tanto si pertenecen al sector privado como público y si son personsa físicas o jurídicas. Estos riesgos declarables se clasificarán de la siguiente manera: por razón de cuantía y por razón de circunstancias.

a) Por razón de cuantía distinguiremos entre riesgos unipersonales y riesgos colectivos.

— Los riesgos unipersonales se declararán cuando sean superiores a 24.000 euros en caso de ser directos, o de 60.000 euros si son riesgos indirectos.
— Los riesgos colectivos (más de un titular) pueden ser solidarios o mancomunados. En el caso de los *riesgos colectivos solidarios,* en que cada partícipe responde del total del importe, sólo se declararán cuando el cociente de ese importe entre el número total de partícipes sea igual o superior a 12.000 euros. Los *riesgos colectivos mancomunados simples,* en que cada partícipe responde de una parte exacta del mismo, se declaran en las mismas condiciones que los unipersonales.

La **central de información de riesgos** pondrá a disposición de los titulares de los mismos la información que obra en su poder, siendo ésta personal y secreta, es decir, que sólo el interesado puede solicitarla y sólo a él se le proporcionará detalladamente. A las entidades de crédito sólo se les proporcionará una información global de cada titular si éste inicia relaciones con las mismas.

b) Por razón de circunstancias (con independencia de su cuantía) se proporcionará información en los siguientes casos:

— Suspensión de pagos y/o quiebra tras el inicio del procedimiento judicial.
— Insolvencia, cuando pese a la acción judicial no se ha conseguido el pago o afianzamiento suficiente de la deuda.
— Moratoria en los pagos.
— Cuando el deudor es una corporación local, sociedades provincializadas o municipalizadas y fundaciones o empresas mixtas (aquéllas con un 20 por 100 o más de capital público).

El **servicio de reclamaciones** es un servicio dependiente de la asesoría jurídica del Banco de España, creado por Orden Ministerial de 3 de marzo de 1987, con el fin de recibir y tramitar las reclamaciones de los clientes respecto a la actuación de las entidades de depósito, aunque posteriormente se ampliaría a todas las entidades de crédito por Orden Ministerial de 12 de diciembre de 1989.

La Circular del Banco de España n.º 8 de 1990 establece que para admitir y tramitar una reclamación habrá que acreditar que previamente ésta se formuló por escrito ante el defensor del cliente (u órgano equivalente) de la entidad de crédito, si existiese. Si el defensor del cliente no aceptara motivadamente esta reclamación, se resolviera la misma insatisfactoriamente para el cliente o pasasen más de dos meses sin resolución, el interesado podrá interponer su reclamación ante el servicio de reclamaciones del Banco de España.

El procedimiento de reclamación se iniciará a instancia de la persona interesada, quien lo presentará por escrito directamente en este servicio radicado en la sede central del Banco de España, o en sus sucursales. En dicho escrito quedarán suficientemente identificados el reclamante o denunciante, la entidad denunciada y los hechos que motivan la reclamación.

El servicio abrirá un expediente a cada reclamación, en el que figurarán todas las actuaciones con ella relacionadas: denuncia, comunicaciones a las partes, alegaciones, etc. El expediente se resolverá en un plazo máximo de tres meses desde la última actuación que en el mismo conste, y concluirá con el informe motivado del servicio, comunicado a ambas partes y, en su caso, si de las actuaciones practicadas se dedujese quebrantamiento de las normas de disciplina o detectasen indicios de infracción tributaria, conducta delictiva, etc., los servicios jurídicos darán cuenta a la comisión ejecutiva del Banco de España a los efectos que procedan.

4. El sistema bancario

Dentro de este bloque nosotros vamos a referirnos a todas aquellas entidades que se dedican al *negocio bancario,* es decir, constituyen el *sistema bancario* de nuestro país, formado por los bancos, cajas de ahorro y cooperativas de crédito. Nos referiremos a la banca en general, la banca privada, sin hacer mención a la casi desaparecida, o en el mejor de los casos, limitada y testimonial, banca pública o con participación estatal significativa, ya que por su operativa y características no difiere del resto.

La *Ley 3/1994, de 14 de abril,* adapta la legislación española referida a las entidades de crédito a la *Segunda Directiva de Coordinación Bancaria* de la UE, lo que supone que gozan del mismo régimen común que el resto de las entidades de la UE, en el que hay que distinguir cinco apartados fundamentales:

— La creación en España de nuevas entidades de crédito españolas, así como el establecimiento en nuestro país de sucursales de entidades de crédito no autorizadas en algún Estado miembro de la UE.
— La apertura de nuevas oficinas en territorio nacional por las entidades de crédito españolas.
— La apertura de sucursales y libre prestación de servicios en otros países comunitarios por las entidades de crédito españolas.
— Ídem en países terceros.
— La apertura de sucursales y libre prestación de servicios en España por las entidades de crédito de los otros Estados miembros de la Unión Europea.

En lo que a operativa se refiere, la misma norma recoge en quince grupos las actividades típicas de estas entidades, con reconocimiento mutuo dentro de la UE:

a) Captación de depósitos u otros fondos reembolsables.
b) Préstamos y créditos en sentido amplio: al consumo, hipotecarios y comerciales.

c) Factoring[1].
d) Arrendamiento financiero[2].
e) Operaciones y servicios de pagos y transferencias.
f) Emisión y gestión de medios de pago: tarjetas, cheques de viaje, etc.
g) Avales, garantías y compromisos similares.
h) Intermediación en los mercados interbancarios.
i) Operaciones por cuenta propia o de su cliente en materia de valores negociables, cambios, mercados monetarios, etc.
j) Participación, mediación directa o indirecta en la colocación y aseguramiento de emisión de valores.
k) Asesoramiento y prestación de servicios en materias tales como: estructura de capital, estrategia empresarial, adquisiciones y fusiones de empresa y materias similares.
l) Gestión de patrimonios y asesoramiento a sus titulares.
m) Depositario y administrador de valores por cuenta de sus clientes.
n) Realización de informes comerciales.
o) Alquiler de cajas de seguridad.

A efectos prácticos, las actividades anteriores las clasificaremos en tres grupos de operaciones:

a) Pasivas o de captación de recursos.
b) Activas o de inversión de recursos captados.
c) Servicios a la clientela.

a) Operaciones pasivas o de captación de recursos

Éstas permiten a las entidades captar recursos de dos clases: propios y ajenos, siendo estos últimos los realmente importantes para nuestra finalidad, si bien nos referiremos aunque sea brevemente a los propios en este tema.

Los **recursos propios** están constituidos, en el caso de las sociedades anónimas y como cualquiera de ellas, por las aportaciones de los socios al

---

[1] Pueden realizarlas porque formen parte de su objeto social, sin perjuicio de la existencia de empresas especializadas, a las que suelen subcontratar el servicio (normalmente dentro del mismo grupo empresarial), por la mayor especialización de las mismas.

[2] Ídem.

capital (y reservas) y los beneficios no distribuidos que se mantienen en forma de reservas, con las siguientes peculiaridades exigidas por ley:

1. Las acciones, aunque sean simples anotaciones en cuenta, serán siempre nominativas, a fin de evitar que permanezcan ocultos los propietarios (tiene sentido para los grandes paquetes de acciones).
2. Toda participación significativa en el capital ha de ser comunicada e informada al Banco de España.
3. La autocartera está limitada por la ley de sociedades anónimas (artículo 75 y disposición adicional segunda): máximo 10 por 100 del capital social, o 5 por 100 si son acciones cotizadas.
4. Reserva obligatoria de carácter legal del 10 por 100 mínimo de sus beneficios netos, cuando éstos superen el 4 por 100 del capital desembolsado más reservas, hasta que la reserva alcance el 50 por 100 del capital suscrito.
5. Hay otras reservas obligatorias de origen muy diverso.

Los **recursos ajenos,** que son los que más atención nos merecen, podemos clasificarlos de la siguiente manera:

— Créditos del Banco de España.
— Operaciones interbancarias.
— Acreedores en euros ordinarios.
— Cuentas de residentes en euros o en divisas, abiertas en oficinas que operan en el extranjero.
— Cuentas en euros o en divisas a nombre de no residentes en oficinas operantes en España.
— Otros pasivos líquidos.
— Otros acreedores.

b) Operaciones activas

A través de ellas las entidades invierten los recursos captados por las operaciones pasivas. Constituyen el eje fundamental del negocio crediticio, y serán estudiadas con más detalle en la próxima área.

c) Servicios a la clientela

Comprenden un amplio y diverso grupo de operaciones muy heterogéneas, realizadas por las entidades por cuenta de terceros. Su contenido se va ampliando cada vez más en la medida que se va desarrollando la octava directriz comunitaria ya vista.

Hay entidades que se están especializando en algunos de estos servicios, hasta el extremo de constituir su actividad principal sobre la mera intermediación. No obstante, la mayoría en España prestan estos servicios de manera complementaria como una oportunidad más de negocio, que surge puntualmente de manera complementaria a su actividad principal típicamente bancaria. En muchas ocasiones, la falta de especialización lleva a las entidades a «subcontratar» dichos servicios, que ofertan a través de sus sucursales. Esta situación explica el encarecimiento de los mismos y, en no pocas ocasiones, la falta de calidad.

El que este panorama se mantenga se debe en gran parte al desconocimiento de los usuarios y, aprovechándose del mismo, al afán lucrativo de las entidades y sus parcos códigos de ética empresarial.

5. Establecimientos financieros de crédito

Los **establecimientos financieros de crédito** podrán realizar las siguientes operaciones activas, en las que se especializarán según el tipo de entidad:

— Préstamos y créditos, incluyendo crédito al consumo, crédito hipotecario y financiación de transacciones exteriores.
— Factoring, con o sin recurso.
— Emisión y gestión de tarjetas de crédito.
— Concesión de avales y garantías y suscripción de compromisos similares.

Este sector, tal y como le sucedía al bancario, forma un colectivo en el que a pesar del gran número de sociedades integrantes el negocio está muy concentrado en unas pocas, encontrando que para cada tipo de estas sociedades no más de cuatro acaparan más del 40 por 100 del negocio de cada actividad. Estas sociedades con mayor dimensión presentan además la peculiaridad de pertenecer a grupos bancarios, o estar bajo el control, caso de las de leasing, de fabricantes de automóviles y bienes de equipo. Sin embargo, en el caso del factoring el negocio está más equitativamente distribuido.

Los **establecimientos financieros de crédito** recogen, entre otros, los siguientes tipos de entidades:

— **Las entidades de financiación.**
— **Entidades de factoring.**
— **Sociedades de leasing o de arrendamiento financiero.**
— **Las sociedades de crédito hipotecario.**

Las **entidades de financiación** forman un grupo muy dispar de instituciones que, al margen del sistema crediticio tradicional, realizan funciones de intermediación en el mercado monetario y financiero, hasta el punto de constituir un mercado financiero paralelo al tradicional.

Estas entidades cumplen una importante y especializada función: financiar a los fabricantes, constructores, distribuidores y consumidores, a las ventas en los primeros casos y a las compras a plazo en los últimos.

Esta financiación permite al productor o vendedor de bienes de equipo y de consumo, al promotor inmobiliario o al distribuidor o comercializador de servicios cobrar al contado, y al cobrador de dichos productos y servicios pagar a plazos, normalmente a corto. Esto posibilita a unos vender más, y a los otros poder acceder a bienes y servicios con mayores facilidades.

Las sociedades de financiación toman dinero prestado de quienes tienen liquidez y lo prestan a vendedores y compradores, por lo que son realmente simples intermediarios financieros.

Las entidades de financiación centran su actividad en las líneas clásicas de financiación de automóviles, bienes de equipo, negociación de efectos, bienes de consumo duradero, etc.

Básicamente el **factoring** consiste en la cesión en firme antes de su vencimiento de un crédito comercial a corto plazo de su titular a una firma especializada (sociedad de factor o **entidad de factoring**), la cual se encarga de su contabilización y cobro y asume el riesgo de insolvencia, percibiendo a cambio una comisión.

Las **sociedades de leasing** son entidades mercantiles, cuyo objeto es la adquisición en nombre propio de un bien, arrendándolo posteriormente de forma inmediata a través de un contrato mercantil, siguiendo las indicaciones del arrendatario, que es quien lo usará y disfrutará desde el primer instante durante el plazo irrevocable del contrato, pudiendo al final del mismo ejercer la opción de compra. Estos bienes pueden ser tanto muebles como inmuebles.

Las **sociedades de crédito hipotecario** (SCH), incluidas las recogidas en la Ley 2/1981, son entidades financieras que pueden participar en el mercado hipotecario; son intermediarios financieros especializados, cuyo activo está fundamentalmente constituido por préstamos hipotecarios y cuyo pasivo procede de la captación de recursos mediante depósitos a largo plazo, ahorro vinculado y emisión de títulos hipotecarios (cédulas). También pueden realizar servicios de avales hipotecarios, estudios y tasaciones, etc. En suma, su especialización en el sector de préstamos con garantía real hipotecaria para la adquisición, mayoritariamente de vivienda, les convierte en una alternativa muy a tener en cuenta para este tipo de financiación por su especialización, agilidad en la concesión y competitividad.

En un próximo capítulo analizaremos con más detenimiento la operativa del leasing, factoring y las tarjetas de crédito desde la perspectiva de la utilidad que le reporta a la empresa como vía de financiación.

6. Otros intermediarios financieros

Aquí encontramos las siguientes figuras: **sociedades de garantía recíproca** o de caución mutua, **sociedades y fondos de capital riesgo, entidades emisoras de tarjetas de crédito** y **sociedades y fondos de inversión inmobiliaria.**

6.1. Las sociedades de garantía recíproca

Las **sociedades de garantía recíproca** (SGR), o de caución mutua, aparecen en el mercado para solventar determinados problemas financieros de las pymes, que carecen de garantías suficientes para obtener financiación de las entidades de crédito. Su objetivo principal no es otro que el de prestar apoyo financiero a las pymes mediante la concesión de avales que respalden los créditos que éstas soliciten a las entidades crediticias.

Las SGR ofrecen a las pymes importantes ventajas:

- Aportan garantía, sin necesidad de prestar garantías complementarias e incluso personales.
- Agilizan la concesión de créditos, normalmente en mejores condiciones.
- Analizan la viabilidad de los proyectos garantizados.
- Prestan una importante labor de información al empresario.
- Se constituyen en socios de las empresas garantizadas.

Las SGR tienen una doble dimensión. Financiera, en tanto que deben actuar conforme a criterios ortodoxos de solvencia, viabilidad y eficacia de los proyectos avalados; y económica, en cuanto son un instrumento de política económica para fomentar la producción y el empleo.

Pueden ser de tres **tipos:**

— De ámbito regional y carácter multisectorial, que prestan sus servicios a empresas de cualquier sector dentro de una región determinada.
— De ámbito nacional y carácter sectorial, para empresarios del transporte y editorial.
— De ámbito regional y carácter sectorial.

Sin embargo, la inmensa mayoría de estas sociedades tienen ámbito autonómico (sólo cinco son nacionales, pero con carácter sectorial).

6.2. Sociedades y fondos de capital riesgo

Son sociedades con una actividad financiera especializada y sistematizada que consiste en la canalización de capitales hacia pequeñas y medianas empresas, en buena medida innovadoras, al tomar participaciones en el capital social de las mismas, generalmente en forma minoritaria y temporal. Por un lado se produce una inyección de recursos financieros desde la SCR hacia las pymes, buscando aquélla, como inversor, un beneficio, en forma generalmente de plusvalía, al deshacerse de su participación en el plazo previsto.

6.3. Entidades emisoras de tarjetas de crédito

Son entidades especializadas en dar crédito al consumo a través del uso de las tarjetas (dinero de plástico) por ellas emitidas, y cuyo uso «contratan» los comerciantes y otras empresas orientadas al consumidor final. Como ya indicamos, en un próximo capítulo veremos más detenidamente su funcionamiento desde la óptica que más interesa al emprendedor y futuro empresario.

16 La financiación bancaria

1. Principales instrumentos de financiación bancaria

1.1. Generalidades

Las **operaciones de activo** (préstamos y créditos) o de colocación o inversión crediticia constituyen el grueso esencial del negocio bancario y crediticio en general y son los principales instrumentos de financiación ajena utilizados por las empresas. Estas operaciones se caracterizan por implicar un riesgo (el de no devolución por parte del prestatario o deudor), y constituyen la principal vía de ingresos para las entidades crediticias a través de los intereses —sobre todo—, comisiones y otros gastos que conllevan. También se les denomina operaciones de **crédito** o **préstamo,** si bien, y como veremos, existen diferencias entre un préstamo y un crédito.

A lo largo de los años han ido surgiendo diversas figuras de crédito (por obra de lo que se ha venido en denominar *ingeniería financiera*), aunque en esencia todas son variaciones de las principales que aquí estudiaremos y que constituyen los principales instrumentos de financiación ajena de empresas y particulares.

Por su propia naturaleza y peculiaridades, las operaciones de activo han merecido una especial atención y tratamiento tanto legal como técnico, ya que constituyen uno de los principales motores de progreso de la economía de un país, al canalizar el ahorro hacia la inversión, los excedentes de las unidades de gasto con superávit —UGS— hacia las unidades de gasto con déficit —UGD—; pero también pueden suponer la ruina de muchos ahorradores si las entidades crediticias no las gestionan con prudencia y sabiduría, lo cual no obsta, como pondremos de manifiesto, que sean la principal fuente de abusos por parte de estas entidades. Constituyen el foco de atención principal de la política monetaria, como no podía menos que esperarse, y sin duda son también un tema que no pasa desapercibido ni al más ingenuo de los ciudadanos, ya que de alguna manera todos, ahorradores e inversores, particulares y empresas, unidades de gasto con superávit y unidades de gasto con déficit, tenemos intereses involucrados en su gestión por parte de los intermediarios financieros: unos porque rentabilizan sus ahorros; otros porque suponen financiar inversiones, consumo, etc. En definitiva, inciden en nuestro nivel y calidad de vida.

La **clasificación de las operaciones de activo** puede abordarse desde distintas ópticas, que a su vez nos permitirán una conceptualización de las mismas: por **el riesgo que implican**, **libertad de concesión** y **naturaleza** (véase la figura 16.1) son quizá los criterios más importantes, si bien podrían aplicarse algunos otros según el interés que nos lleve.

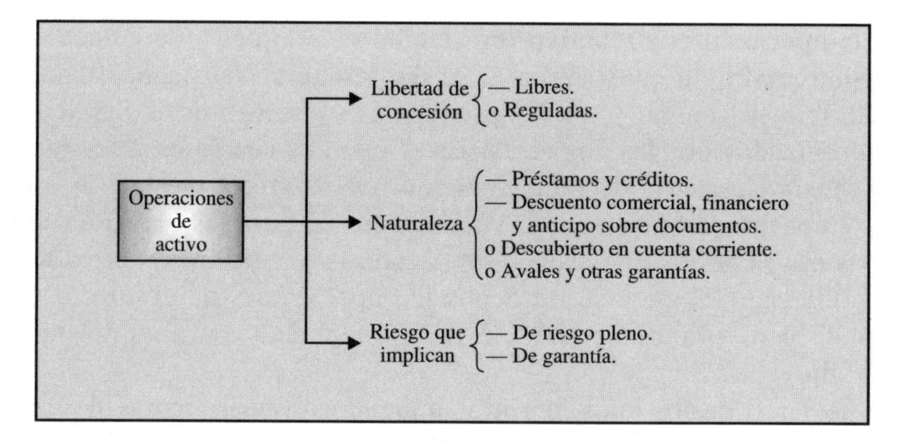

Figura 16.1

Por el riesgo que implican para el prestamista distinguiremos entre **operaciones de riesgo pleno** y **de garantía.**

En las **operaciones de riesgo pleno** o activas propiamente dichas el riesgo es asumido plenamente por la entidad que concede la operación, contabilizándose en el activo de su balance (préstamos, créditos...), mientras que en las **operaciones de garantía** o de riesgo condicionado el riesgo depende de que el prestatario garantizado haga o no frente a sus obligaciones de pago y reembolso; se contabilizan en cuentas de orden (avales).

Por la libertad de concesión que goza el prestamista (la entidad crediticia) para llevarla a cabo se distingue entre **operaciones libres** y **reguladas.**

Las **operaciones libres** son aquellas que las entidades pactan con sus clientes sin ningún tipo de restricción en sus condiciones por parte de la autoridad competente (Banco de España, Ministerio de Economía y Hacienda...), y las **operaciones reguladas** u obligatorias son aquéllas en las que las entidades crediticias se encuentran con condicionantes a la hora de su concesión por muy diversos motivos: políticos, de prudencia, por política monetaria, etc.

Por su naturaleza podemos encontrar un considerable número de operaciones: **préstamos y créditos, descuento comercial** y **anticipo sobre documentos, descubierto en cuenta corriente** y **concesión de avales** y **otras garantías.**

Por su importancia y carácter operativo, analizaremos estas figuras separadamente y con mayor detalle.

1.2. Préstamos y créditos

Constituyen la forma más numerosa e importante de operaciones activas. Es muy común utilizar ambos términos como sinónimos, si bien existen diferencias entre un tipo de operación y otra, fundamentalmente cuatro:

1. En el **préstamo,** el cliente o prestatario recibe de una sola vez y en el momento de la concesión el importe total de la operación, mientras que en el **crédito** el prestamista pone a disposición del prestatario el derecho a disponer de una cierta cantidad de dinero, siendo el límite el importe o principal de la operación, y pudiendo el cliente disponer, dentro de ese límite, de la cantidad que precise a lo largo de la vida de la operación: **horizonte temporal.**
2. A lo largo del horizonte temporal en el **préstamo** el cliente irá reembolsando periódicamente el principal de la operación y simultáneamente abonando los intereses sobre el capital pendiente de reembolsar (conforme a las cláusulas establecidas al inicio de la operación), de manera que el último pago coincidirá con la cancelación de la operación al final de dicho horizonte (salvo cancelación anticipada), mientras que en el **crédito** el prestatario podrá a lo largo de la vida de la operación efectuar, dentro del límite máximo, ingresos y reembolsos siempre que al final de la misma devuelva el saldo vivo en ese momento; además pagará intereses sobre la cantidad dispuesta.
3. Al final del horizonte temporal el **crédito** puede ser renovado (una o varias veces), mientras que el **préstamo** ha de ser cancelado y

pagado en el vencimiento o bien concertar una nueva operación que cancele la anterior.

4. El uso del **préstamo** es propio para financiar necesidades cuya amortización se proyecta en el tiempo, es decir, para el medio y largo plazo, mientras que el **crédito** se suele utilizar por profesionales y empresas para financiar necesidades a corto propias de la actividad comercial y profesional (cubrir las necesidades de liquidez en el período entre pagos y cobros, etc.). Ambas operaciones suelen instrumentarse por lo general en documentos denominados pólizas, si bien también pueden hacerlo en letras de cambio y otros documentos. En temas siguientes tendremos ocasión de profundizar sobre estas operaciones de activo.

1.3. Descuentos, anticipos, descubiertos y avales

El **descuento comercial** y **anticipo sobre documentos** supone el anticipo, una vez descontados los intereses, comisiones y gastos, del importe de determinados documentos mercantiles o efectos a su titular, dentro de un límite máximo fijado por la «línea de descuento» o «clasificación»; el cliente podrá descontar efectos dentro de ese límite en el plazo de vigencia, de manera que a medida que van venciendo los documentos descontados aumentará la disponibilidad al alejarnos del límite.

En el descuento comercial estos documentos son efectos comerciales, letras o recibos que instrumentan los aplazamientos de pago entre compradores y vendedores.

Los **anticipos sobre documentos** son una variante del descuento comercial, funcionando de manera análoga, si bien los documentos descontados son de otra naturaleza, normalmente compromisos de pago de entidades públicas, certificaciones, etc.

El **descubierto en cuenta corriente** se trata realmente de un crédito no solicitado formalmente sino ofrecido de manera puntual (y verbal) por la entidad al cliente dentro de la confianza que le ofrece, permitiéndole a éste efectuar pagos o disposiciones contra su cuenta corriente por importe superior a su saldo. Su costo se recoge en el contrato de cuenta corriente, si bien no así el compromiso de la entidad a autorizarlo.

Los **avales y otras garantías** se encuadran dentro de los llamados *créditos de firma,* los cuales no suponen ni implican un desembolso de efectivo por parte del banco hacia el cliente, sino un compromiso de pago de una deuda en lugar del deudor principal (el cliente bancario) en caso de impago de éste: el banco o la entidad crediticia garantiza (o avala) con su firma al cliente el buen fin de su operación con un tercero, quien ante la credibilidad que le ofrece la entidad crediticia se avendrá a realizar la misma (comercial o financiera). El *aval bancario* es la operación más habitual de este tipo que se documenta en un contrato de garantía, en virtud del cual la entidad crediticia que avala (que lo concede) asume frente al avalado (el cliente) la responsabilidad subsidiaria del cumplimiento de la obligación por éste asumida, reforzándose frente a su acreedor el cumplimiento final y definitivo de dicha obligación. Junto con los avales coexisten **otros tipos de garantías** tales como las **fianzas, créditos documentarios confirmados, aceptaciones,** etc.

2. Elementos de las operaciones de financiación bancaria

En las operaciones de activo hay que distinguir una serie de elementos que la conforman: **sujetos, objeto, principal, horizonte temporal, amortización, interés, gastos** y **garantías** (véase la figura 16.2).

Vamos a analizar cada uno de estos elementos por separado.

2.1. Sujetos, objeto, principal y plazo

Los sujetos de las operaciones activas pueden ser muy diversos, pero fundamentalmente son: **prestamista, prestatario, garantes** y **fedatario.**

El prestamista es la entidad crediticia que concede la operación, siendo siempre persona jurídica y no física.

El prestatario puede ser tanto persona física como jurídica, uno o varios, y normalmente también son los garantes de la operación en el caso de las personas físicas, si bien puede ser un tercero con la suficiente solvencia y patrimonio.

El fedatario es una figura esencial, ya que todas las operaciones deben ser intervenidas por él. En el próximo epígrafe abundaremos en el análisis de los sujetos implicados, tanto directa como indirectamente, en la operación.

Vamos a estudiar el papel de los distintos sujetos que intervienen en una operación de crédito, y muy particularmente las del prestatario —el sujeto por antonomasia—, como responsable principal, y las implicaciones que, sobre todo en el caso de las personas físicas, pueden recaer sobre estos sujetos (y sus cónyuges). Así pues vamos a comenzar por éste.

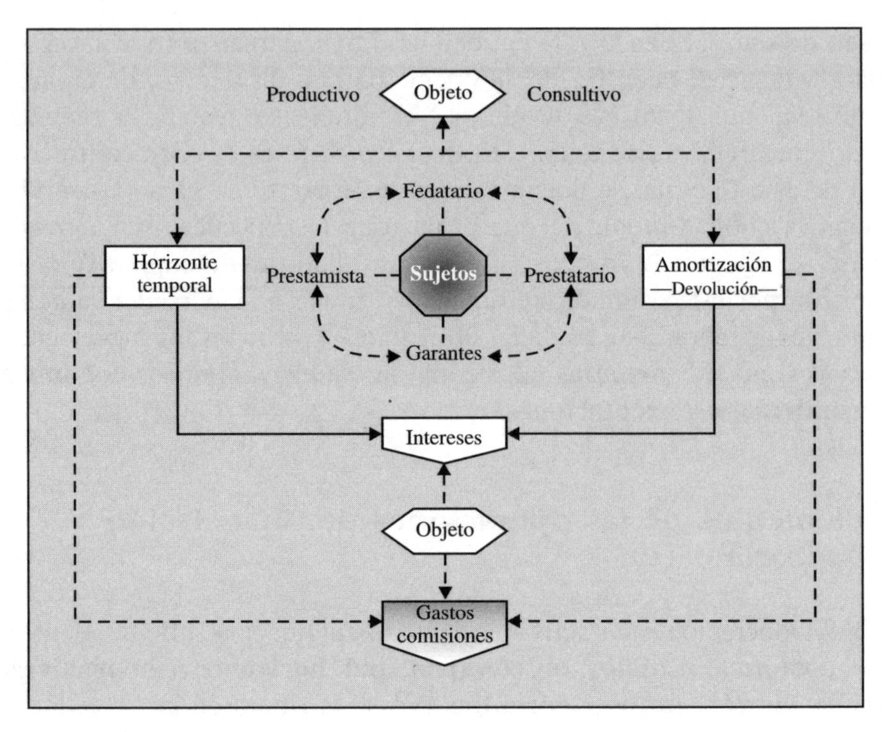

Figura 16.2

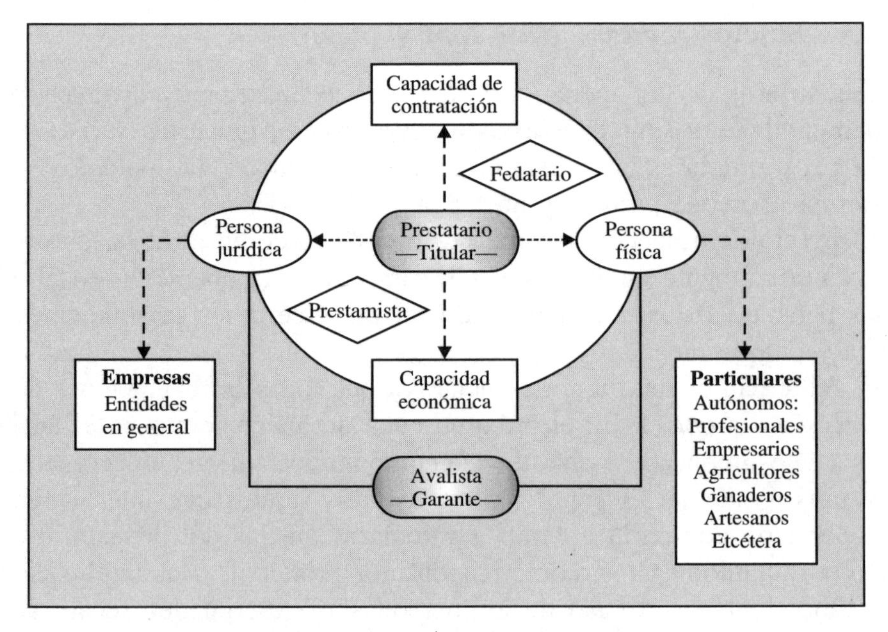

Figura 16.3

El prestatario o titular de la operación de crédito es el elemento esencial de la misma, constituyendo en sí mismo un factor de riesgo según su naturaleza y fundamentalmente su actividad. El principal riesgo al que se enfrenta una entidad en la concesión de un crédito es el de impago; éste está íntimamente conectado con el titular de la operación, que es quien debe responder de la misma, de manera que si clasificamos a estos sujetos según el grado de riesgo de mayor a menor, tendríamos: empresas, empresarios y profesionales autónomos y particulares con capacidad de generación de recursos (ingresos por rentas de trabajo personal o de capitales financieros, asalariados y rentistas no empresarios).

A la hora de solicitar un préstamo, el primer análisis que lleva a cabo la entidad es determinar la ***capacidad de contratación*** del sujeto solicitante, y simultáneamente su identificación y, acto seguido, un primer análisis sobre su ***capacidad económica*** para hacer frente a la deuda que se le generaría.

En cuanto a la ***capacidad de contratación,*** para el caso de personas físicas ha de determinarse su capacidad legal, que se considera existente en los siguientes casos: mayores de edad no incursos en ningún tipo de inhabilitación; menores emancipados, siempre que se justifique documentalmente mediante certificación del Registro Civil o escritura de emancipación con sello de dicho Registro, precisándose, en su caso, la autorización conjunta de sus padres; y menores no emancipados con autorización judicial, y en supuestos excepcionales representados conjuntamente por sus padres. Además, también se analizará el estado civil del prestatario, pues en el caso de la existencia de cónyuges estos se ven involucrados de alguna manera. Por prudencia los bancos obligan a firmar la operación, al menos como garantes, a ambos cónyuges, salvo en los casos de existencia de régimen matrimonial de separación de bienes. No obstante, una persona casada puede por sí sola contratar una operación de crédito o afianzarla (garantizarla) sin la concurrencia de su consorte, siempre que existan bienes privativos suficientes para ello, si bien la responsabilidad también se extiende a los bienes gananciales pero de forma limitada. En cualquier caso, y en el ánimo de obtener las máximas garantías, las entidades suelen exigir la firma de ambos cónyuges con independencia del régimen matrimonial en que se encuentren.

En el caso de personas jurídicas la capacidad de contratación la tiene el representante de la misma con poder suficiente. Su comprobación se lleva a cabo a través de las escrituras públicas debidamente formalizadas y registradas donde se confieran dichos poderes a la persona o personas que representarán a la sociedad de manera solidaria o mancomunada. A este análisis para determinar la capacidad de contratación del representante o apoderado de la entidad jurídica se le denomina *bastanteo*.

Una vez que la entidad crediticia tiene clara la capacidad legal de contratación del solicitante, y de manera casi inmediata y simultánea, procede a su identificación y a un primer análisis de su capacidad económica para hacer frente al reembolso y costos de la operación. En esta fase el prestamista procederá solicitando al cliente una serie de documentación, que analizaremos con detalle en un próximo capítulo.

Los otros sujetos que intervienen en una operación de activo son los prestamistas, avalistas o afianzadores y fedatarios.

Los prestamistas son quienes proporcionan el dinero objeto de la operación, entidades de crédito o de financiación. Su principal preocupación reside en velar por la buena aplicación y marcha de las operaciones, garantizando los derechos de los ahorradores cuyo dinero usan principalmente en el negocio crediticio, contribuyendo así a la buena marcha de la empresa y participando en la generación de riqueza del país al canalizar ahorro hacia la inversión. Su papel es tan delicado y complicado, tanto a nivel empresarial, microeconómico como macroeconómico, que no es de extrañar la completa regulación y los estrictos controles a que son sometidos por parte de los poderes públicos.

Los garantes principales son los solicitantes, quienes se comprometen a cumplir con las obligaciones contraídas en el contrato de préstamo o crédito; además, los terceros pueden de manera personal o con aportación de bienes completar las garantías exigidas para la obtención de la operación, como veremos en el epígrafe correspondiente.

La exigencia de **fedatario público** en la concesión de operaciones de crédito nos manifiesta su importancia en todos los ámbitos, fundamentalmente el jurídico. El fedatario tiene como misión dar fe de la autenticidad de la operación, de la identidad exacta de los sujetos —prestamista, prestatarios y afianzadores— y de la legalidad de las cláusulas contractuales.

La finalidad de toda operación crediticia es financiar, facilitar fondos suficientes para satisfacer una necesidad del solicitante —particular, empresa o institución— que puede ser muy diversa. Según cual sea la necesidad u **objeto** de la operación crediticia ésta puede ser **consuntiva** —financia un consumo— o **productiva** —financia bienes o inversiones productivas—, cabiendo múltiples subclasificaciones dentro de cada una de ellas.

El **principal** es el importe de la operación, la cantidad financiada de la que el prestatario podrá disponer y que deberá reembolsar, y sobre la que se calculan los intereses a pagar.

El **plazo** u **horizonte temporal** hace referencia a la duración de la operación, desde que se concede y el prestatario dispone de su principal, hasta el momento en que éste debe quedar totalmente reembolsado. Se fija al comienzo de la operación y se recoge contractualmente. El horizonte temporal puede no llegar a cubrirse si la operación se cancela anticipadamente por parte del prestatario, o bien se interrumpe por alguna otra causa, normalmente impago o incumplimiento lesivo de alguna cláusula, a instancias del prestamista, si bien esta interrupción no supone que dejen de devengarse intereses o se cancele la obligación de reembolso por parte del cliente o sus garantes.

2.2. Las garantías

La concesión de un préstamo o crédito parte de la investigación efectuada por la entidad crediticia, apoyada en datos lo más fidedignos posible, sobre la capacidad del solicitante de generar los recursos necesarios para hacer frente al pago de intereses, devolución de principal y cualesquiera otro gasto que se devengue durante el horizonte temporal de la operación. Ahora bien, debido a la duración y a la incertidumbre sobre los más diversos imponderables que pudiesen surgir a lo largo de la vida de la operación, es condición *sine qua non* en la concesión de una operación crediticia la aportación de garantías que cubran el riesgo de impago en caso de no liquidarse la operación conforme a lo pactado contractualmente.

La **garantía crediticia** es una cobertura contractual que se establece en las diferentes operaciones de activo bancario para eliminar, mediante su establecimiento, el riesgo de impago del principal, intereses, etc., conforme se recogen en las cláusulas del contrato de crédito o préstamo; una defensa efectiva en caso de producirse circunstancias adversas a lo largo del horizonte temporal del crédito o préstamo y que no pudieron ser previstas en el momento del estudio y concesión de la misma. Por tanto, debe existir un equilibrio entre las condiciones del crédito o préstamo, en cuanto a principal, vigencia y pago de capital e intereses, y las garantías exigibles en el mismo y que lo respaldan.

Las garantías para cubrir una operación de riesgo pueden ser muy diversas en cuanto a su naturaleza y valor presente y futuro, por lo que su evaluación y elección es muy compleja, ya que durante la vigencia de la operación pueden darse múltiples circunstancias que modifiquen su valor, lo que exige en muchos casos que las mismas se revisen periódicamente; además hay que tener presente que en caso de que se hayan de ejecutar dichas garantías, se inicia un costoso y a veces lento proceso que merma su valor y supone para la entidad prestamista una reducción temporal de liquidez y por tanto de rentabilidad, en el mejor de los casos. Pero esto no justifica en absoluto el comportamiento a veces abusivo de las entidades en cuanto a la exigencia excesiva y desmesurada de garantías, que pueden suponer al prestatario una poderosa rémora para otras operaciones que precise durante la vigencia de la ya garantizada.

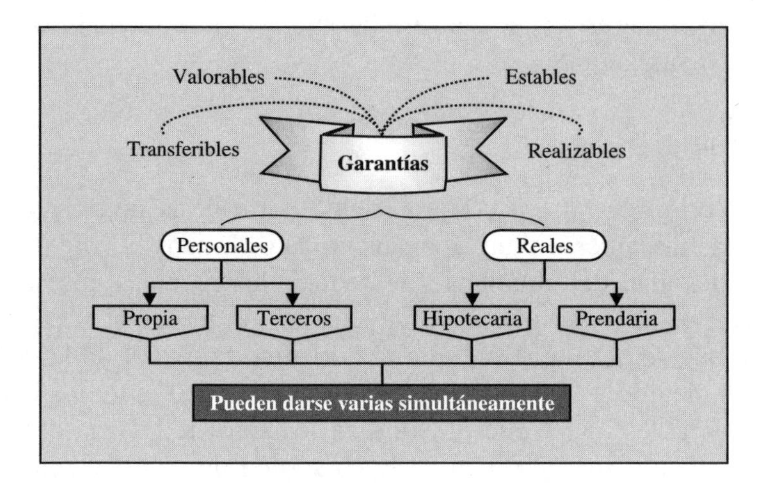

Figura 16.4

Las **garantías** han de verificar al menos cuatro requisitos fundamentales: ser **realizables, valorables, estables** y **transferibles.**

- **Realizables,** en cuanto que exista la posibilidad real de poderlas vender, realizar.
- **Valorables,** es decir, que en cualquier momento y con facilidad pueda estimarse su valor.
- **Estables,** en el sentido de que su valor no esté sujeto a modificaciones y alteraciones irracionales y ajenas al mercado.
- **Transferibles,** refiriéndonos a la facilidad con que se pueden transferir las mismas a bajo costo.

Las **garantías** se **clasifican** en dos grandes grupos: **garantías personales** —que a su vez pueden ser **propias** o de **terceros**— y **garantías reales**

—tanto **hipotecarias** como **prendarias**—. El que la entidad exija uno u otro tipo de garantías depende de múltiples factores: grado de confianza, solvencia y experiencia en el cumplimiento de las obligaciones que el prestamista aprecie en el prestatario, el volumen de la operación, su horizonte temporal y su finalidad.

Las **garantías personales** son garantías generales aportadas sólo por el prestatario **(propias)** o complementariamente por otros **(de terceros),** quienes responden con la totalidad de su patrimonio presente y futuro (referido a la duración de la operación)[1] e incluso rentas, que han de ser suficientes (al menos en el momento de concesión de la operación y a juicio de la entidad crediticia) frente al no cumplimiento contractual y por la deuda pendiente y gastos que se generasen (intereses de demora y gastos jurídicos principalmente).

La **garantía personal propia** se produce de manera inmediata al formalizar la operación de crédito en el documento apropiado y con la intervención de fedatario público. Es una garantía imprescindible en cualquier tipo de operación, y con gran profusión se utiliza complementariamente en las operaciones respaldadas con garantía real (lo cual podría en muchos casos considerarse abusivo). Pero siempre ha de estar documentada, y con frecuencia las entidades crediticias la consideran insuficiente *per se* recurriendo a la garantía complementaria de terceros.

La **garantía personal de terceros** supone el compromiso de otra u otras personas, además del titular, de responder ante el impago de la deuda si el prestatario no cumpliese. De esta manera la entidad prestamista refuerza su posición en la operación asegurándose vías alternativas de cobro en el caso de impago o insolvencia del titular de la misma. Las entidades suelen imponer que estas garantías sean solidarias y con renuncia expresa del *beneficio de excusión,* si es un solo garante además del titular, y del *de división,* si son varios los garantes terceros. Es muy frecuente este tipo de garantías en las operaciones crediticias con entidades jurídicas, siendo los terceros garantes los socios o directivos de las mismas por lo general. Su formalización puede llevarse a cabo en el propio documento de la deuda (póliza, letra, escritura notarial...) o documento aparte (póliza de afianzamiento mercantil o carta de garantía).

Las **garantías reales** son aquellas por los que unos determinados bienes perfectamente identificados quedan afectos al buen fin de la operación

---

[1] Si a lo largo de la vigencia de la deuda crediticia los garantes liquidasen su patrimonio y procediesen al incumplimiento de la misma, careciendo entonces de cobertura, se estaría ante una situación de alzamiento de bienes.

activa. Según éstos sean **bienes inmuebles** —fincas rústicas, locales, solares— o **bienes muebles** —acciones, efectos mercantiles, otros activos financieros, mercaderías, obras de arte, etc.—, la garantía será **hipotecaria** o **prendaria.** Si se produjese el impago de la deuda así garantizada, los bienes que la garantizan serán ejecutados, es decir, podrán ser enajenados para pagar al prestamista mediante el oportuno procedimiento judicial o no establecido al efecto en las cláusulas del contrato de garantía, siendo lo más habitual acudir al procedimiento judicial.

La **garantía real hipotecaria** supone la afectación de determinados bienes inmuebles (uno o varios) al buen fin de la operación garantizada. Se formaliza en un contrato de hipoteca que toma la forma de escritura hipotecaria debidamente intervenida por fedatario público (notario) e inscrita en el Registro de la Propiedad en la inscripción del bien garante (anotación). También puede efectuarse sobre algunos bienes tales como naves y aeronaves, si bien no es muy frecuente. Esta garantía afecta a la propiedad del bien, pero no a su posesión, que queda en poder del dueño, por lo que en el caso de transmisión de dicho bien hipotecado éste sigue respondiendo ante la deuda con independencia de su actual titular; es decir, *sigue* al bien con independencia de sus posibles titulares por ulteriores enajenaciones o transmisiones (cesión o herencia, etc.). Este tipo de garantía se utiliza con gran frecuencia en operaciones a largo plazo, y en muchas ocasiones para la adquisición del propio bien que se hipoteca; también como superposición de garantías para consolidar operaciones en vigor que se han deteriorado por diversas circunstancias u operaciones nuevas que por su naturaleza precisan reforzar su solvencia. Suelen elegirse bienes cuyo valor se espera que no evolucione desfavorablemente durante la vigencia de la operación y que puedan ser realizables con relativa facilidad en el sentido de que exista mercado para ellos.

La **garantía real prendaria** o **pignoraticia** se establece sobre bienes muebles, efectos, activos financieros, etc., y al igual que la hipoteca garantiza la obligación de pago de una deuda. El bien ha de ser propiedad del que lo ofrece en garantía —el prestatario o un tercero— y estar libre de cargas y gravámenes, teniendo su propietario la plena disposición del mismo. Como en la anterior, esta garantía ha de constar en documento público donde se acredite el bien, la fecha de constitución de la prenda y la operación que garantiza; este documento puede ser el mismo contrato de crédito o contrato aparte, como simple carta de compromiso. Aunque se utilizan en operaciones a largo plazo, lo más común es que su uso responda a la consolidación de garantías ya existentes en operaciones que se han deteriorado o reforzando operaciones nuevas. Al no tener una naturaleza inmobiliaria, estos bienes pueden verse más afectados en su valor a lo largo de la vida de la operación, por lo que a la hora de establecerlos como garantías debe tenerse en cuenta principalmente su futuro valor *liquidativo.* Han de seleccionarse bienes de una cierta rentabilidad y fácilmente liquidables, para los que exista un mercado.

La **garantía real prendaria** puede constituirse **con desplazamiento de posesión del bien** o **sin desplazamiento de posesión del bien.**

En el primer caso, **prenda con desplazamiento de posesión,** se transfiere al prestamista la posesión del bien, quien además adquiere el derecho a enajenarlo, conforme establece la ley, en caso de impago para resarcirse del importe aún adeudado, sin que se requiera ninguna ulterior comunicación y advertencia al titular de los bienes pignorados. Este tipo de garantía se suele utilizar en bienes tales como activos financieros (acciones, obligaciones, y activos financieros en general), efectos mercantiles, certificaciones, etc., que suelen depositarse en la entidad prestamista.

La **prenda sin desplazamiento** se utiliza para aquellos bienes que por su naturaleza se hace muy complejo ponerlos en posesión del acreedor: maquinaria, frutos de explotaciones agrícolas y ganaderas, animales, mercaderías, materias primas, mobiliarios, obras de arte —en este caso bien porque sea complicado su traslado o porque su posesión y mantenimiento resulten delicados y costosos—, etc. Como en el caso anterior, si se produjese una situación de impago, el acreedor podrá, de acuerdo a lo marcado por ley, enajenarlos sin ninguna ulterior comunicación salvo las derivadas de la puesta a disposición del adquiriente.

2.3. Costes de la operación: intereses, gastos y comisiones

El **interés** es el coste principal de la operación para el prestatario, y supone para el prestamista su vía de ingresos, lo que le da carácter de negocio a la operativa de crédito. Se calcula siempre sobre el capital o principal pendiente de reembolsar. Se pacta contractualmente y puede ser un **tipo fijo** hasta el vencimiento de la operación, o bien un **tipo variable.** Este último se aprobó en España por Orden Ministerial de 17 de enero de 1981, sometiéndose las operaciones con **interés variable** a las siguientes normas: pueden tomar la forma de préstamo o crédito; han de instrumentarse en póliza o escritura intervenida por fedatario público; la duración mínima ha de ser un año; pago de intereses periódico —mensual o múltiplo del mes es lo recomendado—; no podrá incluirse ningún tipo de «cláusula desastre» en virtud de la cual el prestamista pueda suspender unilateralmente la operación; las condiciones de recesión contractual deben establecerse previamente y de manera clara, y por último, y muy importante, el tipo de **interés variable** tendrá dos componentes: **tipo de referencia,** que es objetivo y variable, en el sentido de que lo determina el mercado y éste puede variar por esa misma circunstancia (en España como miembro de la UME, Unión Monetaria Europea, se utiliza el euribor, que fija el Banco Central Europeo), y un **tipo diferencial,** que es fijo durante toda la operación y que depende de varias circunstancias. A veces también se establece un **tipo mixto,** sobre todo en los préstamos con una cierta duración: fijo durante un cierto período del horizonte temporal, normalmente al inicio, y variable el resto.

Los **gastos** recogen otras partidas en la concesión de la operación con las que debe *cargar* el prestatario. Su naturaleza es muy diversa, y a veces tienen dudosa legalidad —en cuanto si son o no reales y necesarios— y otras muchas traspasan los límites éticos —en cuanto a su monto y su justificación.

Entre los **gastos** y **comisiones** más habituales y *legalmente* reconocidos tenemos los siguientes:

— Los **gastos de estudios** son previos a la concesión de la operación, y marcan el punto de partida para la misma. Se justifica en el estudio que la entidad efectúa sobre determinados aspectos que determinan la factibilidad o no de la operación; en concreto analiza al solicitante, sus necesidades de financiación y su capacidad de devolución conforme a los datos que normalmente le pide que aporte inicialmente.

— Los **gastos de informes y tasaciones** se refieren a los informes y tasaciones efectuados normalmente por otras empresas especializadas sobre el solicitante y su fincabilidad, y encargados por la entidad para verificar los datos aportados por el cliente.

— Los **gastos de fedatario y registro** reflejan las minutas de intervención de los fedatarios (notarios) que intervienen la operación y, si es necesaria la inscripción en el Registro de la Propiedad (hipotecas, etc.) o Mercantil, la de ésta.

— Los **gastos de gestoría** se justifican por el hecho de encargar a una de ellas la gestión de ciertos trámites que no efectúa el cliente, normalmente relacionados con notarios, registros, etc.

— La **comisión de apertura** se cobra de una sola vez en el momento de formalizar la operación bancaria, y es un porcentaje sobre el principal (en torno al 1 por 100), si bien se suele establecer una cantidad mínima aplicable en el caso de que el porcentaje no la supere.

Hasta aquí todos estos gastos y comisiones se producen en la fase previa e inicial de la operación, y su importe suele detraerse del principal de la misma, de manera que a la hora de disponer el prestatario no lo hace sobre el 100 por 100 del montante de la operación; sin embargo, los intereses sí se calculan sobre el principal total, que es además el que debe reembolsarse.

— La **comisión de seguimiento y cobro,** muy común en préstamos y créditos, se cobra sobre el capital dispuesto en un momento determinado, que suele coincidir con los períodos pactados de liquidación de intereses y amortización. Se justifica en el hecho de que ha de cubrir los gastos generados por las tareas de seguimiento y control de la operación a lo largo de su vigencia. Cabría preguntarse si estas tareas no forman parte de la propia actividad crediticia sobre la que ya nos cobran intereses.
— La **comisión de mantenimiento y administración** puede atender a muy diversos motivos. Es muy normal en los créditos, al vincularse estos a cuentas corrientes, y responde al hecho de pagar servicios complementarios tales como cheques, domiciliaciones, etc.; se cobran periódicamente.
— La **comisión de cierre y cancelación anticipada** se justifica en que cubre los gastos generados por la tramitación en la finalización o cancelación anticipada de una operación. Su coste está entre el 1 y el 4 por 100 del principal del préstamo o cantidad que quedase por amortizar.
— La **comisión por subrogación** es muy habitual en préstamos con garantía real (normalmente hipotecarios); cuando un tercero adquiere el bien garante y mantiene la carga, se subroga. Oscila en torno al 1 por 100 del principal pendiente de amortizar.
— La **comisión por disponibilidad** es normal en las operaciones de crédito. Se calcula y cobra trimestralmente sobre la cantidad no dispuesta por el titular del crédito, ya que sobre la dispuesta paga intereses. Suele estar en torno al 0,5 por 100 del límite no dispuesto.

— Por último, la **comisión sobre excesos,** también aplicable a los créditos, se calcula sobre las cantidades dispuestas por el cliente más allá del límite de la operación *(sobregiramiento).* Supone habitualmente un porcentaje elevado sobre la cantidad excedida del límite del crédito.

Los intereses, gastos y comisiones determinan el **costo total de la operación de activo,** que conocemos como **TAE,** tasa porcentual anual pagadera a término vencido equivalente, y **TAEG,** tasa global porcentual anual pagadera a término vencido equivalente.

El **TAE,** que es obligatorio referirlo en todas las operaciones de activo, es el coste real equivalente de la operación resultante, un tipo de interés efectivo anual y postpagable, cuyo cálculo responde a la suma de intereses, comisiones y gastos repercutibles al cliente (prestatario), con exclusión de los impuestos y gastos suplidos que son a cargo de éste. Todos los elementos que intervienen en el cálculo del TAE deben recogerse contractualmente, y su monto se calculará conforme a la fórmula aprobada por el Banco de España, que debe aparecer explícitamente en el referido contrato.

El **TAEG** es el TAE pero incrementado por los gastos adicionales de cualquier índole derivados de la operación activa (de financiación).

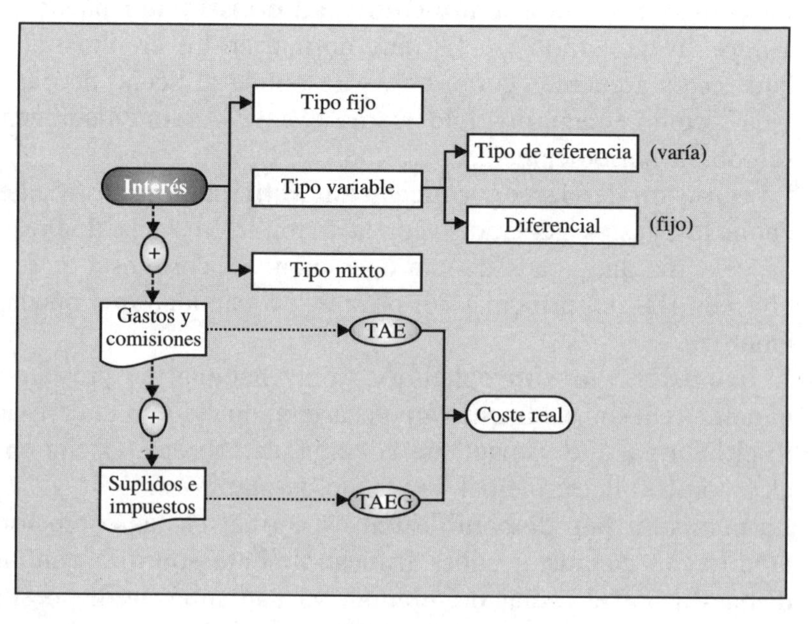

Figura 16.5

En el TAE y TAEG se tiene en cuenta que la cantidad percibida por el prestatario es inferior al principal que ha de devolver, ya que se detraen de ésta todos los gastos y comisiones que sean oportunos.

2.4. Amortización de la operación

La **amortización** es el reembolso del principal de la operación de activo. Según el tipo de operación la amortización se llevará de una u otra manera, como veremos para cada caso. Con carácter general, en los préstamos ésta se efectúa periódicamente, y en los créditos no, pero siempre dentro del horizonte temporal.

Existen distintos sistemas de amortización (figura 16.6).

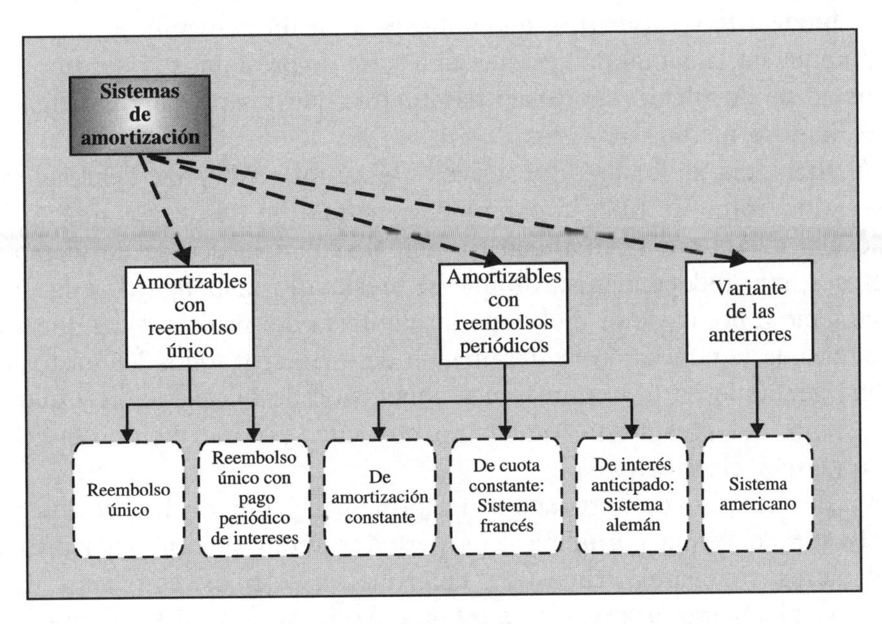

Figura 16.6

En España, para los préstamos se utiliza por defecto el denominado sistema francés o de cuotas constantes. En este sistema, en cada uno de los períodos en que se fragmenta la devolución del préstamo (mes, bimestre, trimestre, cuatrimestre, semestre o año) se paga siempre una misma cantidad denominada *cuota,* compuesta por devolución de principal (amortización) y pago de intereses. El pago de intereses sigue una tendencia descendiente mientras que la parte de amortización lo hace ascendente, pero siempre la suma por ambos conceptos nos da la misma cantidad que es el importe de la cuota.

3. El préstamo

Los préstamos son contratos bancarios que responden a las denominadas **operaciones activas** de las entidades de crédito, en virtud de las cuales el cliente o **prestatario** recibe de la entidad crediticia, **prestamista,** de una sola vez una cantidad determinada de dinero, **principal,** de la que se detraen los gastos propios de la operación, recibiendo un importe menor, **efectivo,** que se compromete a devolver, **amortización de capital,** junto con los intereses en pagos periódicos, **cuotas,** a lo largo de una serie de años, **horizonte temporal,** y que aplicará a un fin concreto.

Aunque en la actualidad existen una serie de préstamos al consumo con un plazo de devolución corto, lo habitual es que los préstamos tengan un plazo largo o medio.

A diferencia de los créditos, en los préstamos se dispone desde el principio y de golpe de toda la cantidad, generándose desde ese mismo instante una deuda por la totalidad (principal) sobre la que se devengan los intereses, con independencia de que el prestatario disponga de ella inmediatamente o no, o mejor dicho, de lo que resta del principal, ya que en el momento de la concesión se descuentan del principal todos los gastos que se han generado en la tramitación y conclusión de la operación y que son por cuenta del prestatario, quien, no obstante, y como hemos indicado, responde por el principal.

La devolución o amortización del principal y liquidación de intereses se efectúa de forma periódica. Los períodos serán siempre divisores del año: meses, bimestres, trimestres, cuatrimestres, semestres o años. Estos pagos se efectuarán a través de **cuotas,** cuyo importe será la adición de la amortización y los intereses que correspondan por el capital pendiente de amortizar.

Otra de las características de los préstamos es que suelen tener una finalidad muy concreta. En el caso de las empresas, financiación de activos fijos, reestructuración de deuda y financiación de proyectos, principalmente; sin embargo, el fin de los particulares suele ser la adquisición de viviendas, reforma de éstas y la adquisición de determinados bienes o servicios como automóviles, mobiliario, estudios, etc.

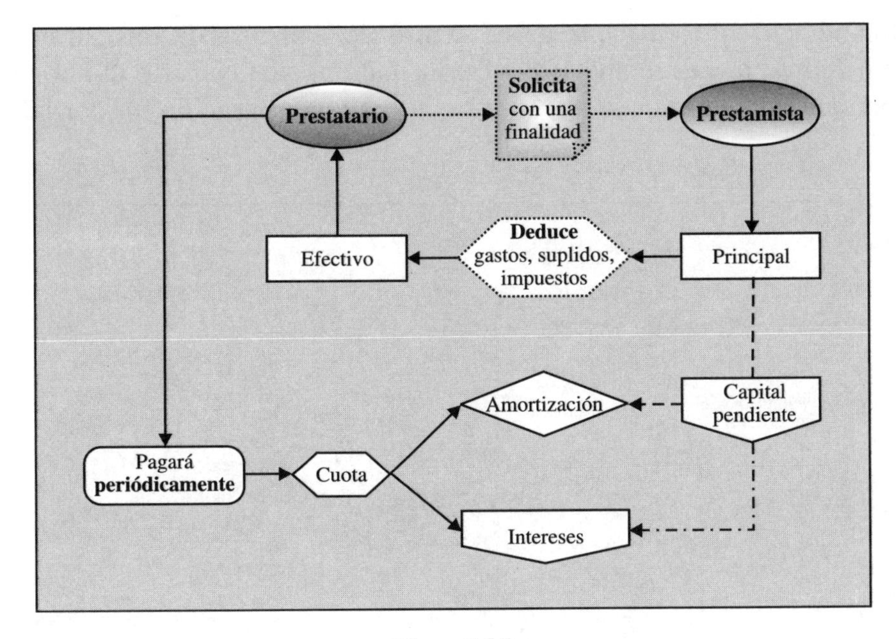

Figura 16.7

Por último, los préstamos se caracterizan también por tener un vencimiento fijo e improrrogable (salvo novación de préstamos hipotecarios), de manera que a esa fecha deben estar totalmente amortizados, y de no ser así habrá de negociarse una nueva operación, que cancele la que está en vigor, con otras condiciones.

Actualmente, casi todos los préstamos de una cierta duración (tres o más años) presentan un tipo de interés variable; las garantías pueden ser tanto personales como reales, y por norma se suele utilizar el sistema francés para su amortización.

4. La póliza de crédito

La **póliza de crédito** o **crédito** es un instrumento de financiación muy habitual en las empresas. A diferencia de los préstamos, que tienen una finalidad muy concreta normalmente vinculada a operaciones de compra, reestructuración, etc., los *créditos* no tienen un *destino* único y específico, sino genérico, hablando en propiedad del *sentido* del uso de ese dinero.

En estas operaciones, la entidad de crédito pone a disposición del prestatario una cierta masa de dinero de la que podrá disponer libremente y en las cantidades y forma que desee dentro del plazo de la misma, con la condición de tener reembolsado el principal una vez cubierto el horizonte temporal. No se pagan cuotas, por lo que es una **operación no periódica.**

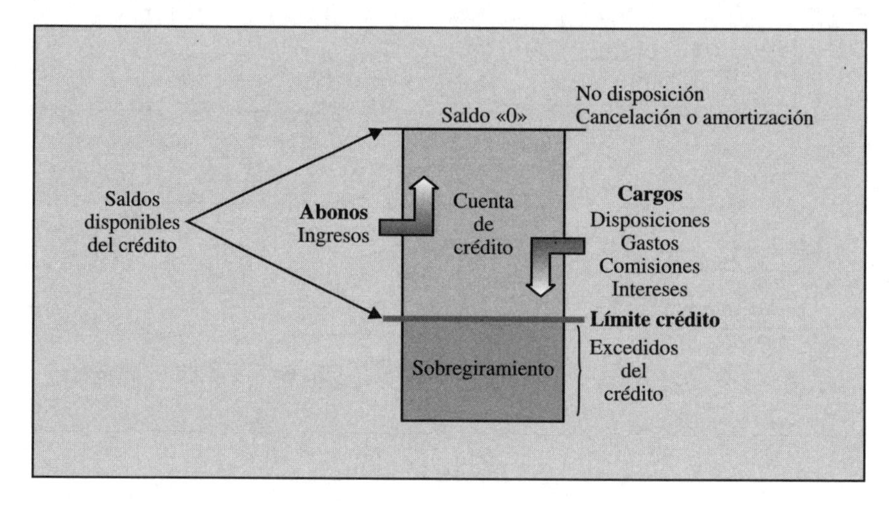

Figura 16.8

Los **créditos** se instrumentan en cuentas corrientes (cuenta de crédito), con un saldo inicial de disponibilidad que es el límite de la **póliza de crédito.** El titular podrá realizar cargos y abonos en dicha cuenta, cuya operativa es idéntica a la de una cuenta corriente: podrá domiciliar pagos, tarjetas de crédito, efectuar transferencias y movilizar su saldo a través de cheques. De manera que la *cuenta de crédito* podrá tener saldos positivos por encima del límite (a favor del titular, lo que indica que aún está disponible la totalidad del crédito; sobre estos saldos puede pactarse un interés de remuneración), negativos dentro del límite, indicando estos últimos la cantidad de crédito dispuesto sin que se rebase el límite, y negativos excedidos, cuando el titular ha sobrepasado en sus disposiciones el límite del crédito (a esta situación se la conoce por *sobregiramiento*). Este saldo deudor refleja en cada momento la necesidad de financiación del titular, quien pagará intereses sobre lo dispuesto y durante el tiempo de disposición.

Como toda operación activa o de riesgo, su **concesión** por parte de la entidad de crédito dependerá del análisis que ésta haga de la solicitud, y se **formalizará** en un documento *(póliza de crédito)* en el que se recogerán todas las condiciones de la operación (principal, plazo, garantías, interés y gastos y comisiones), intervenido por fedatario público (notario).

El **límite** o principal de estas operaciones vendrá determinado por la capacidad de endeudamiento y la necesidad de liquidez o tesorería del prestatario durante un período concreto. La entidad crediticia evaluará principalmente los flujos previstos de cobros y pagos del solicitante en el período de la operación, a fin de estimar el período de maduración de su actividad y comprobar que la necesidad de liquidez es acorde con la solicitud de crédito.

El que su **plazo** sea corto —normalmente entre seis y doce meses y a lo sumo dieciocho— no supone que estas operaciones no se renueven a su vencimiento, si bien en este caso las entidades suelen exigir la total cobertura de la operación vencida (poner a saldo cero) y bajan el límite de la nueva operación. Esto es así porque las entidades consideran éste un instrumento para cubrir necesidades temporales, y en caso de detectar unas renovaciones excesivas, puede considerar que no se está haciendo un uso correcto del mismo, presionando al prestatario para que se financie con un instrumento distinto y más acorde, o incluso puede no renovarle la operación.

A la hora de plantear una operación de este tipo, el solicitante debe tener muy claras sus necesidades y sus flujos de cobros y de pagos. Además presenta una serie de peculiaridades que conviene tener presente en cuanto a **gastos y comisiones, intereses, amortización** y **garantías.**

En lo que se refiere a ***gastos y comisiones,*** estas operaciones suelen generar los señalados en la figura 16.9.

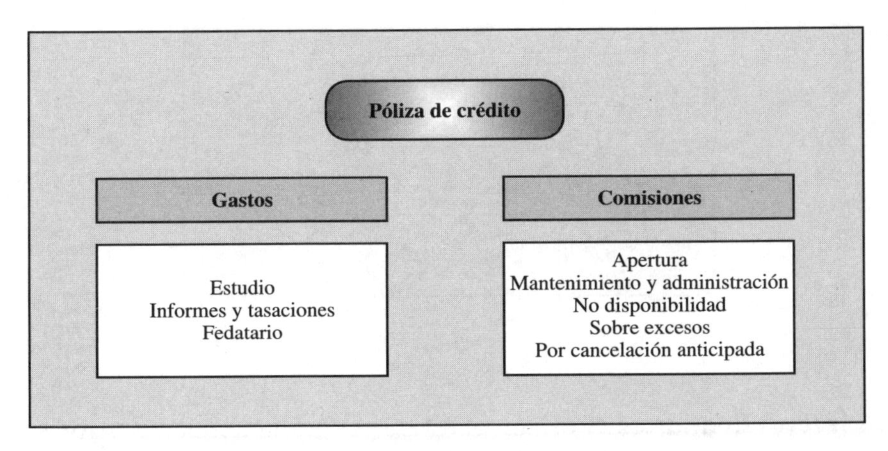

Figura 16.9

En primer lugar señalaremos los que son propios de la **formalización y apertura: gastos de estudio, gastos de informes y tasaciones, gastos de fedatario y comisión de apertura.** Se cargan en el momento en el que se concede la operación, siendo la primera disposición de la misma.

Una vez en marcha la operación podemos encontrarnos con diversos gastos y comisiones tales como (y a título de ejemplo entre los más frecuentes): **comisión por mantenimiento y administración** (en algunas entidades adquiere la forma de comisión por apunte); **comisión por no disponibilidad,** que se calcula sobre el saldo medio no dispuesto o no utilizado, se devenga a diario y se liquida trimestralmente; **comisión sobre excesos** (o sobregiramiento), cuando se traspasa el límite de crédito, devengándose en el mismo instante del exceso y liquidándose trimestralmente, y **comisión por cancelación anticipada.**

Todos estos gastos y comisiones son *negociables* y han de recogerse en la póliza intervenida por el fedatario, con sus importes porcentuales y cálculos claramente especificados.

Los **intereses** de este tipo de operaciones suelen ser fijos, si bien bajo ciertas circunstancias se están efectuando operaciones a interés variable: importes elevados y duración entre doce y dieciocho meses. En este caso el tipo de referencia que se utiliza es el interbancario a tres meses, siendo las revisiones trimestrales y coincidiendo con la liquidación de intereses.

En estas operaciones nos encontramos normalmente con tres tipos de intereses que, como en el caso de los gastos y comisiones, deben venir perfectamente concretados (monto y cálculo) en el documento de la póliza. Estos son: **interés deudor, interés de excedido** e **interés de demora.**

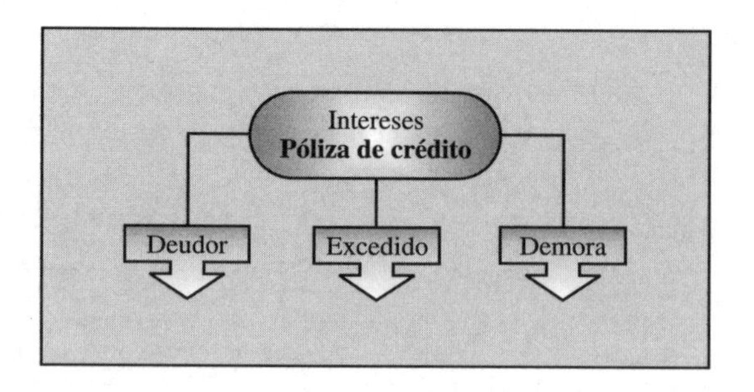

Figura 16.10

El **interés deudor** es el principal, el que cobra la entidad por los saldos dispuestos de la cuenta de crédito. El saldo no dispuesto no devenga ningún interés, si bien, y como hemos visto, puede generar una comisión que en cierto modo *sanciona* la *no disponibilidad* y compensa a la entidad por el hecho de no poder cobrar intereses al no disponer del límite del crédito.

El **interés de excedido** se calcula sobre aquellos saldos que superan el límite de la póliza, devengándose en el mismo instante del exceso. Sería equivalente al interés que se aplica sobre descubiertos en cuenta corriente. Es muy elevado, se calcula trimestralmente y no debe confundirse con la *comisión sobre exceso:* ésta se calcula de una sola vez aplicando un porcentaje sobre el saldo medio excedido, mientras que el interés se calcula teniendo en cuenta el saldo excedido y el plazo o duración del exceso.

El **interés de demora** se devenga cuando, llegado el vencimiento de la operación, ésta aún se encuentra dispuesta en una cierta cantidad. Su montante suele ser similar al de *interés de excedido* o de *descubierto.* Se calcula a diario hasta el momento de regularizar o cancelar la operación en que se liquida, por lo que tienen un efecto en *cascada* o acumulativo.

La liquidación de intereses, al cargarse sobre la misma cuenta, tiene en general un efecto rebote, al incrementar, en su importe absoluto, el saldo dispuesto o sobregirado: los intereses vuelven a devengar intereses a favor de la entidad.

La **amortización de las pólizas** o cuentas de crédito sigue el sistema americano, es decir, se devuelve el principal (o lo que resta del mismo) de una sola vez el último día de vigencia del crédito. Durante todo el horizonte temporal pueden efectuarse cargos y abonos, con la condición de que el día del vencimiento se cancele el capital aún pendiente.

Como en cualquier operación de activo, las **garantías** pueden ser tanto personales como reales, con o sin avalistas, etc.

5. El descuento comercial

En el tráfico comercial de las empresas es muy habitual establecer, unas veces como un atractivo más, y otras dentro de su propia política de ventas y clientes, condiciones de pago fraccionado, es decir, financiar a corto plazo al cliente. Las ventas suelen fraccionarse en pagos mensuales —a 30, 60, 90 y hasta 120 días—. En algunas ocasiones la empresa vendedora puede soportar este tipo de financiación, pero en muchas otras se produce cierta diacronía entre el momento de los cobros y los pagos, no pudiendo, por otra parte, prescindir de este tipo de ventas aplazadas so pena de perder clientela. En estos casos las empresas vendedoras acuden a los bancos a *refinanciar* este tipo de ventas. Solicitan unos créditos, en función tanto de su importe como de sus garantías primigenias, de los cobros pendientes, de forma tal que la entidad crediticia le adelanta el importe de los mismos menos los intereses y gastos —de ahí que sea una operación de descuento—, y al vencimiento la entidad cobra el principal al cliente del vendedor, quedando el crédito cancelado por el importe cobrado.

Antes de entrar en detalle en el análisis de los elementos y características de estas operaciones vamos a ver de manera genérica su **mecánica** (figura 16.11).

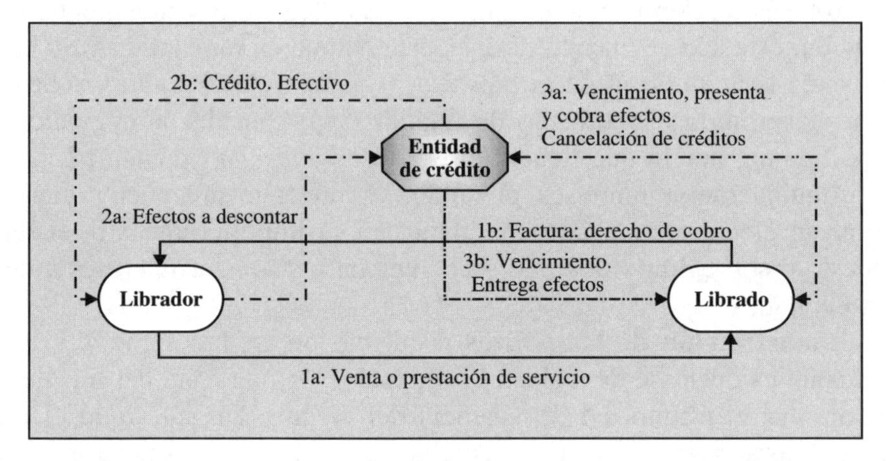

Figura 16.11

En un momento determinado, el vendedor —**librador**— realiza una transacción comercial o prestación de servicios (1a) por la que se genera un derecho de cobro, factura (1b), sobre el comprador o cliente —**librado**—, a quien se le financia la compra fraccionando los pagos de la factura, generándose unos efectos comerciales (letras y recibos por lo general, o pagarés) por cada uno de estos pagos diferidos. En una situación normal, el vendedor, a sus vencimientos respectivos, presentaría al cobro dichos efectos, que deberán ser atendidos por el comprador o librado; pero en ese plazo aquél puede necesitar liquidez para hacer frente a otras obligaciones; es en este caso cuando se acude a la entidad de crédito a solicitar una **póliza de descuento comercial.**

Cuando se dispone de la misma, el vendedor o librador procederá de la siguiente manera: una vez efectuada la venta (1a) y generado el derecho de cobro (1b), presentará antes de la fecha de su vencimiento a la entidad de crédito los efectos que desee hacer líquidos, que vaya a descontar (2a); es decir, cede a dicha entidad el derecho de cobro que se recoge en los efectos —en el argot bancario al cliente que descuenta efectos se le denomina *cedente*—. A cambio, la entidad le concede un crédito por el importe del papel descontado (2b), pero no recibe el nominal en su totalidad, ya que a éste se le detraen o descuentan los intereses que generaría hasta el vencimiento de los efectos; además del líquido resultante, la entidad se cobrará los gastos y comisiones oportunos que figuren en el contrato de la póliza. Este crédito quedará saldado en el momento de su vencimiento cuando el comprador o librado atienda el pago del mismo (3a) al serle presentado por la entidad, quien entregará los mismos al librado (3b), quedando cancelada así la deuda de éste con el librador por el importe abonado.

Si el librado no atendiese el pago se producirá la devolución del efecto, que se cargará por la entidad al librador por su nominal más los gastos de devolución e impago, siendo así imprescindible que el cedente mantenga con la entidad alguna cuenta (corriente o de crédito) en la que abonar los efectos descontados y cargar, en su caso, los devueltos con los gastos que ocasionasen. Si el librador no pudiese atender la devolución —por carecer de saldo en cuentas para su cargo—, la entidad actuaría en los términos recogidos en las condiciones de la póliza (por lo general iniciando un procedimiento ejecutivo).

El descuento comercial sólo puede efectuarse sobre efectos documentados en letras de cambio. Las letras de cambio son efectos en los que, respondiendo a una determinada estructura, se abona una cantidad en concepto de Impuesto de Actos Jurídicos Documentados (IAJD; el timbre o la póliza en el argot del sector) que va en función del principal del mismo. Actualmente, debido a los procesos informáticos, la mayoría de las empresas no utilizan el efecto físico o bien utilizan recibos personalizados con su anagrama o logotipo; en ambos casos, si se recogen los mismos campos o registros que en la letra de cambio, se pueden *transformar* en letras sin más que abonar la correspondiente póliza (IAJD) en función de su principal, tarea que ejecuta la propia entidad crediticia como entidad delegada de la hacienda.

Veamos los aspectos fundamentales de la **letra de cambio.**

Para que cualquier recibo, ya sea en soporte papel o magnético, pueda transformarse en una letra de cambio pagando la correspondiente póliza o timbre fiscal, debe tener los mismos contenidos que ésta.

Vamos a analizar los distintos contenidos de una letra de cambio.

En el **anverso** de la **letra de cambio** encontramos los principales elementos imprescindibles (figura 16.12).

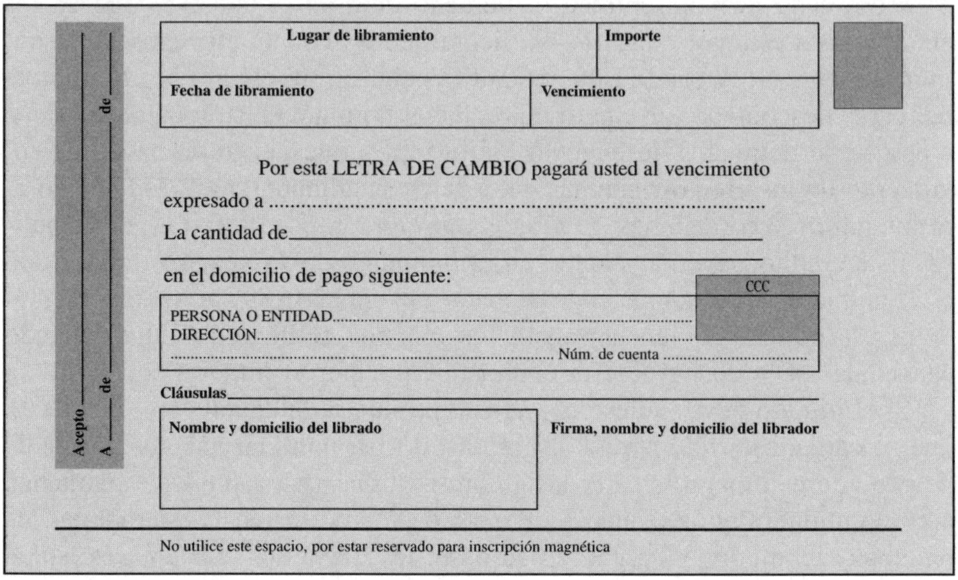

Acepto ——— de ———
A ——— de ———

Lugar de libramiento	Importe
Fecha de libramiento	Vencimiento

Por esta LETRA DE CAMBIO pagará usted al vencimiento
expresado a ....
La cantidad de ___________________________________

en el domicilio de pago siguiente:

CCC

PERSONA O ENTIDAD..
DIRECCIÓN..
.... Núm. de cuenta ....

Cláusulas ___________________________________

Nombre y domicilio del librado

Firma, nombre y domicilio del librador

No utilice este espacio, por estar reservado para inscripción magnética

Figura 16.12

En la parte inferior, y recuadrado, encontramos el espacio destinado a la identificación del **librado,** que es el sujeto obligado al pago del efecto. Ha de expresarse claramente el nombre y domicilio de éste, ya que por defecto es en su domicilio donde debe efectuarse el pago del efecto. No obstante, lo habitual es establecer un domicilio de pago distinto, por lo general el de alguna entidad de crédito en que el librado domicilie el pago; así vemos en la parte central, en un recuadro y bajo la frase *«en el domicilio de pago siguiente»,* un espacio destinado a identificar y localizar a la persona o entidad pagadora (en nombre del librado), que, como ya indicamos, suele ser una entidad de crédito; de ahí que se signifique un espacio particular donde insertar el *Código Cuenta Cliente —CCC—*, que es la cuenta donde el librado desea le sea cargado el efecto. Cuando un efecto cumplimenta esta cláusula se dice que está **domiciliado.** La domiciliación es muy importante, ya que facilita a la entidad financiera en la que descontamos el efecto el cobro del mismo, así como muchos otros trámites; de hecho muchas entidades exigen que los efectos vayan domiciliados, e incluso los gastos que cobran suelen ser mayores si no se contiene la domiciliación.

Junto al espacio destinado al **librado** se sitúa la identificación, localización y firma (que es imprescindible) del **librador,** la persona o entidad que inicialmente tiene el derecho de cobro y que, en principio, descontará el efecto, y que suele ser el prestatario. Decimos *inicialmente* y en *principio* porque el librador puede **endosar** el efecto, es decir, transmitir todos los derechos de cobro a un tercero —quien podrá también endosar—, de manera que puede ser el último tenedor del efecto quien decida descontarlo (siendo entonces éste el prestatario). La **cláusula de endoso** figura, como veremos, en el reverso de la letra. Aquí no profundizaremos en estas cuestiones, ya que no es objeto de la obra el análisis de la *Ley cambiaria y del cheque,* aunque es imprescindible conocer ciertos aspectos conceptuales y fundamentales para comprender el descuento comercial.

El **librador** o último **tenedor** del efecto que decide *descontarlo* dentro de los límites de una **póliza de descuento** de la que es titular, es decir, el *prestatario,* entregará antes del vencimiento a la entidad prestamista el efecto para que le dé crédito en base al mismo, encargando a ésta su cobro al vencimiento (lo que cancelará el crédito). En la letra también se recoge la persona o entidad a la que ha de efectuarse el pago, lo que se pone de manifiesto en la cláusula ***«Por esta LETRA DE CAMBIO pagará usted al vencimiento expresado a _____»,*** y bajo la misma se expresará ***«la cantidad de ______»*** euros o cualquier otra divisa convertible admitida a cotización oficial que supone la obligación de pago del *librado* y el importe del crédito por este efecto que se ha concedido al *prestatario* o *cedente* (librador o, en general, último tenedor de la letra). Esta cláusula es imprescindible, debiendo figurar siempre completa.

En la parte superior del anverso de la letra figuran recuadrados otra serie de requisitos. El ***lugar del libramiento*** de la letra; si no se indica éste, se entiende que el lugar de emisión o libramiento es el domicilio del librador, que en este caso debe figurar en el espacio reservado al mismo en la parte inferior derecha, como ya hemos visto. Junto al *lugar de libramiento* se indicará en números el ***importe,*** haciéndose mención a la moneda en que se expresa el mismo; este requisito es igualmente imprescindible, no pudiéndose dejar nunca en blanco y debiendo coincidir con la cantidad expresada en letras. Bajo el *lugar de libramiento* se expresará la ***fecha de libramiento*** y junto a ésta la de ***vencimiento,*** que debe ser, naturalmente, posterior a aquélla. La letra de cambio cuyo vencimiento no esté expresado se considera pagadera a la vista. Además, las letras de cambio podrán tener expresados sus vencimientos a una fecha fija (lo más habitual), a un plazo contado desde la fecha de libramiento o un plazo contado desde la vista (desde que se le presenta al cobro).

En el margen izquierdo del anverso figura la cláusula de ***aceptación.*** Cuando se firma por el librado (se admite), éste se obliga a pagar la letra o efecto a su vencimiento; en general lo que hace es reforzar el derecho de cobro del tenedor último o del librador. Cuando los efectos van aceptados, las entidades prestatarias lo tienen en consideración a la hora de los gastos o de la admisión del papel para su descuento.

El **reverso de la letra** (figura 16.13) se reserva para incluir los **avales** y **endosos.**

No utilice el espacio superior, por estar reservado para inscripción magnética

Por aval de	*Páguese a* ....
....	....
	con domicilio en ....
A .... *de* .... *de*	....
	......................, *a* .... *de* .... *de* ....
Nombre y domicilio del avalista	
....	
....	*Nombre y domicilio del endosante* ....
	....

Figura 16.13

El pago de una letra o efecto en general puede garantizarse, total o parcialmente, por un ***aval*** prestado por un tercero o cualquiera de los firmantes de la letra. El *aval* puede otorgarse en cualquier momento, incluso después del vencimiento si el efecto ha resultado impagado y perdura aún la obligación de pago del librado. Esta cláusula debe figurar en la misma letra (se le ha reservado un espacio en el reverso), ya que no producirá efectos cambiarios el aval en documento separado, debiéndose indicar a quién se avala —normalmente el aceptante o librado—, si bien a falta de indicación se entenderá avalado el aceptante y en defecto de éste el librador. El avalista responde de igual manera que el avalado.

Con el ***endoso,*** el librador o último tenedor transmite todos los derechos resultantes de la letra de cambio a un tercero (último tenedor), quien a su vez podrá endosar la letra nuevamente. Cada endosante, salvo cláusula en contrario, garantiza la aceptación y el pago frente a los tenedores posteriores. También puede prohibir nuevos endosos, en cuyo caso no responderá frente a las personas a las que posteriormente se endosase la letra.

Con los sucesivos endosos justificados, el último tenedor se considerará portador legítimo de la letra de cambio, con los consecuentes derechos de cobro y de descuento del efecto.

El **descuento comercial** es, según la AEB y la CECA, la forma de financiación más utilizada en España, y ello por diversos motivos. Por parte de las empresas, es muy común la venta a crédito y por tanto la disposición de efectos a descontar, ya que con frecuencia, y como ya indicamos, se produce un cierto desfase entre los cobros y pagos de la empresa. A las entidades de crédito este tipo de operación les genera importantes ingresos, tanto por intereses como por comisiones, y el riesgo es relativamente bajo, ya que al responder los efectos al tráfico comercial normal, el librado suele atenderlos si no quiere verse privado de este tipo de crédito comercial como comprador, ni verse inscrito en algún registro de morosos, lo que dificultaría bastante su devenir comercial; además, en caso de impago el cedente, prestatario o librador, responde de los mismos al serle cargados los efectos impagados y tenerse que ocupar de su cobro y de las acciones contra el librado, añadiendo a esto las propias garantías que se establecen en la *póliza de descuento*. Luego, tanto para unos como para otros este tipo de operación tiene sus ventajas, si bien para el prestatario los costes de la misma son muy elevados, de manera que sacrifica una parte sustancial de su margen comercial en numerosas ocasiones, y al tenerse en cuenta en la fijación de precios a veces puede suponer una desventaja competitiva respecto a otras empresas que no acuden a esta forma de financiación. En cualquier caso, el descuento comercial cumple una importante función económica en cuanto dinamizador de las transacciones comerciales, y es a este campo, el del tráfico comercial, donde debe circunscribirse el análisis de los elementos de esta operación de activo.

La razón de ser de una **póliza de descuento comercial** se fundamenta en la existencia previa de una relación comercial que genere unos derechos/obligaciones de cobro/pago entre dos sujetos, el vendedor (librador, cedente y prestatario) y el comprador (librado), de manera que aquél concede un crédito (comercial) a éste en virtud del cual se difiere el cobro/pago de la deuda (documentada en una factura o saldo en cuenta), generándose para cada uno de estos pagos un efecto con la estructura y elementos que ya hemos visto. Estos efectos son el elemento clave del crédito concedido, ya que determinan el importe dispuesto y el vencimiento de cada disposición.

El **prestatario** de esta operación es el librador, quien efectúa la venta y concede el crédito comercial a su cliente, el librado. Mediante la **póliza de descuento,** *disfrutará* anticipadamente del importe de sus ventas mediante los efectos comerciales descontados. Puede ser titular de estas operaciones activas cualquier persona física o jurídica. La titularidad pude ser individual y colectiva.

El **prestamista** es la entidad de crédito —banco, caja de ahorros...— que concede la operación. Anticipa al prestatario el importe de los efectos descontados dentro de los límites del principal, descontando los intereses y gastos y comisiones. El saldo dispuesto se irá recuperando, en el horizonte temporal, a medida que los efectos van venciendo.

Como en toda operación activa, el prestamista la someterá a estudio y, en caso de concederla, exigirá unas garantías al prestatario que pueden ser de muy diverso tipo; además establecerá al efecto las cláusulas contractuales que estime convenientes. En concreto se reserva el estudiar uno a uno los efectos presentados al descuento, pudiéndolos admitir o rechazar por muy diversos motivos: considerar que el librado no es solvente, que se trata de efectos que no responden a una auténtica relación comercial (papel pelota), etc.

La **finalidad** u **objeto** de esta operación es adelantar al prestatario o cedente el importe de sus saldos comerciales (por venta o servicios), de manera que puedan atenderse las necesidades de tesorería antes del vencimiento o cobro de los créditos comerciales por él concedidos. De manera complementaria permite al prestatario poder *reforzar* su actividad concediendo crédito a sus clientes.

Como en las pólizas de crédito, aquí no se dispone de golpe del principal; éste marca el límite hasta el cual el *cedente* o prestatario puede descontar efectos; viene dado por el nivel de riesgo que la entidad de crédito está dispuesta a asumir. Normalmente ninguna entidad concede un límite que cubra al cliente el 100 por 100 de su crédito a clientes, sino que lo calcula teniendo en cuenta, además del sector al que pertenece, la calidad de su clientela y su importancia como cliente, la *rotación* —media de los días de crédito que la empresa cedente ofrece a sus clientes— y el *volumen de ventas a crédito (límite = ventas a crédito/rotación).*

Algunas entidades distribuyen este límite entre los distintos plazos de vencimiento (30, 60, 90 y, en algunas ocasiones, hasta 120 días).

Además, las entidades podrán disminuir discrecionalmente este límite cuando estimen que se dan circunstancias económicas y de otro tipo que aconsejan por prudencia proceder así.

Por lo general, el **plazo** u **horizonte temporal** de una póliza de descuento comercial es indefinido, si bien se renegocian sus condiciones anualmente e incluso en períodos inferiores.

No cabe hablar de **amortización** propiamente dicha de este tipo de póliza de crédito. La póliza, una vez cancelada, por iniciativa de la entidad, vencimiento (si se fijase) o por deseo del prestatario, estará totalmente amortizada cuando no quede ningún efecto descontado pendiente de cobro y se hayan compensado todas las posibles devoluciones por impago.

En lo tocante a los **intereses,** aquí debemos distinguir dos tipos de **descuento comercial: normal** o **con entramado** y **forfait,** si bien su operativa, como veremos, es la misma.

En el **normal** o **con entramado,** los **intereses** son fijos para cada plazo de vencimiento de los efectos, es decir, se negocia un tipo de interés para cada plazo o tramo medido según los días que restan hasta el vencimiento del efecto desde su presentación al descuento (hasta 30, 60, 90, etc., días). Además, la **comisión por tipo de efectos** variará para cada tipo: domiciliado o no, aceptado o no..., siendo menor cuanto más formalizado esté el efecto (domiciliado y aceptado) y mayor cuanto menos formalizado.

En la forma o tipo **forfait** hay una comisión fija por efecto con independencia del tipo, y el interés también es fijo con independencia del plazo hasta su vencimiento.

Los **intereses** se calculan de la misma forma tanto en el **descuento comercial normal** como en el **forfait:** se aplica el tipo al importe o nominal del efecto teniendo en cuenta los días que median desde la fecha de descuento (que no de libramiento) hasta la fecha de vencimiento del efecto, de manera que si ésta fuese un día festivo se contará hasta el primer día hábil siguiente, con un mínimo de veinte días (por lo que se recomienda no descontar efectos a los que reste menos de 20 días hasta su vencimiento, ya que estaremos incurriendo en un encarecimiento gratuito).

En lo que se refiere a **gastos y comisiones** debemos distinguir entre los **propios de la formalización** y los **propios de la operatoria.**

Entre los primeros, los **propios de la formalización,** al igual que para cualquier operación de riesgo, nos encontramos con gastos de estudio, de informes y tasaciones, de fedatario, etc.

Los **gastos de operatoria** se generan siempre **en el momento del descuento** y a veces **en el momento del vencimiento.**

En el momento del descuento de los efectos se producen los siguientes gastos:

Comisión por tipo de efectos. En el **descuento con entramado** ésta variará según el tipo de efecto, y en el **descuento forfait** es igual para todos los efectos. Es un porcentaje que se aplica sobre el nominal del efecto con un mínimo que es el que se carga en caso de que la aplicación del porcentaje resultase inferior al mínimo. Suele oscilar entre el 0,4 al 1 por 100, en la mayoría de las entidades de crédito, y el mínimo entre 2,5 y 9 euros; de ahí que para los efectos con importes inferiores a unas ciertas cantidades esta comisión resulte muy gravosa. Es negociable.

Comisión por plazo. También funciona como en el caso anterior: porcentaje variable sobre el importe del efecto, dependiendo del plazo que medie desde su presentación o descuento hasta su vencimiento, con un mínimo. Es creciente en relación directa al plazo, que se considera por tramos: hasta 30, 60, 90 o 120 días o más de 120 días, ya que al ser un factor de riesgo, a mayor plazo mayor riesgo y mayor comisión. Estos porcentajes suelen oscilar entre el 0,3 y el 1 por 100 desde el menor al mayor plazo. Es además una comisión negociable, que no siempre aplican los bancos a sus mejores clientes.

Correo y timbres. Por todos los efectos presentados a descontar (y también en gestión de cobro), la entidad cobra los gastos de ***correo,*** que a veces, sorprendentemente, son muy superiores a la tarifa oficial, y cuesta creer que la diferencia se ajuste, por elevada, realmente al coste de insumos materiales como el sobre y la boleta de información.

Cuando los efectos no vienen instrumentalizados en letras de cambio, si no en recibos, para ser descontados han de *timbrarse*. Los **timbres,** que no son otra cosa que el pago del impuesto de actos jurídicos documentados, se determinan según tarifa oficial que es idéntica a la aplicada a las letras de cambio; va por tramos de importe del efecto y se revisa por la autoridad competente cada cierto tiempo (las tarifas suelen tener una vigencia de varios años). Este impuesto se devenga en el instante mismo del descuento, actuando la entidad prestamista como recaudadora y liquidadora en nombre de la Hacienda Pública. Por tanto es un gasto innegociable.

En el momento del vencimiento, no se producirá ni cargará ningún gasto o comisión si el efecto es atendido (pagado) por el librado; en caso contrario, que se produzca el impago, además de cargarnos el nominal del efecto, la entidad cobrará una **comisión por devolución** (o **impago**): porcentaje, normalmente fijo, sobre el nominal del efecto, con un mínimo. Este porcentaje suele estar en torno al 5 por 100 con un mínimo en torno a los 6 € en la mayoría de las entidades que hemos consultado.

Al tratarse de una operación de activo, se estará sometido a condiciones análogas a la de cualquier otra operación de riesgo en cuanto a **garantías,** que podrán ser personales, el propio titular con o sin terceros, o reales.

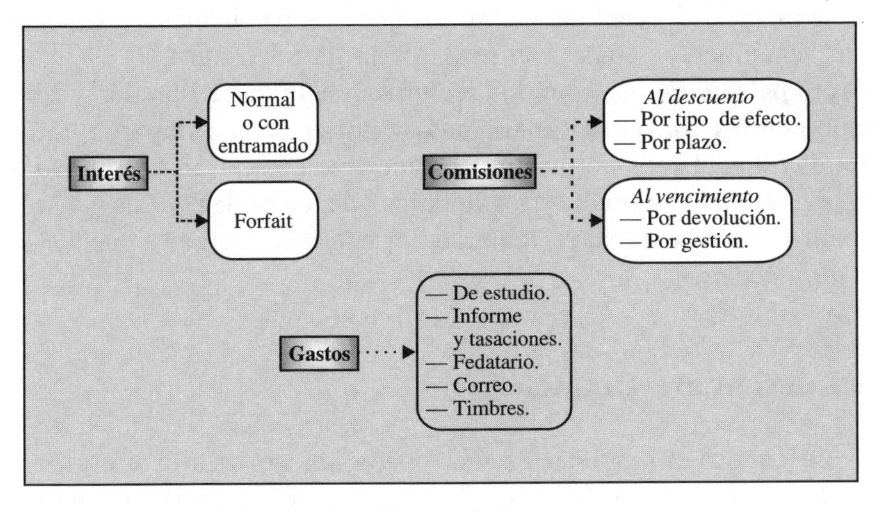

Figura 16.14

En ocasiones algunos titulares de líneas de descuento comercial, ante situaciones graves de falta de liquidez, caen en la tentación de obtener ésta a través de esta línea descontando efectos que no responden a la auténtica naturaleza comercial y por tanto con una finalidad distinta. Son efectos que no tienen la consideración de comerciales, se conocen como **papel de colusión,** pretenden aparentar ser efectos comerciales, y las entidades de crédito realizan auténticos esfuerzos para detectarlo y no descontarlo, ya que a la larga generan graves problemas al librador.

Este **papel de colusión** puede adoptar muy diversas formas; las más usuales son las de **«papel falso», efectos de complacencia, efectos a cuenta de pedidos** y **«papel pelota».**

Papel falso. El librado lo gira a personas inexistentes o desconocidas, pero que pudieran pasar por clientes, o con las que hace tiempo que no se mantienen relaciones comerciales. Con toda seguridad estos efectos vendrán devueltos en su totalidad, y la entidad tomará sin duda las medidas oportunas: cerrar la línea de descuento, iniciar acciones legales contra el cedente, etc.

Efectos de complacencia. Son efectos normalmente aceptados por el librador para hacer un favor al librado. El librado tiene conocimiento de su existencia, su importe y vencimiento, y suele atenderlos, si bien se los cobrará antes o después al librador.

Efectos a cuenta de pedidos. Aquí se gira sin haberse cerrado la relación de intercambio entre vendedor (librador) y comprador (librado). Se suelen girar por una cantidad sobre los pedidos pendientes de servir, pero con un vencimiento acorde a la fecha de la futura factura.

Papel pelota. Efectos girados recíprocamente entre librador y librado, jugando con las fechas de vencimiento y por el mismo importe.

Todos estos efectos no pueden considerarse comerciales, y el uso de la *póliza de descuento* para hacerlos líquidos puede ser ilegal. Las consecuencias para el cedente en su relación con la entidad de crédito pueden llegar a ser muy negativas.

6. El descuento financiero

El **descuento financiero** es una operación de crédito a corto plazo realizada por las entidades de crédito, que se instrumenta en una o más letras de cambio aceptadas por el prestatario o un tercero, y que la entidad de crédito descuenta.

Genéricamente su mecánica sería la que muestra el siguiente esquema (figura 16.15).

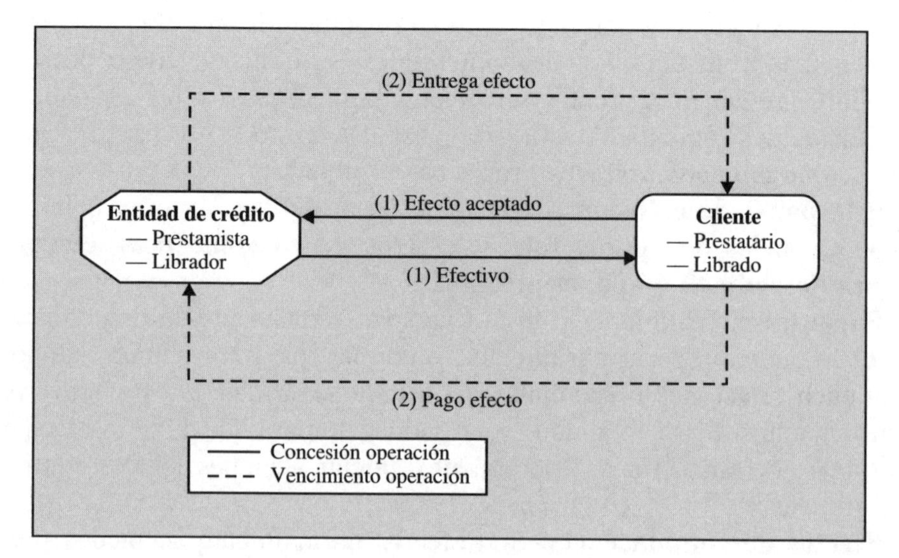

Figura 16.15

El librado es el prestatario, quien recibe un crédito del librador que habrá de reembolsar en el vencimiento de la letra. En el momento de recibir el crédito no recibe el nominal total, sino éste menos los intereses (por eso se denomina descuento), mientras que en el vencimiento el librado/prestatario deberá devolver el nominal por su totalidad.

Lo más habitual es que en el ***descuento financiero*** la entidad de crédito proceda como *librador* y *prestamista.*

La entidad de crédito concede un préstamo a un tercero a corto plazo que instrumentaliza en una letra de cambio. La entidad (1) libra la letra o efecto contra el prestatario (librado), quien recibe, en ese momento (1), el nominal menos los intereses y gastos (descuento); además el efecto ha de ser aceptado por el propio librado y normalmente por algún tercero más. También pueden exigirse avales que se contendrán en el mismo documento cambiario.

A su vencimiento (2) el librado (prestatario) reembolsará el principal total de la letra.

Este tipo de operaciones suelen llevarse a cabo en situaciones muy concretas: como puente entre dos operaciones (una vencida y que ha de cancelarse y otra que se aprobará); cuando se está a la espera de una operación ya concedida pero cuya formalización se retrasa por cualesquiera motivos; en situaciones de una necesidad muy puntual y rápida de tesorería; etc. El prestatario ha de ser de confianza de la entidad; de ahí que su uso no esté muy extendido.

7. El aval bancario

En sus relaciones comerciales, es muy normal que a algunas empresas sus proveedores o acreedores les exijan una garantía de que efectuarán el pago de sus adquisiciones en su momento o de que cumplirán unos compromisos adquiridos. Esto suele suceder en la adquisición de determinados tipos de bienes, concursos en licitaciones públicas, subastas, obligaciones fiscales, obligaciones jurídicas, fianzas, etc. En este caso, a la empresa así obligada no le interesa endeudarse, ya que estima razonadamente que podrá hacer frente a dichas obligaciones, o bien no sabe cuándo habrá de afrontarlas, por lo que recurre a solicitar un **aval** de un tercero que sea de solvencia probada y garantía para el acreedor, normalmente una entidad de crédito.

El **aval** es un contrato de garantía en favor de una persona, el **avalado,** que debe hacer frente a una obligación o compromiso adquirido, y por el cual quien lo concede, el **avalista,** se compromete a hacer frente subsidiariamente a dichos compromisos en caso de que el avalado no responda. El **aval** es una garantía de cumplimiento para el beneficiario de la obligación o compromiso adquirido por el titular del aval.

Mientras responda el principal obligado (el avalado), el avalista no tendrá ninguna obligación, generándose ésta sólo en el caso de que aquél no responda al compromiso o deuda adquiridos.

El **aval** suele ser prestado como un servicio más por las entidades crediticias, debido a su solvencia y a la garantía que supone a terceros. No es exactamente una operación de riesgo en tanto que en principio no supone para la entidad ninguna inversión, aunque en su formalización los criterios seguidos por la entidad son muy similares a los de las operaciones de activo o riesgo. De ahí que para su concesión se exija al titular una serie de garantías, para el caso en que éste no haga frente a sus obligaciones avaladas y haya de hacerlo el avalista.

Pasemos a analizar sus elementos. Entre los sujetos tenemos: avalista, avalado y beneficiario.

El **avalista** es la entidad (o entidades) crediticia que otorga el aval, respondiendo solidariamente de la obligación contraída por el titular del aval.

El **avalado** es el titular del aval, quien está obligado por la deuda o compromiso frente a un tercero (beneficiario). Puede ser tanto una persona física como jurídica.

El **beneficiario** es el acreedor del avalado, con quien éste tiene contraída la obligación. En caso de incumplimiento del avalado, decidirá contra quién y en qué cuantía recurre en primer lugar.

Como en cualquier operación activa tendremos los **costes propios de la formalización** y de **fedatario.**

Mientras no se ejecute, el aval genera un coste o comisión que se liquida trimestralmente sobre el principal al que haría frente el aval en caso de ejecutarse. Este coste no es muy alto y oscila entre el 0,25 y el 0,75 por 100 trimestral.

El **interés** se aplicará en caso de que el aval sea ejecutado y sobre las cantidades adeudadas en la cuenta del avalado, hasta que éste las reponga. Tanto el tipo de interés como la apertura de la cuenta en que se abonarán las cantidades aplicadas a la ejecución del aval se recogerán en el contrato del mismo.

Las **garantías** pueden ser personales del avalado y/o de terceros, pignoraticias y mixtas, hablando así de: **avales personales** cuando el titular y los posibles garantes responden con todo su patrimonio ante el avalista en caso de que se ejecute el aval (es el más habitual por reportar mayores garantías a las entidades crediticias); **avales con garantía pignoraticia,** en este caso el avalado o un tercero habrá de depositar en la entidad una cantidad de dinero o activos financieros líquidos, igual o superior al importe del aval, siendo nulo el riesgo para la entidad avalista, pues si se ejecuta el aval, la cantidad pignorada se libera automáticamente, y en caso contrario el avalista dispondrá de la cantidad con la que haya hecho frente al compromiso del avalado; y **avales mixtos,** donde las garantías prestadas son simultáneamente de los dos tipos anteriores.

El **horizonte temporal** del aval puede ser **concreto** o **indefinido,** dando origen a una nueva clasificación de los avales en: **avales definidos,** en los que el tiempo de vigencia del aval está perfectamente determinado, de manera que sobrepasada la fecha el aval deja de tener efecto, y **avales indefinidos,** cuando no se sabe inicialmente el tiempo de vigencia que ha de tener el aval; normalmente cubren procesos cuya terminación no está determinada, siendo los que exigen mayores garantías en su concesión.

En los avales no puede hablarse de **amortización,** pero sí de cancelación de los mismos, que será en fecha determinada o cuando dejen de darse las circunstancias que provocaron la concesión del aval.

La **finalidad** del aval es garantizar por parte del avalista el cumplimiento de una deuda o compromiso adquirido por el avalado frente a un tercero.

17 Otros instrumentos financieros al servicio de la empresa

1. Leasing

La definición más completa de leasing la encontramos en la Orden Ministerial de 3 de junio de 1977 de adaptación de Plan General de Contabilidad al sector de leasing:

> «Contrato mercantil en virtud del cual un empresario compra en nombre propio determinados bienes muebles o inmuebles para que, como propietario arrendador, los alquile al arrendatario para que éste los utilice por un período irrevocable, a cuyo término tendrá la opción de adquirir la totalidad o parte de estos bienes arrendados, por un precio convenido previamente por el propietario arrendador, considerándose que todos los desembolsos que efectúe el futuro arrendador son por cuenta del futuro arrendatario, hasta la iniciación del período de arrendamiento.»

El leasing, o «arrendamiento financiero» en su acepción española, ha experimentado en las últimas décadas un creciente protagonismo como forma alternativa de financiación para las empresas, empresarios y profesionales de nuestro país.

Realmente el leasing es una forma de arrendamiento (financiero), por el cual la empresa de leasing adquiere un determinado bien, mueble o inmueble, conforme a las especificaciones del propio usuario o arrendatario, quien a cambio del pago de una cuota periódica disfrutará de dicho bien durante un cierto tiempo, al final del cual se le ofrece la opción de compra del mismo por un valor residual previamente determinado, y considerando que las cuotas que ha venido pagando se toman como parte del pago por la adquisición. Esta última peculiaridad, la opción de compra, es la que hace que se considere al leasing un instrumento de financiación.

Los bienes que adquieren y arriendan las sociedades de leasing han de verificar una serie de **requisitos económicos:** ser bienes de producción o de equipo, duraderos y apropiables —tener actitud para ser objeto de transacciones patrimoniales.

Normalmente las sociedades de leasing se especializan en alguno o algunos de los distintos tipos de estas operaciones que existen, si bien la mayoría se dedican al *leasing financiero,* que no deja de ser una mera forma de financiación de un bien con una serie de ventajas.

Podemos destacar las siguientes ***características principales del leasing:***

a) Es un contrato mercantil, por lo que habrá de atenerse a la legislación al respecto para este tipo de contratos.
b) El bien es adquirido por la empresa de leasing con las especificaciones requeridas por el arrendatario o usuario, lo que permite a éste financiar el 100 por 100 del valor del bien, y que éste sea el que realmente se ajusta a sus necesidades.
c) Pueden ser objeto del leasing los bienes muebles e inmuebles, pero siempre afectos a actividades empresariales, comerciales o profesionales. Se limita su uso a determinadas actividades económicas productivas, quedando excluido su uso particular.
d) Duración determinada e irrevocable del contrato, al menos unilateralmente por parte del usuario y antes de terminar el período del mismo. Además la duración no suele coincidir con la vida útil del bien. Las duraciones mínimas están reguladas por ley, siendo de dos años para los bienes muebles (maquinaria, equipos informáticos, instalaciones, vehículos...) y de diez para los inmuebles, tal y como establece la Ley de Intervención y Disciplina de 1988.
e) El arrendatario efectuará pagos periódicos de cuotas, que suelen ser constantes, si bien pueden pactarse cuotas crecientes o con carencia. Los pagos suelen efectuarse con periodicidad mensual y por anticipado.
f) Las cuotas estarán formadas por dos conceptos: amortización y rendimientos. La amortización está destinada a recuperar el costo de adquisición del bien, y los rendimientos comprenderán los gastos propios de explotación y financiación de la entidad financiera y su beneficio, expresándose en forma de interés sobre el principal o coste de adquisición del bien.
g) El tipo de interés podrá ser fijo o variable, y en este último caso las revisiones suelen ser anuales respecto de un tipo de referencia como el euribor.
h) Los gastos surgidos como consecuencia de la operación, así como los impuestos y tasas, serán a cargo del cliente y deben figurar en las cláusulas del contrato.

i) Al final del contrato el cliente tiene dos opciones: quedarse con el bien (adquirirlo) o devolverlo a la empresa de leasing. En el primer caso, el cliente pagará por el mismo su valor residual, que deberá figurar desde el principio en el contrato de la operación, incorporándose desde ese momento en su patrimonio, siendo susceptible de amortización fiscal por el resto de su vida útil. En caso de *devolución,* ésta se efectuará en la fecha final del contrato en los términos pactados contractualmente.
j) Las cuotas pagadas por el arrendatario se consideran gasto fiscalmente deducible.
k) Sólo podrán contratar operaciones de leasing las personas jurídicas sujetas al impuesto de sociedades y las personas físicas que sean empresarios o profesionales.

Entre las ***ventajas*** que el leasing presenta para el usuario destacaremos las siguientes:

a) Permite financiar el 100 por 100 de la inversión.
b) No precisa del pago de entradas a la firma del contrato, salvo los gastos de formalización y el pago de las cuotas periódicas.
c) Facilita al arrendatario la aceleración de la amortización del bien, haciendo posible la adecuación entre la depreciación económica y contable, ya que pueden adaptarse los pagos de las cuotas contractuales a la vida útil del bien. Es decir, permite acompasar los pagos de las cuotas a los ingresos de explotación previstos con la incorporación del bien al proceso productivo de la actividad.
d) Facilita a los usuarios su adaptación a los rápidos cambios tecnológicos en determinados tipos de bienes.
e) Facilita e incentiva la renovación y reemplazo de equipos envejecidos, permitiendo a la empresa estar en vanguardia en cuanto a equipamiento.
f) Protege contra la inflación, en cuanto que las cuotas y el valor residual del bien están previamente prefijados en el momento de la firma del contrato.
g) Adaptación a las necesidades del usuario, gracias a la flexibilidad del contrato en cuanto al bien.
h) No modifica los ratios financieros de endeudamiento de la empresa, al menos aparentemente.
i) Las cuotas de leasing son gastos deducibles a efectos fiscales.

j) Las empresas de leasing, por su volumen de compras y solvencia, pueden obtener descuentos por pronto pago de los suministradores, que luego pueden repercutir en sus clientes a través del pago de cuotas más bajas.

Entre los ***inconvenientes*** señalar los siguientes:

— El **carácter irrevocable del contrato,** lo que supone que durante su vigencia no puede alterarse a pesar de que las circunstancias reclamen otra cosa para alguna de sus partes.
— La **existencia de cláusulas penales** que afectan principalmente al arrendatario si incumple alguna de las obligaciones contractuales.
— Un **costo más elevado** que el de las operaciones de préstamo.

El **leasing está recomendado:**

a) Para empresas que utilizan tecnología muy cambiante, o precisan estar en la vanguardia tecnológica.
b) Para empresas que realizan actividades con una alta estacionalidad, ya que les permite adecuar las cuotas a sus ritmos de ingresos.
c) Para empresas que no están en condiciones de efectuar de golpe un elevado desembolso para la adquisición de equipos.

Pero también presenta el leasing una serie de **limitaciones:**

a) Difícilmente se aplica a aquellos bienes que requieren de instalaciones complementarias de difícil recuperación, salvo que desde el inicio se haya pactado la opción de compra.
b) No es aplicable a bienes que no tengan un uso empresarial o profesional.
c) Los bienes que se financien con el leasing han de ser de fácil identificación y reventa posterior.
d) Tampoco es aplicable el leasing a bienes de segunda mano, principalmente bienes muebles (equipos, maquinaria, etc.), por su propia dificultad a la hora de establecer su precio de mercado.

Existen diversos tipos de operaciones de leasing que se pueden clasificar atendiendo a diversos criterios (figura 17.1).

Por las **características del arrendador o finalidad,** distinguimos entre **leasing financiero** y **leasing operativo.**

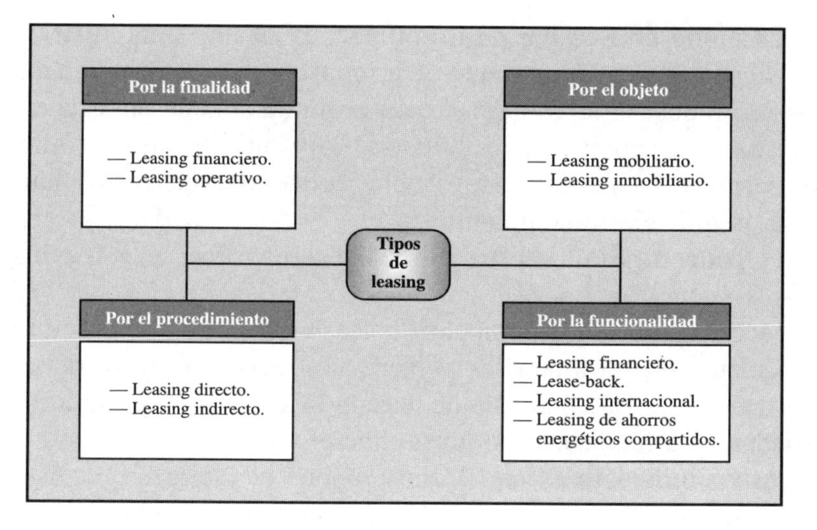

Figura 17.1

El **leasing financiero** es el más habitual, al menos en nuestro país, y como ya se indicó es aquél en virtud del cual la empresa o sociedad de leasing (arrendador) adquiere un determinado bien siguiendo las especificaciones señaladas por su cliente (arrendatario), a quien se lo arrienda, pagando éste unas cuotas periódicas durante un cierto tiempo tal y como se recoge en los términos pactados en el contrato, de manera que al final de dicho período el arrendatario puede optar por quedarse con el bien pagando por él un *valor residual* también previamente pactado contractualmente. Durante la vigencia del contrato son por cuenta del arrendatario todos los riesgos y gastos propios del uso del bien.

El **leasing operativo** se diferencia del anterior principalmente en que el arrendador suele ser el propio fabricante o distribuidor del bien, quien carga además con los gastos de reparación y mantenimiento y con los riesgos tecnológicos. Los bienes objeto de este tipo de operación suelen ser bienes y equipos estándares, y al final del contrato se suelen devolver al arrendador, quien normalmente los suele reemplazar por otros más actuales, encadenando así una nueva operación.

Por el **objeto o bien que se financia** con este tipo de operación, distinguiremos entre **leasing mobiliario** y **leasing inmobiliario.**

El **leasing mobiliario** es aquel cuyo bien objeto del contrato es un bien mueble: maquinaria, vehículos... Su duración mínima es de dos años, y difícilmente sobrepasa los cinco.

El **leasing inmobiliario** afecta sólo a inmuebles. En concreto, y como señala el Comité de Leasing de Eurofinas[1], el leasing inmobiliario será el que tenga por objeto «la compra y la construcción especializada de un local de uso industrial o comercial, con el fin de dárselo en arrendamiento a un usuario, con compromiso unilateral de venta, lo que permite a este último, después del período irrevocable, convertirse en el propietario del bien, o proseguir el arrendamiento».

Por el **procedimiento** distinguimos **leasing directo** y **leasing indirecto.**

En el **leasing directo** la compañía de leasing negocia con el futuro arrendatario, quien indicará a aquélla el bien que desea sea objeto de la operación, de manera que la compañía de leasing lo adquirirá y posteriormente se lo arrendará. El arrendatario es quien elige el bien y su proveedor.

El **leasing indirecto** es aquel que propone el fabricante o distribuidor de determinados bienes o equipos a la compañía de leasing.

Por la **funcionalidad** tenemos el **leasing financiero,** el **lease-back,** el **leasing internacional** y el **leasing de ahorros energéticos compartidos.**

El **leasing financiero** ya ha sido tratado, y su funcionalidad no es más que la financiación de bienes muebles o inmuebles propios de este tipo de operaciones.

El **lease-back,** o **retroleasing,** consiste en la venta por parte del usuario de un activo de su propiedad, que pueda ser objeto de este tipo de operaciones, a una sociedad de *leasing,* quien acto seguido contratará con aquél y sobre el bien que le vendió una operación de *leasing* con opción de recompra. Con esta operación el propietario consigue varios propósitos: por un lado, al vender el bien a la compañía de leasing obtiene liquidez, pero sin dejar de usar el bien en su actividad productiva o empresarial, ya que se convierte en arrendatario suyo, consiguiendo además, con el pago de las cuotas, una deducción fiscal y con la garantía de que al final del plazo del contrato recuperará el bien con su recompra.

El **leasing internacional,** o **«Cross Border leasing»,** se realiza entre dos o más países para financiar la importación o exportación de bienes de equipo, de transporte, maquinaria especializada, etc.

El **leasing de ahorros energéticos compartidos** es un contrato destinado a financiar equipos o reformas de instalaciones y equipos que tienen por finalidad el ahorro energético, y se financian dichas inversiones con base en dichos ahorros.

---

[1] Comité de Leasing de Eurofinas: «El leasing inmobiliario en Francia», *Boletín ASNEF, 41,* p. 18.

2. Factoring

En todas las empresas, las cuentas de clientes recogen los derechos a favor de las mismas como consecuencia del tráfico comercial habitual. Sobre estos derechos existe una incertidumbre sobre su pago, al poderse producir, por cualquier circunstancia, el impago por parte del cliente. Una forma de evitar este riesgo es cediendo los derechos de cobro sobre estos deudores a unas empresas dedicadas al cobro de los mismos, **empresas de factor** (entidad de factoring o simplemente factor), las cuales adquirirán dichos derechos a cambio de un precio convenido en el que intervienen múltiples factores para su fijación: riesgo del deudor, tipo de bien, etc.

Básicamente, el factoring consiste en la cesión en firme, antes de su vencimiento, de un crédito comercial a corto plazo de su titular a una firma especializada (sociedad de factor), la cual se encarga de su contabilización y cobro y asume el riesgo de insolvencia, percibiendo a cambio una comisión.

El factoring realmente no puede considerarse una operación de financiación al uso, ya que la sociedad de factor no presta dinero, sino que lo que hace es comprar deudas comerciales a corto plazo. Esto permite a las empresas que acuden al factoring movilizar sus créditos a corto plazo y mejorar la liquidez de su balance al transformar activos exigibles a corto plazo en dinero disponible.

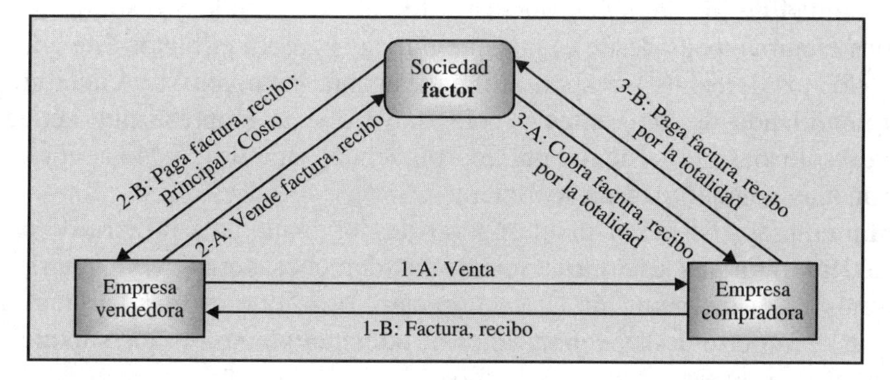

Figura 17.2

El **factor** realiza una tarea de evaluación técnica de riesgos, una labor de gestión de cobros, unas tareas administrativas y una función de financiación mediante la apertura de crédito al cedente.

Los **servicios de factoring** tienen por objeto liberar a las empresas productoras o distribuidoras del problema que plantea el cobro de las facturas, los riesgos de insolvencia y los problemas administrativos derivados de la necesidad de investigar la solvencia de la clientela y de llevar una contabilidad especializada, problemática aún más compleja en el caso de ventas internacionales. En general, estos servicios se pueden resumir en tres: *cobertura de riesgos, gestión de deudores* y *financiación.* De estos, son servicios puramente financieros la cobertura de riesgos y la financiación, mientras que la gestión de deudores corresponde más a su actividad como empresa de servicios no financieros, es decir, control de facturas, cobro de las mismas y su contabilidad.

El factoring no debe confundirse con el descuento comercial, ya que éste se limita a anticipar lo facturado en forma de crédito con garantía del cedente, que es quien responde ante la entidad financiera en caso de impago de su cliente, mientras que en el factoring la empresa de factor corre con ese riesgo, siempre que el impago se produzca por insolvencia o morosidad, y no por depreciación o deterioro de la mercancía.

Las sociedades de factor ofrecen pues una serie de servicios a las empresas que a ellas acuden, tales como: investigación de los clientes, ya que sólo admitirá facturas de aquellos clientes de la empresa cedente que no sean, al menos en apariencia, conflictivos; control del riesgo, pues es la empresa factor quien lo soporta; garantía total de cobro, pues, aunque descontada la comisión, la empresa cedente tiene garantizado el cobro de la totalidad de los derechos (facturas o recibos) vendidos; gestión y cobro de las facturas, pues desde el instante que las compra el factor éste adquiere todos los derechos y responsabilidades sobre las mismas; y contabilidad pormenorizada de las ventas y cobros, ya que la empresa que acude al factor sólo hará un asiento por los derechos vendidos, y no tendrá que llevar más contabilidad de los clientes.

La empresa de factor puede operar de dos maneras a la hora de pagar al cedente una vez que ha adquirido los derechos de cobro: abonarle los mismos en el momento de su vencimiento, o, lo que es más habitual, anticipar el importe de las ventas antes de su vencimiento, lo que supone una financiación de las facturas o recibos.

En España existen dos **categorías de factoring:** el **factoring sin recurso,** que es al que nos hemos venido refiriendo, y el **factoring con recurso,** en el que la empresa del factor puede repercutir en su cliente parte o todas las deudas impagadas por insolvencia; este último apenas difiere del descuento comercial habitual.

En el contrato de factoring el factor tiene la facultad de aprobar las operaciones que efectúe su cliente aplicando sus propios criterios; y el cliente está obligado a poner a disposición del factor toda la información que éste estime conveniente sobre las operaciones a financiar, a transferirle, junto con los créditos, todos los derechos accesorios que le acompañan, y a garantizar bajo su responsabilidad la vigencia, así como la validez de los créditos cedidos, informando al factor de cuantos incidentes puedan acaecer.

Para el usuario las **ventajas del factoring** más destacadas son:

— Movilización de la cartera de deudores, garantizándose su cobro.
— Simplifica su contabilidad.
— Son los especialistas del factor quienes gestionan las cuentas de sus clientes.
— Convierte costes de estructura (administración de clientes) en variables.
— Mejora la gestión de la tesorería.
— Disminuye o elimina el riesgo de fallidos.
— Facilita la selección de la clientela.
— Es muy adecuado para pequeñas y medianas empresas.
— Todas estas ventajas se potencian en la exportación.

Pero junto a estas ventajas hay que indicar algunos **inconvenientes,** en general para el usuario:

— Limita su número de clientes a financiar a los que seleccione el factor.
— No todos los bienes son admisibles para el factor.
— Reduce su margen bruto.

El **costo** de la operación de **factoring** tiene dos componentes, la **comisión** y el **interés.** El primero, la **comisión,** siempre aparece, y su montante depende de varias circunstancias tales como el volumen de los derechos adquiridos, el valor medio de cada una de ellos, los días que restan hasta su vencimiento y la diversificación del riesgo transferido. Esta comisión suele oscilar entre el 1 y el 3 por 100. El **interés** aparece cuando se financian los créditos comerciales, anticipando su importe antes del vencimiento. Los intereses se cuantifican con un diferencial sobre los aplicados por el descuento comercial de la banca, que oscila entre el 1 y el 1,5 por 100 y que se determina sobre la parte financiada.

El contrato de factoring debe formalizarse por escrito y, aunque no es imprescindible, sí es recomendable la intervención de fedatario.

3. Tarjetas de crédito

Orientadas hacia el comercio al por menor tanto de bienes como de servicios, este tipo de «dinero de plástico» ha tenido una gran implantación en nuestro país, que se encuentra en las posiciones de cabeza en cuanto al uso e implantación de las mismas. Esta gran aceptación quizá se deba en gran medida al sector turístico, pues no cabe duda de que el uso de esta forma de pago es muy conveniente en los viajes, y a partir de ahí ha tenido una gran acogida entre nosotros.

El uso de este tipo de tarjetas es un importante componente dinamizador del comercio orientado al consumidor final, en productos de consumo y en servicios en general. En efecto, este tipo de tarjetas facilita con su uso un crédito a muy corto plazo a su titular (el consumidor), y al comercio que se adhiere a la tarjeta aceptándola como medio de cobro (el cliente) le supone un atractivo comercial en cuanto que «vende a crédito» sin riesgo, salvo con un costo que paga a la entidad emisora, que es la encargada de gestionar los cobros al final del plazo de crédito (por lo general un mes) y quien soporta el riesgo de impago.

La figura 17.3 recoge en sus distintas fases el funcionamiento básico de estas entidades. La entidad emisora contacta con comercios (1.º A) y consumidores (1.º B), y a través de un contrato ofrece a aquellos (contrato de servicios) la posibilidad de fraccionar o diferir el pago a los consumidores que tengan dicha tarjeta (contrato de crédito), asumiendo el riesgo de impago de los mismos. Cuando el consumidor titular de la tarjeta adquiere un bien y servicio en el comercio asociado (2.º A), y *carga* su importe a la tarjeta difiriendo y/o fraccionando su pago, se inicia realmente el servicio de la entidad emisora de la tarjeta. El comercio comunica a la entidad emisora el importe y las características de la operación (2.º B), generándose un derecho de cobro de aquél sobre ésta, y la entidad emisora *da* un crédito al titular de la tarjeta (2.º C) conforme a las estipulaciones de su contrato. En el momento establecido de vencimiento, el comercio recibirá de la entidad emisora el importe de su venta menos una comisión que ésta le cobra (3.º B), y de análoga forma en el o los plazos establecidos la entidad emisora cobrará al cliente titular (3.º A) el importe de la compra que *cargó* a su tarjeta.

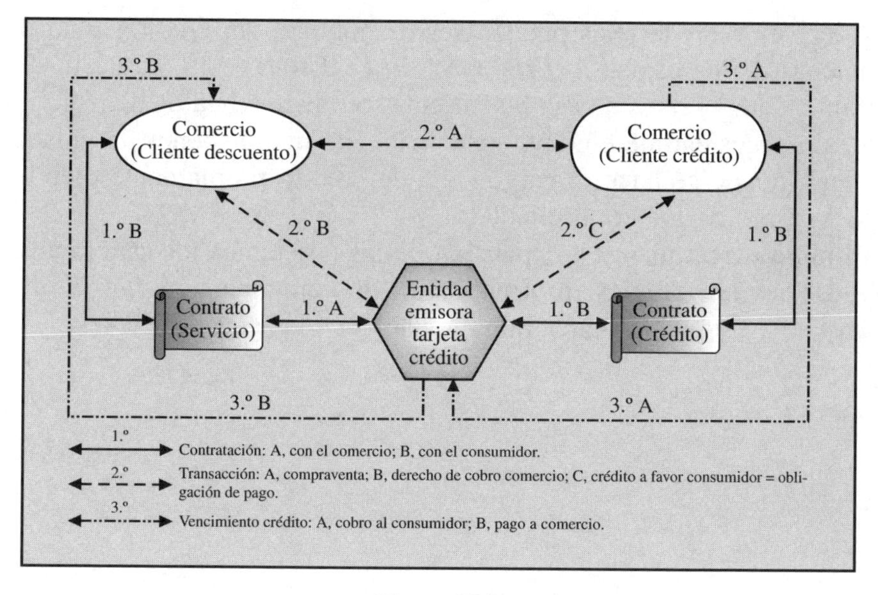

Figura 17.3

La tarjeta de crédito acredita a su titular para poder disponer de bienes y servicios sin pago inmediato en efectivo, en aquellos comercios que están contratados con la entidad emisora; legitima transacciones elementales entre comercios minoristas y consumidores finales. Las entidades emisoras contratan con los comercios para que éstos admitan su tarjeta como medio de pago, de manera que la admitirán como tal a aquellos usuarios que sean titulares de la misma y que decidan usarlas. Por este servicio la entidad emisora cobrará un porcentaje (descuento) sobre los importes tarifados por el comercio, que se le harán efectivos al mismo al vencimiento del crédito al titular (normalmente a final de cada mes), y a éste se le cobrará una cuota periódica fija por la titularidad y uso de la tarjeta con independencia del montante de las operaciones, y con un límite de disposición que se fijará en el contrato, y que no se rebasará, renovándose después de cada vencimiento y pago. El estudio y selección de los titulares corresponde a la entidad emisora, quien asume también el riesgo de impago.

Las entidades emisoras pueden ser bancarias y no bancarias, y las tarjetas que emiten pueden tener su uso limitado a los propios establecimientos del emisor (caso de *El Corte Inglés,* que emite y gestiona sus propias tarjetas, limitando su uso a sus centros comerciales), o en general a aquellos comerciantes que contraten con la entidad. Su ámbito de actuación puede ser local, comarcal, nacional e internacional.

A su vez estas tarjetas pueden ser de compra, sin crédito, caso típico de muchas de las bancarias (*4B, VISA ELECTRÓN,* etc.), es decir, de débito inmediato —en este caso las tarjetas son meros medios de pago inmediato, sin necesidad de efectivo, pero teniendo que disponer del mismo en la cuenta donde se hace el cargo—, o de crédito propiamente dicho: con límite y cargo periódico al cliente.

El rápido crecimiento y expansión de las tarjetas ha ido parejo al desarrollo de las tecnologías informáticas y de comunicación *(teleinformáticas),* que ha propiciado unos altos niveles de eficacia y eficiencia.

18 Cómo pedir un préstamo

1. Consideraciones previas

Una de las cuestiones más recurrentes que preocupa a los emprendedores es la búsqueda y obtención de financiación bancaria. Cuando un emprendedor o joven empresario acude a un banco o entidad de financiación a solicitar un préstamo o cualquier otro producto, es muy común escuchar comentarios del tenor de que se siente en una situación de inferioridad a la hora de negociar, y que a veces tiene que aceptar sin más la oferta de la banca. Esto se debe al desconocimiento de la forma de actuar de estas entidades y del propio proceso de negociación que debe transcurrir en paralelo a la operativa bancaria o crediticia.

A la hora de ir a pedir un préstamo debemos partir del hecho de que según quienes seamos (particular, empresario individual, empresa, etc.), esto va a condicionar de entrada la actitud y el comportamiento del banco al que acudamos. Y ello es así porque según se sea un particular o una empresa, empresario, profesional u otro tipo de entidad, las necesidades («qué queremos») serán muy distintas y por tanto también la finalidad que se vaya a dar al posible préstamo, como igualmente será diferente el origen de los recursos con los que se atenderán las obligaciones de pago (amortización e intereses) que generará la operación, y ello lógicamente afectará a todo el proceso de negociación con la entidad. Además, las garantías, la capacidad económica, la capacidad jurídica, la forma y capacidad de devolución, etc., están muy condicionadas por la naturaleza y actividad del solicitante, lo que a su vez incidirá muy significativamente en el prestamista. Por tanto, lo primero que debemos tener presente es quiénes somos y qué queremos. No obstante lo dicho, el proceso de solicitud y negociación de un préstamo es muy similar en todos los casos, aunque nosotros lo desarrollemos básicamente desde la perspectiva de una empresa.

Los particulares, y nos referimos a aquellos que no realizan ningún tipo de actividad profesional o empresarial y por tanto sus ingresos proceden de las rentas de capital y/o del trabajo por cuenta ajena, buscan con la financiación de las entidades de crédito cubrir necesidades que podemos agrupar en dos grandes bloques: consumo y vivienda (figura 18.1), siendo muy diversas las finalidades dentro de cada uno de ellos. Esta circunstancia es el factor más determinante a la hora de poner condiciones la entidad de crédito.

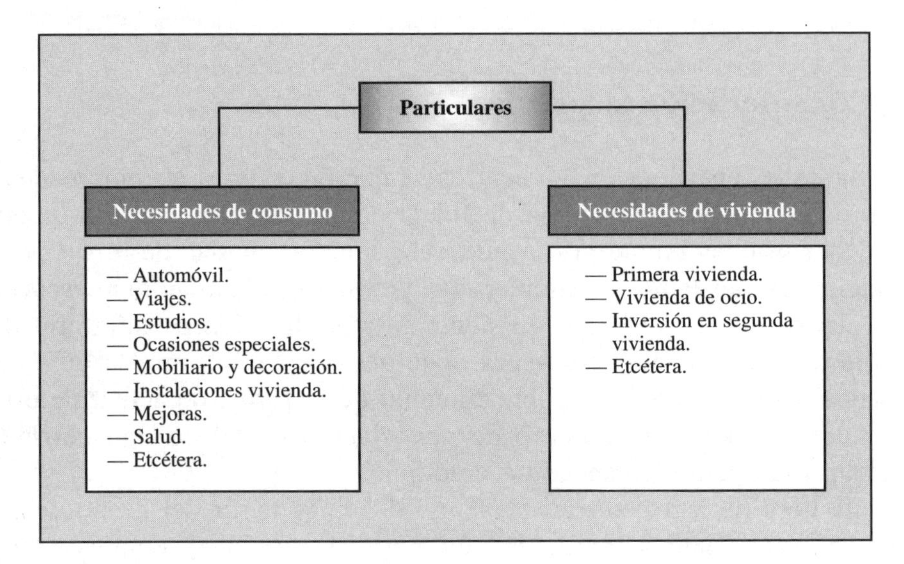

Figura 18.1

De hecho, la mayoría de las entidades de crédito tienen desarrollados y estandarizados productos para cada una de estas necesidades, e incluso se programan y llevan a cabo campañas en períodos concretos donde estas necesidades suelen aparecer: vacaciones de verano, Navidad, etc.

Por su parte, las empresas, empresarios y profesionales, dentro de su actividad, tienen una serie de necesidades relacionadas con ella (figura 18.2), de manera que la finalidad de la financiación será incorporar ésta a la propia actividad, de la cual dependerá su devolución y remuneración, por lo que los productos de crédito deben ajustarse a las peculiaridades de cada uno de los prestatarios, lo que supone que el trato y la negociación deben ser más personalizados y profesionales.

El objetivo financiero de toda empresa es conseguir en todo momento y con oportunidad el volumen de financiación necesario para cubrir sus necesidades en las condiciones de coste, plazo y forma de amortización que más se adecuen a sus perspectivas y dinámica. Estas necesidades a

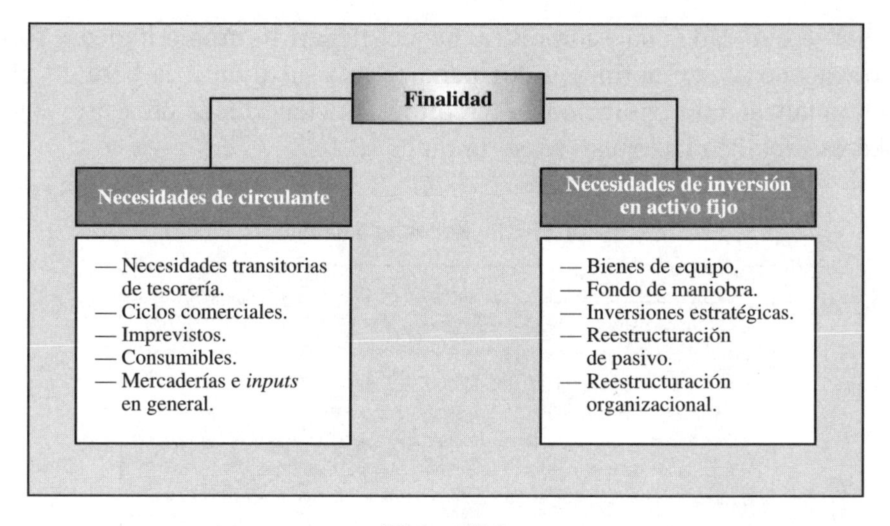

Figura 18.2

veces se derivan de la propia actividad de explotación de la empresa o de imprevistos relacionados con la misma; son las llamadas necesidades de circulante. En otras ocasiones la empresa necesita renovar, mejorar o ampliar sus activos productivos (maquinaria, instalaciones, etc.) para hacer frente a su expansión o permanencia, ser más competitiva, etc., o bien debe acometer estrategias o reestructuraciones muy diversas con similares finalidades; todas éstas son las denominadas necesidades o inversiones en activo fijo. Luego el planteamiento y tipo de operación que precisa una empresa es muy distinto al de un particular, como también lo es su estructura y patrimonio, sobre todo cuando se trata de entidades jurídicas. Todo ello condicionará no sólo la forma de proceder de los responsables de la empresa, sino también de las entidades de crédito en la aceptación y negociación de las solicitudes de crédito. Así pues, el planteamiento adecuado de la negociación con las entidades de financiación se convierte en una variable crucial de la gestión financiera de la empresa, y sobre todo para la pequeñas, medianas y micro empresas que se encuentran muy alejadas de otros mercados financieros (emisión de deuda, ampliación de capital abierta al público, etc.). Añádase el peso específico cada vez mayor que las entidades de crédito tienen en la financiación de inversiones empresariales, a la par que su creciente grado de profesionalización, para entender que es imprescindible para la empresa plantearse su relación con dichas entidades de una manera profesional y nada improvisada.

Piense que cada cual, empresa y banco, tienen su propia lógica y forma de ver las cosas, en definitiva dos perspectivas distintas a la hora de plantear y analizar una operación de crédito. Conviene tener presentes las siguientes recomendaciones (véase la tabla 18.1).

Tabla 18.1. Recomendaciones

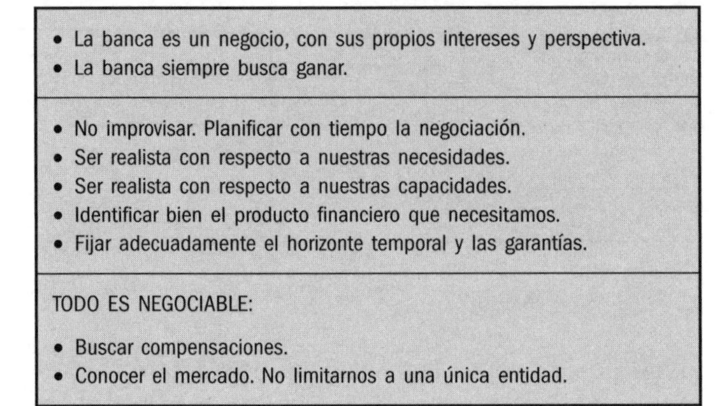

• La banca es un negocio, con sus propios intereses y perspectiva. • La banca siempre busca ganar.
• No improvisar. Planificar con tiempo la negociación. • Ser realista con respecto a nuestras necesidades. • Ser realista con respecto a nuestras capacidades. • Identificar bien el producto financiero que necesitamos. • Fijar adecuadamente el horizonte temporal y las garantías.
TODO ES NEGOCIABLE: • Buscar compensaciones. • Conocer el mercado. No limitarnos a una única entidad.

La banca es ante todo un negocio, y por tanto con unos intereses y unos fines que defenderá y pretenderá cubrir de la manera mejor y más segura, sobre todo teniendo en cuenta que al prestar dinero está asumiendo un riesgo propio y para sus clientes de pasivo, aquellos que depositaron sus fondos en el banco y que éste utiliza en mayor medida para prestar a otros y así rentabilizarlos. En esta peculiar pero capital y crucial actividad, la banca ha ido desarrollando una tradición que se ha traducido en una serie de principios, que veremos más adelante, mayoritariamente aceptados y con los que las operaciones son escrutadas, y que tienden a garantizar la seguridad y rentabilidad de las mismas.

Nuestra primera recomendación será la de tener siempre presente cuál es la perspectiva de la entidad de crédito y su filosofía básica de funcionamiento. Ella siempre busca su mayor ganancia.

Las operaciones de solicitud de préstamos no deben improvisarse, sino que deben plantearse y programarse con la suficiente antelación antes de que resulten totalmente imprescindibles, ya que la obtención no es nunca inmediata, sino que va precedida de una negociación que lleva su tiempo, debido a la propia perspectiva e intereses de los bancos. Muchas empresas se ven a veces tan apremiadas que, o bien no encuentran la financiación necesaria, o la obtienen en condiciones menos favorables y que no se ajustan a sus reales necesidades ni capacidades de devolución; en cualquier caso, en muchas ocasiones esto supone un daño grave, cuando no la desaparición de la empresa. Luego la segunda recomendación sería que el préstamo deberá comenzar a estudiarse y concretarse, y la negociación a llevarse formalmente a cabo antes de que resulte imprescindible, no improvisando, sino siguiendo un guión previamente establecido. Con ello la empresa mejorará su posición competidora respecto al banco, y le permitirá no tener que claudicar a las condiciones de éste.

Junto a estas dos recomendaciones, el prestatario, empresario, debe tener presente que se parte de la base de que todo es negociable; que no debe limitarse a una sola entidad, sino que debe sondear y conocer el mercado crediticio; que debe ser él quien decida el producto que desea; que sea realista en cuanto a las necesidades de financiación y capacidades de devolución; que debe fijar, dentro de sus posibilidades y perspectivas, el horizonte temporal, las garantías y las posibles compensaciones que puede ofrecer.

Ya señalamos que no deberíamos perder de vista que las entidades de crédito son un negocio que a lo largo de muchos años han ido cimentando una serie de principios en materia de préstamos que prácticamente comparten todas. Conocer estos principios nos permitirá comprender mejor el comportamiento de la banca, y por tanto planificar nuestros movimientos conforme a dichos comportamientos previstos. Estos principios se recogen en el siguiente «decálogo bancario en materia de préstamos» (Pérez-Carballo y Sotomayor, 1984):

1. Prestar es tanto un arte como una ciencia, que requiere tanto de rigor como de flexibilidad.
2. La continuidad del banco como servicio implica no prestar más de lo que tiene y que lo prestado se recupere.
3. Los créditos se destinan a empresas que ganan dinero para que sigan ganando dinero.
4. Los clientes esperan un apoyo incondicional que no es viable como norma de actuación comercial.
5. No siempre la información del solicitante es veraz y completa; frecuentemente está impregnada de un natural optimismo.
6. En caso de duda, no prestar.
7. Las operaciones especulativas no son financiables.
8. La mayoría de los créditos deben recuperarse sin ningún esfuerzo; de los créditos concedidos que luego presentan dificultades, una

gran mayoría deben recuperarse sin pérdida; cuando haya que aceptar pérdidas del principal éstas han de ser mínimas.
9. Ser conservadores y diversificar riesgos.
10. Ser profesionales, comprobar la seguridad de la operación y pedir y cumplimentar la documentación adecuada.

Como puede observarse, el banco, o entidad de crédito en general, persigue siempre la defensa y salvaguardia de sus intereses dentro de un marco de seguridad, por lo que sólo abordará a aquellas operaciones que en principio le resulten interesantes y seguras.

2. Esquema general del proceso de negociación

A la hora de pedir un préstamo se deben evitar las prisas e improvisaciones por parte del solicitante; muchas veces la obtención de financiación crediticia se convierte para éste en una carrera de obstáculos y contra reloj debido principalmente a su falta de previsión, a la carencia de una planificación, a no conocer la operativa bancaria, y a no tener listos la información y documentos que el prestamista va a solicitar irremisiblemente para el estudio de la solicitud; por lo que el solicitante se ve sometido al *tempo* y ritmo del banco, que normalmente no se adecua a sus premuras. Cuando esto ocurre, normalmente no se obtiene la financiación por el importe necesario ni en el momento preciso, las condiciones no son las mejores, se altera la dinámica de la empresa, etc., lo que puede acarrearle graves consecuencias a la empresa: sobrecostos, pérdida de competitividad, y a veces llevarla a una situación de auténtica crisis.

El esquema que representa la figura 18.3 recoge los pasos a seguir por la empresa o empresario solicitante desde que se vislumbra la necesidad de financiación hasta que se obtiene o deniega el préstamo.

Distinguimos cuatro ***fases:*** **de preparación y elección, de solicitud, de negociación y análisis** y **final,** en la que el banco toma su decisión de conceder o denegar la operación de crédito o préstamo que se le ha solicitado.

En cada una de estas fases, tanto la empresa solicitante, prestatario, como la entidad bancaria o de crédito, prestamista, tienen un papel que jugar. Conviene al prestatario preparar minuciosamente cada una de ellas a fin de ganar tiempo y obtener las mejores condiciones posibles.

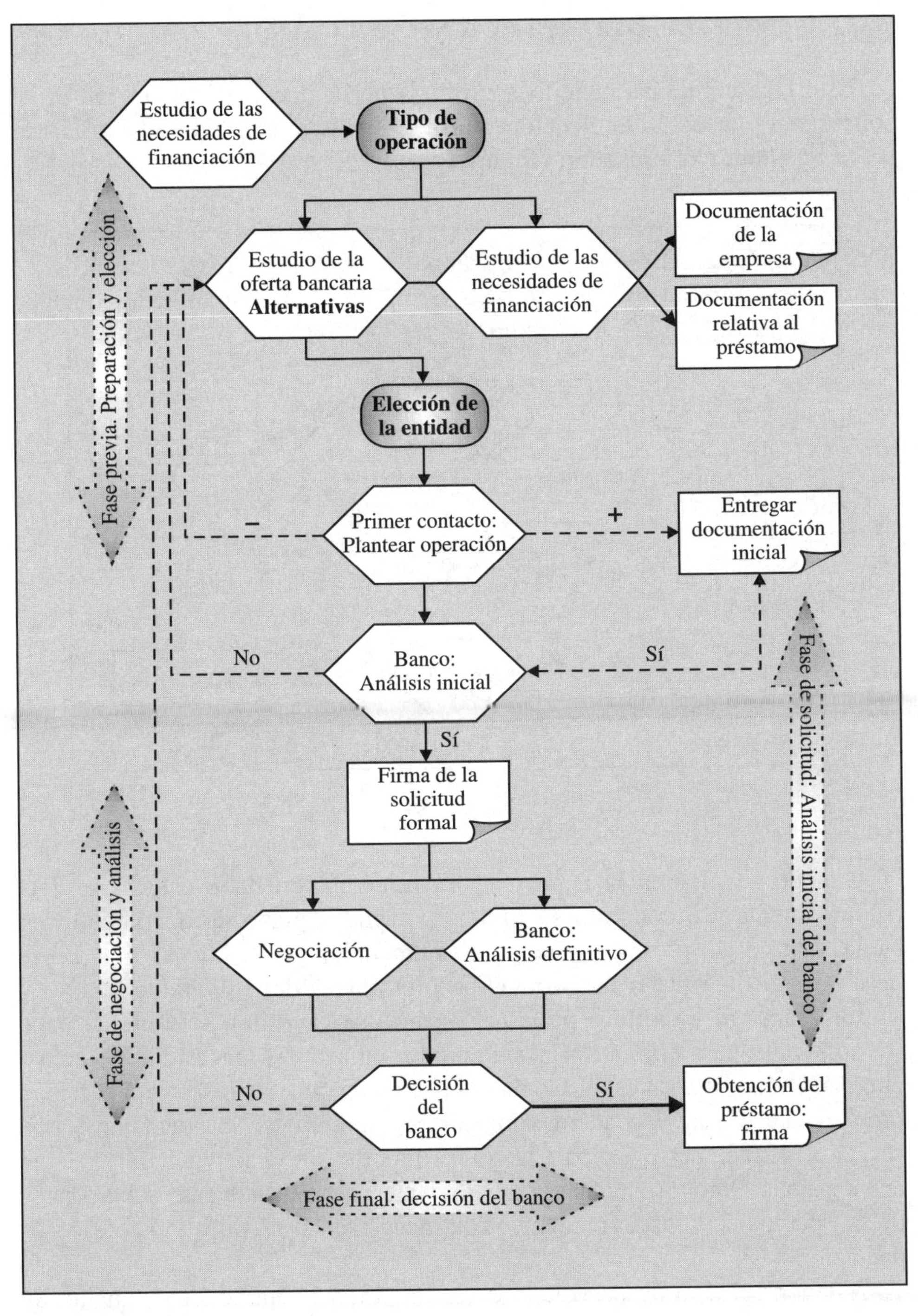
Estudio de las necesidades de financiación
Tipo de operación
Estudio de la oferta bancaria Alternativas
Estudio de las necesidades de financiación
Documentación de la empresa
Documentación relativa al préstamo
Fase previa. Preparación y elección
Elección de la entidad
–
Primer contacto: Plantear operación
+
Entregar documentación inicial
No
Banco: Análisis inicial
Sí
Sí
Fase de solicitud: Análisis inicial del banco
Firma de la solicitud formal
Negociación
Banco: Análisis definitivo
Fase de negociación y análisis
No
Decisión del banco
Sí
Obtención del préstamo: firma
Fase final: decisión del banco

Figura 18.3

3. Fase previa: preparación y elección

Esta fase comienza cuando aparece la necesidad de financiación en el solicitante, y va hasta la elección y primer contacto con la entidad a la que se va a solicitar el préstamo (figura 18.4).

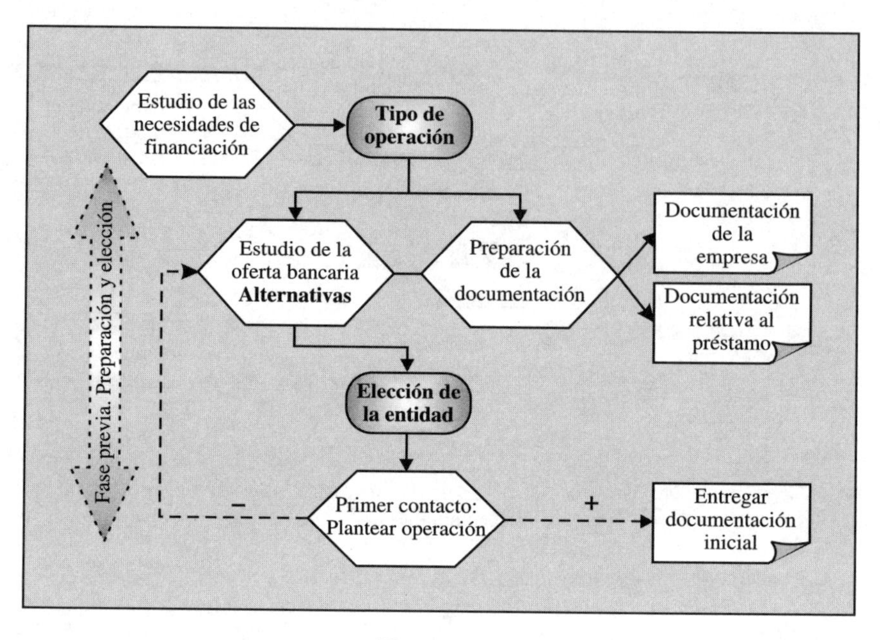

Figura 18.4

Cuando se plantea la necesidad de financiación debe estudiarse ésta detenidamente; en concreto su importe, forma y plazo de devolución; en suma, el tipo de producto financiero que mejor se adecue al fin que se desee dar al dinero y a las propias peculiaridades del solicitante.

En cuanto al importe o principal (cuánto se necesita), la cantidad debe ser suficiente para cubrir el fin pretendido, ya sea una necesidad de activo circulante o de fijo. En este caso hay que tener en cuenta no sólo la necesidad propiamente dicha, sino además los costes que conlleva la operación y que se van a detraer del principal; luego el importe a solicitar deberá tener en cuenta ambas circunstancias y ser suficiente para hacer frente a los gastos de la operación y cubrir plenamente la necesidad o el fin que se desea financiar.

A tenor del tipo de necesidad o finalidad que se pretende financiar, de las corrientes previstas de ingresos y gastos en la empresa, perspectivas de futuro, las garantías que se pueden y se está dispuesto aportar, situación patrimonial, etc., el solicitante decidirá el tipo de producto que más le convenga: préstamo o crédito, y dentro de cada uno de ellos perfilará las características en cuanto a horizonte, amortización, interés, etc., que más se ajusten a sus capacidades reales y perspectivas de evolución.

El banco o caja de ahorros al que se le plantee la operación va a estudiar ésta en base a la información que se le presente, y que deberá contener documentación relativa a la operación y documentación relativa a la empresa.

La documentación relativa a la operación recogerá una exposición de la finalidad que se pretende financiar, y se justificará el por qué del importe, del plazo y el tipo concreto de operación. Un pequeño estudio donde se evidencie la racionalidad de la solicitud y la capacidad y forma en que la empresa la reembolsará. En concreto contendrá:

— Finalidad e importe de la operación.
— Breve informe sobre la marcha de la empresa o actividad (en caso de empresas, empresarios y profesionales).
— Breve informe sobre la evolución prevista en relación con la operación.
— Otra información que se considere de interés acerca de las perspectiva y evolución del sector y el mercado, inversiones previstas en un futuro, etc.

Además de la documentación relativa a la operación, el banco se interesará igualmente, e incluso más, por tener información lo más precisa posible sobre la empresa. Información que de una manera u otra acabará pidiendo, por lo que conviene tenerla preparada para ir ganando tiempo y dar una imagen de profesionalidad y seriedad.

Si se trata de una empresa que lleva algún tiempo funcionando, esta información inicialmente comprenderá:

— Identificación de la empresa: escritura de constitución, estatutos y CIF.
— Identificación y escrituras de apoderamiento de sus administradores o apoderados.
— Estados contables, balance y cuentas anuales de al menos los tres últimos años.

- — Últimas declaraciones del Impuesto de Sociedades (las de los tres últimos años).
- — Últimas declaraciones de operaciones con terceros.
- — Últimas declaraciones del IVA.
- — Últimos boletines de cotización a la Seguridad Social.
- — Relación de inmuebles acompañada, al menos, por notas simples registrales recientes.
- — Relación de otros activos financieros y bienes muebles de interés.
- — A veces, y sobre todo en el caso de las pequeñas empresas y las de carácter familiar, la situación civil y fincabilidad de sus propietarios o administradores, si éstos van a avalar la operación.

Si se trata de una nueva empresa que se acaba de crear y se necesita el dinero para el inicio de sus actividades, el emprendedor deberá presentar la siguiente documentación:

- — Identificación de la empresa: escritura de constitución, estatutos y CIF.
- — Identificación y escrituras de apoderamiento de sus administradores o apoderados.
- — Alta en la Seguridad Social.
- — Licencia de apertura.
- — **Plan de empresa** (imprescindible) que contenga un completo análisis de viabilidad de la empresa en su plan financiero.
- — Datos y fincabilidad de sus propietarios y gerentes, a los que muy probablemente se les exija avalar la operación.
- — Otra información de interés: solicitud de ayudas, informes sectoriales, etc.

En el caso de los empresarios autónomos y profesionales, la documentación a preparar es análoga, pero teniendo en cuenta ciertas circunstancias propias de su condición; en concreto deberán aportar:

- — NIF.
- — Estado civil y composición familiar, y en su caso régimen matrimonial (gananciales o separación de bienes).
- — Últimas declaraciones de IRPF e Impuesto sobre el Patrimonio, si está obligado a este último.
- — Últimas declaraciones de operaciones con terceros.
- — Últimas declaraciones del IVA (si procede).

— Alta en el régimen de la Seguridad Social.
— Número de empleados a su cargo.
— Últimos boletines de cotización a la Seguridad Social.
— Fincabilidad, con notas simples registrales.
— Otros bienes muebles y activos financieros.

Los particulares lo tienen bastante más fácil:

— NIF.
— Estado civil, composición familiar y régimen matrimonial.
— Situación laboral.
— Últimas nóminas.
— Última declaración IRPF e Impuesto sobre el Patrimonio.
— Fincabilidad, con notas simples registrales.

El tener lista esta documentación antes de acudir al banco le supondrá al solicitante un ahorro considerable de tiempo en la tramitación de la solicitud y en la negociación, ya que en base a ésta y a otra información puntual que la entidad pueda solicitar, ésta efectuará su análisis y tomará una decisión; por eso el solicitante no ha de esperar a que se la pida la entidad de crédito. Además, el llevarla preparada dará una imagen positiva del futuro prestatario ante la entidad prestamista.

Casi simultáneamente debe estudiarse el mercado y ver las posibles entidades de crédito a las que se podría acudir a solicitar la financiación. Hay que tener presente que cualquier entidad de crédito es reticente a prestar dinero a un cliente nuevo como primera operación, por lo que deben centrarse principalmente los esfuerzos en las entidades con las que ya se viene trabajando, siendo siempre aconsejable trabajar desde el principio con más de una entidad.

No conviene abusar de las entidades con las que el solicitante tenga ya operaciones en curso, pues una más podría suponerle una excesiva concentración de riesgos en un solo cliente, lo que podría llevar a la entidad a denegar la nueva. Además, la entidad podría querer reforzar sus garantías o reestructurar toda la deuda, e incluso si alguna operación de las que se tenga con ella no marcha bien, eso podría afectar al conjunto de las demás y decidir el banco su resolución global.

Conviene a la empresa repartir sus operaciones bancarias y financieras (domiciliaciones, cobros, nóminas, seguros sociales, etc.) entre más de una entidad.

Una vez elegida la entidad, el solicitante se pondrá en contacto con ella y le planteará personalmente la operación de una manera general al responsable de la sucursal. En este primer contacto se deben tener en cuenta las siguientes cuestiones:

— El poder de negociación del interlocutor del banco.
— Ser honestos.
— Mostrarse seguros y convencidos.
— Centrarse en la operación y sus aspectos positivos.
— Escuchar los argumentos del representante del banco.

De este primer contacto el solicitante debe sacar una impresión sobre la posible idoneidad o no de la entidad elegida. Si esta inicial impresión no resulta positiva, no se insistirá ni entregará documentación alguna y se optará por otra alternativa; pero si por el contrario resultase satisfactoria y se atisbasen indicios de que le puede encajar la operación a la entidad elegida, se le entregará la documentación que se ha preparado y a la que nos hemos referido, para que la envíe a su departamento de riesgos para que la analice cuanto antes y comunique la posibilidad o no de llevar a cabo la operación.

4. Fase de solicitud

En esta fase se produce el primer análisis que la entidad financiera, en base a la información que le ha aportado el solicitante, realizará sobre el mismo y la operación. Buscará dar respuesta una serie de cuestiones básicas: ¿cuánto necesitan y por qué?, ¿cómo piensan pagar el préstamo?, ¿tienen garantías suficientes por si cualquier circunstancia no llega a pagarse normalmente el préstamo?, ¿cómo ha venido marchando la empresa y qué evolución prevén?, ¿a quiénes pertenece la empresa y quiénes la dirigen?; si se trata de una nueva empresa en creación, ¿es viable el proyecto?, ¿es sólido y convincente el plan de empresa?, etc.

En concreto el prestamista, en base a la documentación que le aporte el prestatario, estudiará más detenidamente ciertos aspectos de éste:

— Capacidad jurídica de contratación.
— Capacidad económica.
— Garantías posibles.

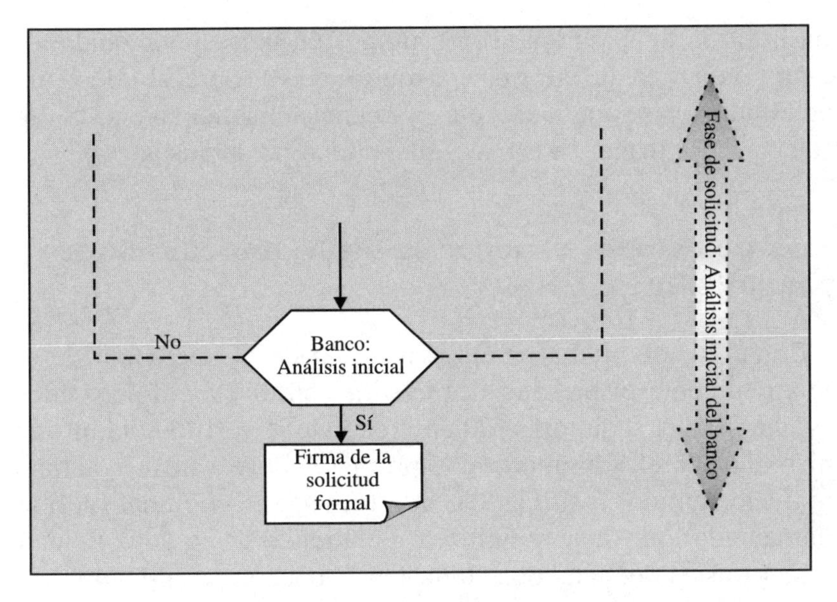

Figura 18.5

— Solvencia.
— Historial con el propio banco.
— Información no formal de diversas fuentes (otros clientes del banco, conocidos, etc.).

En el caso de una empresa estos aspectos se concretan en realizar un análisis y verificación iniciales sobre:

— Constitución legal y estatutos de la empresa.
— Capacidad jurídica de sus representantes.
— Capacidad económica de la empresa.
— Capacidad económica de sus posibles avalistas o garantes.
— Solvencia aparente de la empresa.
— Viabilidad y solidez del plan de empresa (caso de nuevas empresas).
— Principales ratios contables.
— Realidad de la necesidad.

El banco tomará una primera decisión: no atender la petición que se le ha efectuado, o por el contrario seguir adelante con ella y proceder a su formalización con la firma de la solicitud.

Con la firma de la solicitud se está, por un lado, autorizando al banco a que profundice en la información que precisa sobre el solicitante, que efectúe estudios y valoraciones, etc., y además el solicitante se compromete a colaborar de manera veraz con la entidad prestamista.

5. Fase de estudio y negociación. Compensaciones y condiciones

Al firmar la solicitud formal de petición de la operación de crédito, se inicia realmente el proceso negociador con el banco; pero además, y esto es importante, se autoriza a la entidad a que verifique la información suministrada por el solicitante comprometiéndose éste a colaborar con ella en dicho sentido, facilitándole la información adicional (normalmente documentada) que se le solicite, respondiendo de su autenticidad. Esto es de gran trascendencia, sobre todo legal, pues si la entidad concediese el préstamo en base a una información falsa suministrada por el prestatario, éste incurriría en un grave delito y en responsabilidades hasta de carácter penal (por falsedad documental, etc.).

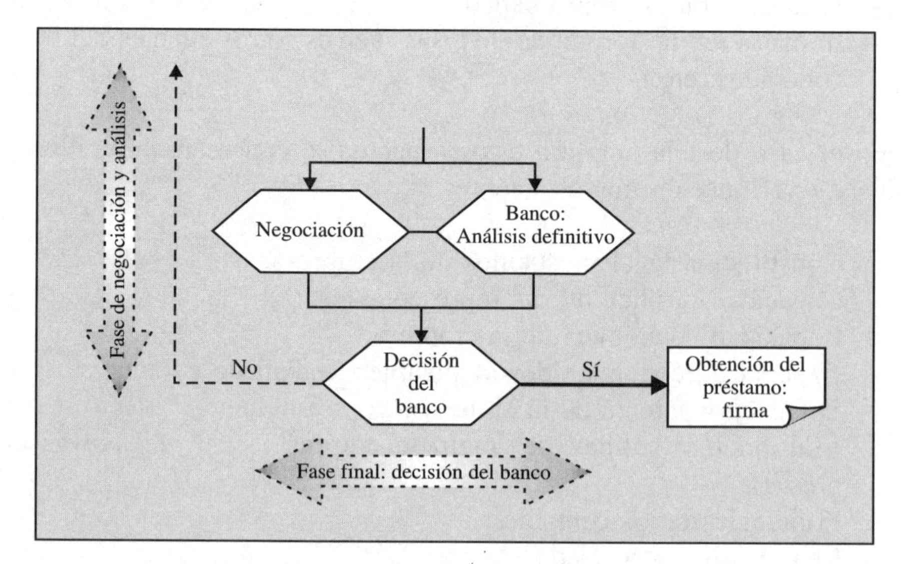

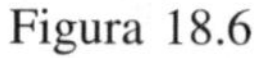
Figura 18.6

En esta fase la entidad de crédito abundará en la información sobre la operación y la empresa, realizando estudios y comprobaciones (que se cobrarán en caso de ser concedido el préstamo o crédito); en concreto podrán llevar a cabo:

— Solicitud de informes a empresas especializadas.
— Verificaciones registrales.
— Tasaciones de bienes inmuebles y otros.
— Verificaciones en registros tales como el RAI[1], ASNEF[2] y CIRBE[3].
— Compulsa o legalización de documentos fiscales.
— Copias legalizadas de escrituras y apoderamientos.
— Comprobaciones *in situ*.
— Declaraciones juradas.

Con todo esto el banco pretenderá asegurarse al máximo el buen fin de la operación, poniendo para ello especial atención en los siguientes aspectos: *a*) el personal, es decir, las personas que dirigen y son responsables de la empresa; analizará su capacidad profesional, dedicación, seriedad, etc.; los propósitos que les han llevado a pedir el préstamo, y si realmente tiene sentido y es necesaria la operación para el buen fin de la empresa; *b*) el pago, es decir, cómo se hará éste; es sin duda el aspecto más crítico de la concesión, ya que así se analiza la capacidad económica presente y futura del prestatario; *c*) la protección o garantías que van a cubrir el posible riesgo de la operación, si son suficientes y cumplen los requisitos que exige el buen gobierno bancario, y por último *d*) las perspectivas que le ven a la empresa, al negocio, al sector y, cómo no, a la operación.

Como fruto de este exhaustivo análisis, el banco debe obtener un resultado positivo en los siguientes aspectos clave para la seguridad y buen fin de la operación:

1. Correcta inscripción en el Registro Mercantil de la empresa.
2. Que el firmante en nombre de la empresa tiene real y legítimamente poder suficiente para hacerlo.
3. Que los bienes aportados y señalados por el solicitante y garantes no tienen otras cargas que las señaladas convenientemente, y que permanecerán *estables* durante la vigencia de la operación.

---

[1] Relación de Aceptados Impagados.
[2] Base de datos de la Asociación Nacional de Entidades Financieras.
[3] Central de Información de Riesgos del Banco de España.

4. Que la firma del préstamo, en caso de llevarse a cabo, no supondrá una trasgresión en las condiciones de ninguna otra operación financiera previa.
5. Que la documentación aportada y la información recabada y verificada reflejan fielmente la situación real del solicitante.

Mientras tanto serán frecuentes las entrevistas para negociar las condiciones definitivas de la operación: importe final, plazo, tipo de interés, amortización, garantías y otras cláusulas contractuales. El solicitante, junto a sus prioridades, debe tener presente la perspectiva del banco, y conjugar unas y otras para saber qué condiciones puede aceptar y cuáles no son en absoluto aceptables, ya que una vez que se firme el contrato de préstamo se aceptan todas las condiciones recogidas en sus cláusulas y el prestatario está obligado a cumplirlas, por lo que sólo deben aceptarse las condiciones que razonablemente puedan cumplirse.

Bien es cierto que no existen dos procesos idénticos de negociación; no obstante siempre son de utilidad una serie de recomendaciones generales:

— No ser volubles en cuanto a los planteamientos iniciales. Tener siempre las ideas claras.
— Contar siempre con un margen de maniobra entre las condiciones que inicialmente se desean y plantearon, y las que realmente se pueden acatar y cumplir.
— Tampoco ser intransigentes.
— No discutir ni rechazar de plano.
— No mostrar inquietud ni prisas.
— No aceptar cualquier cosa ni de inmediato.
— Ser constructivos.

En este marco de la negociación definitiva del préstamo, el solicitante debe usar prudentemente dos recursos tácticos, las **compensaciones** y el **paquete.**

Las compensaciones son un recurso táctico de carácter defensivo, mediante el cual el solicitante cede en determinados aspectos a cambio de conseguir la operación o, eventualmente, mejorar sus términos.

Las compensaciones se clasifican: **según su naturaleza,** en activas y pasivas y de mediación, y **según su origen,** en directas e indirectas.

Las **compensaciones activas** consisten en proporcionar al banco operaciones de activo, complementarias a la que se está negociando, y de menor importancia, que le den rentabilidad: descuento de papel, leasing, créditos documentarios, préstamos personales de los socios y administradores, etc.

Las **compensaciones pasivas** consisten en proporcionar al banco operaciones de esta naturaleza, de captación de fondos: mantener las puntas de tesorería en la entidad prestamista, las cuentas personales de los socios, etc.

Las **compensaciones de mediación** están relacionadas con ceder al banco ciertos servicios: seguros sociales, domiciliación de recibos, pago de nóminas, etc.

Tanto unas como otras pueden ser directas, cuando se ofrecen directamente por la empresa peticionaria, o indirectas si son ofrecidas por terceros vinculados a la empresa (socios, empleados, directivos, etc.).

Tabla 18.2

COMPENSACIONES	ACTIVAS	PASIVAS	DE MEDIACIÓN
	Ceder al banco operaciones de activo que le proporcionan rentabilidad.	Facilitar al banco operaciones de captación de recursos.	Permitir al banco que nos facilite ciertos servicios.
DIRECTAS Ofrecidas directamente por el solicitante.	• Descuento papel. • Leasing, pólizas de crédito, etc.	• Cuentas de tesorería. • Planes de pensiones, etc.	• Cartera de valores. • Domiciliación de recibos, seguros sociales, tributos e impuestos. • Pago de nóminas, etc.
INDIRECTAS Ofrecidas por terceros vinculados al solicitante.	• Préstamos personales de los socios y directivos, etc.	• Cuentas personales de los socios, etc.	• Carteras de valores de socios y directivos. • Domiciliaciones de éstos, etc.

El **paquete** es un recurso táctico de carácter ofensivo tendente a enmarcar la operación que se está negociando en el conjunto de operaciones y negocio que el solicitante mantiene ya con el banco, sin necesidad, en principio, de conceder nuevas ventajas. Este instrumento requiere que la empresa solicitante venga ya trabajando con la entidad a la que se solicita el préstamo.

Como se vio, la principal preocupación del banco a la hora de prestar dinero reside en el buen fin de la operación, es decir, que ésta se reembolse y cobre sus intereses sin problemas o con los menos posibles en caso de imprevistos no deseados, y con las máximas garantías de todo tipo. Para ello el banco planteará al solicitante la aceptación de una serie de **condiciones** que se recogerán en las cláusulas del contrato de préstamo. Estas condiciones serán los elementos de la negociación a defender por la entidad crediticia, y se clasifican en: **legales, de control de explotación, de control estratégico, de salvaguardia patrimonial, de defensa financiera del prestatario y de rescisión del contrato.**

Las **condiciones legales** buscan asegurar la legalidad de la operación, y hacen referencia a la correcta identificación e inscripción de la empresa, a la capacidad legal de sus representantes para firmar la operación y a toda una serie de tecnicismos impuestos por ley. La mayoría de estas condiciones suelen ser generales, obligatorias y rutinarias, por lo que no cabe apenas negociación sobre las mismas.

Las **condiciones de control de explotación** buscan que con los ingresos netos operativos de la empresa prestataria (y básicamente su *cash-flow*), se atiendan preferentemente el pago de intereses y la devolución del préstamo, limitándole a la empresa otras posibles aplicaciones preferentes como pago de dividendos, dotación de reservas, etc.

Las **condiciones de control estratégico** responden al interés directo que tiene el prestamista en que la empresa prestataria adopte las decisiones estratégicas más adecuadas para su estabilidad y prosperidad, de manera que no se vea perjudicada la operación de financiación; en este sentido, a veces el banco puede exigir tener presencia en los consejos de administración de la empresa, ser informado con antelación de las posibles decisiones estratégicas, etc.

Las **condiciones de salvaguardia patrimonial** afectan tanto al prestatario como a los garantes de la operación. Como en última instancia los bienes del prestamista y de los avalistas, o directamente los bienes afectos a la operación, son los que responden de su recuperación, la entidad que financia buscará imponer condiciones que impidan que estos bienes sean vendidos, transmitidos o cedidos como garantías de otras operaciones, sin que se haya cancelado antes la suya.

Las **condiciones de defensa financiera del prestatario** buscan mantener la solvencia y el equilibrio financiero de la empresa y que esta situación no se deteriore y pueda afectar al préstamo concedido. Es normal que se le exija al prestatario el cumplimiento de una serie de ratios de solvencia, rentabilidad y liquidez como garantía de un equilibrio y salud financieros.

Las **condiciones de rescisión del contrato** contemplan un conjunto de circunstancias que permiten, de darse, la rescisión unilateral del contrato por parte del prestamista y la obligación entonces del prestatario de devolución del principal pendiente y del pago de intereses y otros gastos que se pudieran contemplar en las cláusulas contractuales.

Las condiciones aceptadas por el prestatario y conformes por el prestamista se recogerán en las **cláusulas del contrato de la operación** (véase la tabla 18.3), que deberá intervenirse por fedatario público y en algunos casos, como los que tienen garantías hipotecarias, exigirán anotaciones en los registros de la propiedad. Estas cláusulas pueden ser de tres tipos: **cláusulas generales rutinarias,** que suelen ser muy semejantes para todas las operaciones y recogen mayormente condiciones legales; **cláusulas generales adaptadas a cada prestatario,** que recogen condiciones propias y particulares relacionadas con las peculiaridades del prestatario, y **cláusulas específicas de la operación,** que recogen condiciones propias relativas a las características de cada operación.

Tabla 18.3

CONDICIONES	GENERALES RUTINARIAS	GENERALES ADAPTADAS A CADA PRESTATARIO	ESPECÍFICAS DE CADA OPERACIÓN
Legales			
De control de explotación			
De control estratégico			
De salvaguardia patrimonial			
De defensa financiera del prestatario			
De rescisión del contrato			

Si con todo la entidad de crédito llega a una valoración positiva del estudio de la operación y de la capacidad y solvencia del prestatario, y se acuerdan unas condiciones aceptadas por ambas partes, se habrá concluido con la obtención del préstamo, procediendo a su firma ante fedatario (condición imprescindible). A partir de ese momento el prestatario podrá disponer del efectivo del préstamo (el principal menos todos los gastos y comisiones que ha generado la operación) dentro de las condiciones recogidas en el contrato, y se verá obligado a atender su devolución, pago de intereses y el cumplimiento de las condiciones pactadas y aceptadas.

PARTE SEXTA
La empresa familiar

19 La empresa familiar

1. La familiarización de la pequeña empresa

Son muchos los emprendedores que por una u otra razón acaban incorporando familiares a su empresa (cónyuge, hijos, hermanos) tanto en su gestión como también en la propiedad, lo cual es algo natural. En suma se acaba convirtiendo la empresa en lo que conocemos como una **empresa familiar** (EF), fenómeno por otra parte, y como veremos, muy extendido tanto en España como en el resto del mundo.

Dar una definición de EF es tan complejo como simple. A nuestro juicio la que ofrece el propio **Instituto de la Empresa Familiar** es la más acertada: empresas familiares son aquellas en las que la mayoría de la propiedad está en manos de una o más familias. De ello se derivan una serie de implicaciones que vemos en la realidad y son las causantes de los problemas de este tipo de empresas, que analizaremos en el presente capítulo. En efecto, la mayoría del poder económico supone que se pueda gobernar la empresa en todos sus ámbitos: dirección general, empleo de familiares, etc.

Pero, ¿por qué dedicar una atención especial a las empresas familiares?, ¿acaso no son empresas como las demás? Sí, pero tienen tal importancia económica en el tejido productivo de nuestra economía (como en la de cualquier economía avanzada) que conviene atender al máximo los problemas derivados de su condición, sobre todo por el cambio generacional y el buen gobierno, para evitar defunciones empresariales.

Una idea de la importancia que las empresas familiares tienen en nuestra economía la proporcionan los siguientes datos estadísticos (véase la web del Instituto de la Empresa Familia, *www.iefamiliar.com*):

- — El número estimado de empresas familiares en España es de dos millones y medio, el 65 por 100 del tejido empresarial.
- — Genera el 65 por 100 del PIB nacional.

— A ellas se debe el 60 por 100 de las exportaciones.
— Dan empleo a nueve millones y medio de personas, el 60 por 100 del empleo privado.
— El 25 por 100 de las grandes empresas españolas son familiares.

En el resto del mundo la importancia de las empresas familiares es similar, por lo que no se debe tratar como un fenómeno local sino universal. A título de ejemplo, y circunscribiéndonos a la Unión Europea, tenemos los siguientes datos relevantes:

— En la UE hay diecisiete millones de empresas familiares; el 60 por 100 del total.
— Dan empleo a cien millones de personas.
— De las cien primeras empresas de la UE, veinticinco son familiares.

La característica más relevante de la mayor parte de las empresas familiares es que el emprendedor familiar desea transmitir su empresa a la generación siguiente y sólo un pequeño porcentaje lo consigue. Muchas desaparecen en este tránsito generacional, y las que lo consiguen en bastantes ocasiones es a costa de perder su carácter familiar. Esta defunción y, en el mejor de los casos, ruptura en la continuidad generacional, se debe a múltiples factores, que acertadamente expone con gran conocimiento de causa el propio Instituto de la Empresa Familiar, y que es conveniente los conozca el futuro emprendedor para que reflexione con tiempo sobre ellos cuando esté creando su empresa y en los años en que ésta se vaya familiarizando. Estos factores son:

— Falta de planificación en la sucesión.
— Resistencia a abandonar los cargos por parte de los fundadores o, en general, los más veteranos.
— No incorporar a directivos no familiares, y si se hace no tener la suficiente capacidad para atraerlos y retenerlos.
— No garantizar adecuadamente que el sucesor familiar en el gobierno de la empresa sea competente para el cargo.
— Falta de capacidad para obtener recursos financieros externos sin perder el control efectivo de la empresa.
— Conflictos financieros entre la familia y la empresa.

Con todo esto la empresa familiar se enfrenta a una serie de retos cruciales para su supervivencia generacional:

- — Identificar y analizar los problemas que se generan entre los ámbitos familiar y empresarial.
- — Delimitar los intereses familiares y empresariales.
- — Establecer unos criterios de acceso de los familiares a puestos y cargos de la empresa.
- — Establecer criterios de buen gobierno en la empresa.
- — Planificar la sucesión.

Todos estos retos deben resolverse de una manera racional y participativa, de manera que todos los miembros de la familia sepan cómo actuar y a qué atenerse en relación a la empresa, y plasmarse las conclusiones y reglas de actuación a que se llegue en un documento que denominaremos Protocolo Familiar. Pero para llegar a este punto, antes el emprendedor debe conocer cuál es la realidad de la empresa familiar, es decir, sus ventajas e inconvenientes, y debe analizar la problemática de la empresa familiar en cuanto conflicto de intereses empresa-familia y grupos de interés implicados.

2. Ventajas e inconvenientes de la empresa familiar. Claves para su éxito

Las EF presentan una serie de ventajas frente a las no familiares que, bien aprovechadas, pueden hacer a aquéllas más competitivas. En concreto señalaremos las siguientes.

Ventajas de la empresa familiar

a) Mayor conocimiento de la gestión empresarial

El roce continuo entre los miembros de la familia involucrados o por involucrar en la actividad empresarial, la no existencia de horarios, el llevar siempre la empresa «encima», hace que los miembros de la familia conozcan desde muy pronto y de primera mano los entresijos de la gestión de la empresa, recibiendo de manera natural y continua una enseñanza práctica y real que difícilmente podrá aportar una escuela de negocios o facultad de administración de empresas. Aquí se hace cierto el dicho de que «la mesa de comedor es el mejor pupitre de estudios».

b) *Sinergia familiar*

La identidad de intereses, los lazos de sangre y la confianza mutua entre los miembros de una familia provocan una sinergia de fuerzas muy positiva para la marcha de la empresa siempre que no se rompa esta armonía. En este sentido, aquellas familias que han sido capaces de mantener unas relaciones interpersonales e intergeneracionales muy estrechas con un fuerte compromiso entre sus miembros, un sincero sentimiento de orgullo de pertenencia a la familia y un respeto a los miembros de mayor edad y más destacados por sus cualidades humanas y de trabajo, son las que más provecho empresarial (y familiar y personal) sacan a esta situación.

c) *Mayor compromiso y sacrificio en la gestión*

El sentimiento de que está en juego mucho más que los meros intereses económicos comprometidos en la empresa (la armonía familiar, el futuro de los hijos y de otras generaciones, etc.) hacen que el grado de compromiso con la empresa de los miembros de la familia que trabajan en ella sea mucho mayor, y por ende también se está dispuesto a mayores sacrificios (en tiempo libre, salario, etc.) por el bien de la empresa (y la familia).

d) *Comunicación más intensa y fluida*

La existencia de una relación personal y familiar por encima de la meramente laboral facilita la comunicación entre los miembros de la familia que trabajan en la empresa; y el que esta relación y contacto se prolongue más allá del horario laboral hace que sea más intensa y continua.

e) *Rapidez en la toma de decisiones*

En parte como consecuencia de la ventaja anterior, y también por el hecho de que los propios familiares pueden formar parte de los órganos de gobierno, las decisiones suelen tomarse con menos dilaciones. Las EF suelen estar menos burocratizadas y ser más flexibles en su toma de decisiones.

f) *Más garantías de futuro*

El deseo de los fundadores y miembros de la familia de garantizarse y garantizar a sus hijos un futuro a través de la empresa, el que se comprometan bienes del patrimonio familiar en la propia marcha de la misma (avales y garantías de préstamos, etc.), el que el prestigio familiar vaya unido al éxito empresarial, que el capital esté concentrado en pocas manos, se les impongan limitaciones a su libre transmisión y otras cuestiones similares, hacen que los responsables de estas empresas se preocupen más por la continuidad y mantenimiento de las mismas, ya que no las contemplan como una mera inversión.

g) *Compromiso con la calidad*

Los miembros de una empresa familiar perciben que con la imagen de sus productos, y en general de su empresa, se juegan el prestigio personal y familiar. Se produce una identificación entre la proyección de la empresa y de la familia, por lo que hay una mayor preocupación por la calidad del producto o servicio de la empresa.

h) *Márgenes más flexibles*

Tanto de actuación como comerciales y económicos. La existencia de miembros de la familia en la empresa hace que éstos estén dispuestos a horarios y salarios más flexibles a tenor de una mayor competitividad, e igualmente estén dispuestos a cambiar de funciones y actividades con prontitud e inmediatez.

i) *Conocimiento (know-how) propio y particular*

Es normal que la empresa familiar vaya acumulando experiencias y conocimientos de generaciones anteriores, asimilándolas sus miembros de forma natural como algo propio y particular de la familia.

j) *Compromiso con los empleados*

Las relaciones familiares en el ámbito empresarial suelen crear un ambiente de familia en la empresa que se extiende al resto de empleados no familiares. También la existencia de unas relaciones paternalistas se suele extender a todos los miembros, que en cierto modo acaban *familiarizados*. Este clima suele ser más propicio para una mayor confianza y por tanto a aprovechar y potenciar más algunas de las ventajas ya reseñadas (flexibilidad, rapidez, compromiso, sacrificio, etc.).

Pero también la empresa familiar presenta una serie de desventajas e inconvenientes, derivados la mayoría de ellos de su problemática propia. Con independencia de que más adelante abordemos el análisis y la solución de esta problemática, vamos a señalar las desventajas e inconvenientes más significativos de las empresas familiares.

Inconvenientes de la empresa familiar

a) «Sobreposición» de la familia respecto a la empresa

En no pocas ocasiones el «orden natural» propio que rige la familia se traslada a la empresa y se impone al orden jerárquico y a los principios de la administración que deben regirla. A veces una excesiva implicación de la familia en la gestión de la empresa puede hacer que los intereses propios de aquélla se sobrepongan a los de la empresa, de manera que pueden llegarse a desarrollar actitudes negativas y nocivas para ésta como son el nepotismo, la endogamia, la desconfianza hacia los empleados y profesionales ajenos a la familia, el no adoptar medidas disciplinarias en el ámbito empresarial sobre familiares, el resistirse a formarse y actualizar sus capacidades y conocimientos por el hecho de sentirse seguro en el puesto al ser miembro de la familia, etc.

b) Asunción de riesgos que afectan a la familia

La excesiva implicación de la familia en la empresa puede llevar a una cierta confusión de patrimonios. Es muy común que prime el interés por aumentar el patrimonio familiar en detrimento del empresarial, de manera que nos encontramos con empresas sin patrimonio propio. Esto hace que a la hora de buscar financiación crediticia para la empresa, las entidades de crédito, sabedoras de estas circunstancias, obliguen al emprendedor a garantizar dichas operaciones con su garantía personal (y por tanto con todo su patrimonio) o con la garantía de bienes pertenecientes al patrimonio familiar.

c) Tendencia a perpetuarse en el cargo

Es muy habitual en las empresas familiares de primera generación que el patriarca fundador no vea el momento de su retirada y tienda a permanecer el máximo tiempo en el cargo, con los consecuentes problemas de desaliento de las generaciones siguientes y con frecuencia de tiranía hacia los demás, a los que se infravalora tanto como se sobrevalora por el hecho de saberse el fundador y creerse imprescindible. Este problema alimenta, y se potencia aún más, con el siguiente.

d) *No planificar la sucesión*

Por desidia, por no encontrar el momento, o simplemente por no ser capaces de afrontar con sensatez y valentía esta cuestión, no se planifica con antelación la sucesión, propiciando la tendencia habitual del patriarca a perpetuarse en el cargo y creando un malestar larvado que emergerá repentinamente cuando la sucesión sea ya inevitable.

e) *Falta de autocrítica*

Por el mero hecho de ser familiar, los gestores de estas empresas tienden a sentirse dotados de las cualidades necesarias para dirigirlas, careciendo en no pocas ocasiones de la falta de perspectiva para el autoanálisis y valoración, y encajando con desagrado las posibles sugerencias que vienen de fuera, las cuales suelen minusvalorar y no atender. Todo esto se traduce en una cierta indolencia y dejadez hacia la necesidad de regenerar, actualizar y adquirir habilidades y conocimientos.

f) *Perspectiva limitada*

El peso de la familia hace que los horizontes de ésta sean también los de la empresa, y que por tanto se carezca de una visión más amplia y global que puede suponer no sólo anquilosamiento de la empresa sino también su agonía.

g) *Problemas con el personal no familiar*

Las empresas familiares suelen desmotivar a los buenos profesionales, quienes no tardan en abandonarlas, e incluso las evitan, ante la falta de perspectivas de desarrollo de una carrera, toda vez que el ser familiar se sobrepone a las valías profesionales.

h) *Problemas de financiación*

Ya indicamos la frecuente confusión de patrimonios de la familia y la empresa, y cómo se tiende a engrosar más el familiar que el empresarial.

Esto, unido al riesgo que supone exponer el patrimonio familiar a los vaivenes empresariales, hace que sea difícil abordar la financiación de ciertos proyectos, sobre todo la de aquellos relacionados con la innovación y el desarrollo de nuevos productos.

Revisando aquellas empresas familiares que han sobrevivido a varias generaciones, y que tanto la marcha de la empresa como de la propia familia son modélicas, podemos encontrar una serie de elementos comunes que explicarían el éxito de las mismas. Estas claves no son sin duda todas, pero sí las principales y más significativas, y desde luego se soportan en saber aprovechar las ventajas propias de la empresa familiar y en tomar las medidas más adecuadas para paliar y evitar los inconvenientes.

Las claves de éxito de la empresa familiar

1. *Los miembros de la familia tienen que dar ejemplo*

Todos los miembros de la familia tienen que dar ejemplo de disciplina y entrega a la empresa si trabajan en ella, y siempre, lo hagan o no, de respeto a la misma. Han de tener claro que el futuro y el bienestar de la familia dependen de la empresa, y que para todos los trabajadores de la empresa la familia es el referente obligado.

2. *Los miembros de la familia han de compartir la misma visión de futuro*

Es decir, hacer suyas las metas de la empresa y de la familia, participar y hacer partícipes a los demás miembros de ideas y proyectos.

3. *Fomentar la armonía familiar a través de la comunicación*

Ningún miembro de la familia debe sentirse nunca alienado del resto del clan. Debe existir una comunicación sincera y fluida entre todos, estableciéndose de manera periódica reuniones tanto de carácter familiar como empresarial.

4. *Reconocimiento de los méritos personales*

No debe prejuzgarse a ningún miembro por su edad o participación directa o indirecta en el capital empresarial; deben reconocerse por encima de todo las propias valías personales tanto en el seno de la familia como en la empresa.

5. *Establecer criterios objetivos para la entrada y promoción en la empresa*

En base a elementos profesionales. Indicando con antelación a la entrada en la empresa las posibilidades de promoción y carrera.

6. *Creación de un consejo familiar*

En él deben recogerse todas las líneas y tendencias dentro del seno familiar, con el suficiente peso y autoridad morales, y debe ser reconocido, respetado y obedecido por todos.

7. *Creación de un consejo de administración con personas independientes*

En el máximo órgano de gobierno de la empresa debe darse cabida a profesionales independientes y ajenos a la propia familia, reconocidos y consensuados por todos los propietarios presentes y futuros.

8. *Planificar la sucesión*

Tanto dentro del liderazgo empresarial como familiar. Hacerlo con antelación, revisándose periódicamente si fuere necesario, y siempre con consenso.

9. *Hacer una previsión de los posibles conflictos familiares y de sus soluciones*

Tanto si atañen sólo a la familia como a la empresa o a ambas. Los conflictos son muy variados, pero el propio devenir nos señala cuáles pueden ser, en cada caso, los más importantes y lesivos, y para estos deben tenerse previstas sus vías de solución a fin de resolverlos con rapidez y evitar su enquistamiento y agravamiento. Igualmente, y si se estima necesario, habría que prever los posibles mecanismos legales para evitarlos y solucionarlos.

10. *Consensuar un protocolo familiar*

Recoger en un documento escrito y consensuado por todas las partes las claves anteriores, y al ser posible darle un carácter legal. Este protocolo debe servir como norma marco de referencia para la actuación de los miembros de la familia y su relación con ésta y la empresa, y sobreponerse a todo tipo de intereses particulares. En este sentido deben recogerse en su redacción todas las tendencias e intereses de los miembros de la familia con una clara proyección de futuro, ya que su revisión sólo debe hacerse a largo plazo; ha de ser una norma perdurable.

El decálogo de estas claves de éxito culmina con la recomendación de elaborar un Protocolo Familiar.

3. Análisis de la problemática de la empresa familiar

Ya vimos cómo la empresa familiar se enfrenta a mayores dificultades que las no familiares, debido principalmente a que se producen confusión de roles, conflictos de intereses y diferentes perspectivas según se sitúen los protagonistas en el ámbito familiar, de la propiedad o de la empresa. Es muy difícil efectuar una taxonomía general de la problemática familiar debido a la diversidad de los problemas y al carácter peculiar que toman en cada caso particular. No obstante, desde hace unos quince años el esfuerzo de un número cada vez mayor de investigadores de ámbito académico superior (en el campo de la administración y organización de empresas fundamentalmente) se ha orientado hacia el estudio de la EF y concretamente de su problemática. Aquí en España cabe destacar los trabajos del profesor Gallo (1998), quien agrupa los diversos problemas a los que se enfrentan las EF en cinco categorías que él denomina **«trampas de la empresa familiar»:**

1. Confusión entre el hecho de ser propietario y tener capacidad para dirigir la empresa.
2. Confusión de flujos económicos (empresa-familia-propiedad).
3. Confusión entre los lazos afectivos de la familia y los lazos contractuales de la empresa.
4. Retraso innecesario de la sucesión.
5. Creerse inmune a los problemas anteriores.

En estas categorías se recogen muchos de los inconvenientes de las EF y los principales problemas que se dan en ellas, pero no nos proporciona

Cuadro 19.1

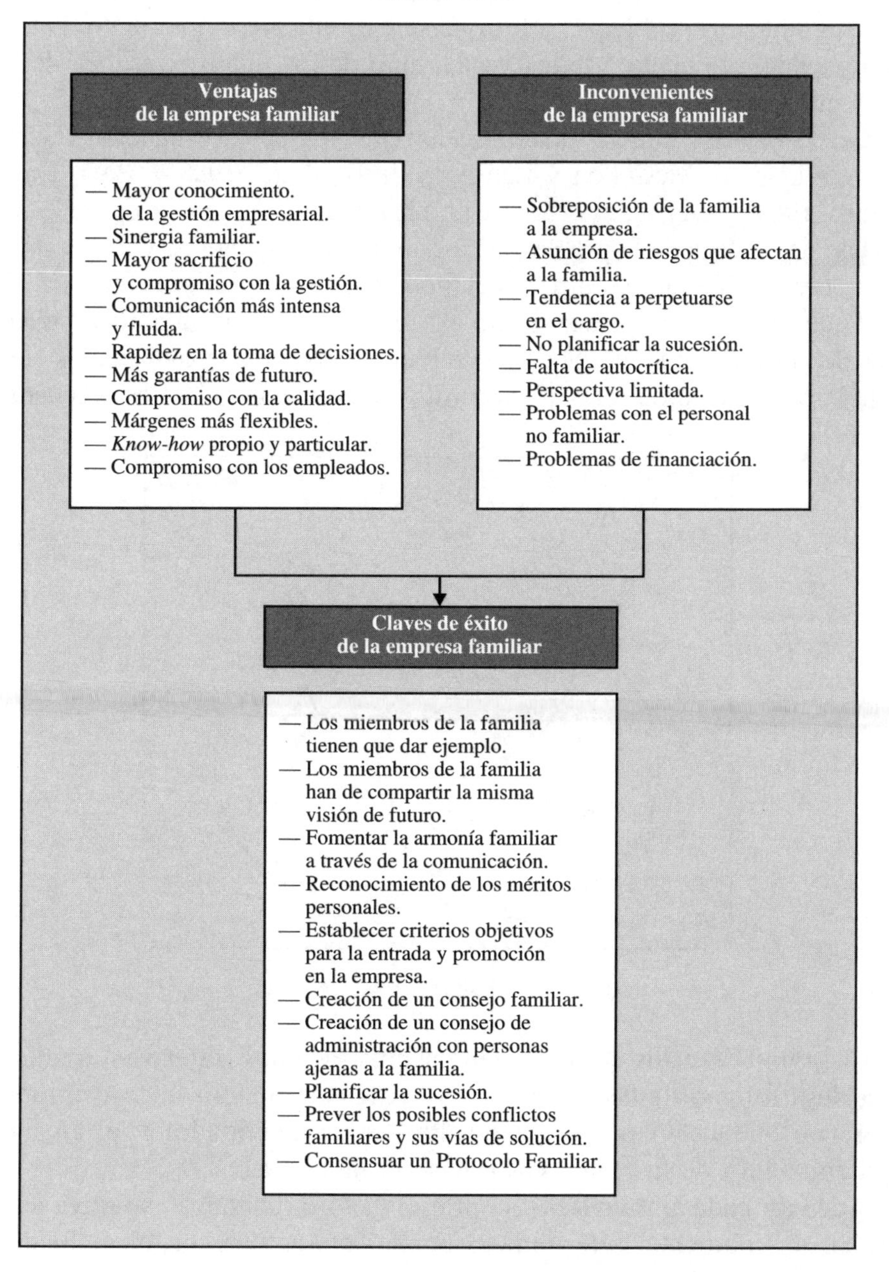
Ventajas
de la empresa familiar
— Mayor conocimiento.
de la gestión empresarial.
— Sinergia familiar.
— Mayor sacrificio
y compromiso con la gestión.
— Comunicación más intensa
y fluida.
— Rapidez en la toma de decisiones.
— Más garantías de futuro.
— Compromiso con la calidad.
— Márgenes más flexibles.
— *Know-how* propio y particular.
— Compromiso con los empleados.
Inconvenientes
de la empresa familiar
— Sobreposición de la familia
a la empresa.
— Asunción de riesgos que afectan
a la familia.
— Tendencia a perpetuarse
en el cargo.
— No planificar la sucesión.
— Falta de autocrítica.
— Perspectiva limitada.
— Problemas con el personal
no familiar.
— Problemas de financiación.
Claves de éxito
de la empresa familiar
— Los miembros de la familia
tienen que dar ejemplo.
— Los miembros de la familia
han de compartir la misma
visión de futuro.
— Fomentar la armonía familiar
a través de la comunicación.
— Reconocimiento de los méritos
personales.
— Establecer criterios objetivos
para la entrada y promoción
en la empresa.
— Creación de un consejo familiar.
— Creación de un consejo de
administración con personas
ajenas a la familia.
— Planificar la sucesión.
— Prever los posibles conflictos
familiares y sus vías de solución.
— Consensuar un Protocolo Familiar.

esta clasificación un modelo sistemático de análisis que permita identificar y cartografiar los problemas a los que se enfrenta en un momento dado una EF teniendo en cuenta a todos y cada uno de los diversos grupos de intereses que se dan en ella.

Desde Estados Unidos determinados trabajos de investigación (Gersick, Davis, Hampton, McCollon y Lansberg, 1997; Ward, 1988 y 1994; Davis y Tagiuri, 1989, y Lansberg, 1983 y 1988) han tenido una gran aceptación como modelo de análisis de la problemática familiar. Estos autores, y muy especialmente Davis y Tagiuri, desarrollan el ***modelo de los tres círculos*** (figura 19.1), en el que partiendo del solapamiento existente entre los tres ámbitos característicos de la EF (familia, propiedad y empresa o negocio) se analizan los efectos de la superposición de roles y los conflictos de intereses que esto genera.

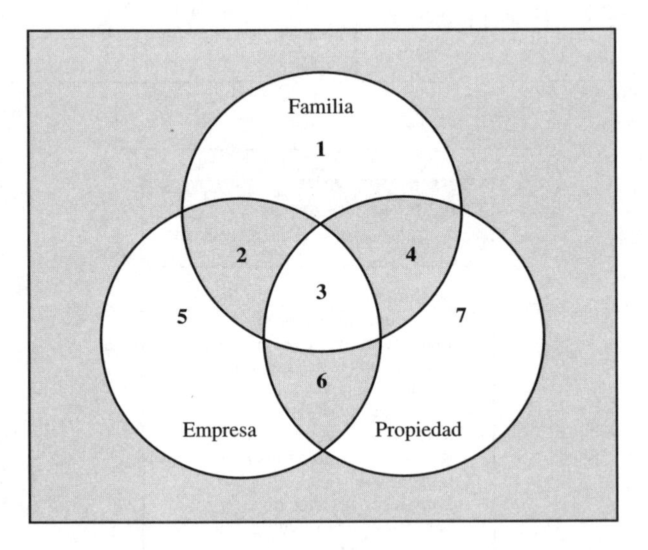

Figura 19.1

Cada uno de estos ámbitos tiene asignados unos **objetivos,** que alcanzará desarrollando unas **actividades críticas,** y tendrá unos **órganos de gobierno** que velen por el desarrollo de las actividades y el alcance y mantenimiento de los objetivos (véase la tabla 19.1).

Además, cada ámbito tiene su propio ciclo o dinámica evolutiva natural que en un momento determinado puede interactuar con el ciclo de los demás (por el solapamiento de roles), generando una nueva dinámica, distinguiéndose varias fases o etapas dentro de cada ciclo.

En lo que se refiere al **ámbito familiar,** en su **ciclo** o dinámica distinguen varias **etapas:** constitución de la pareja (o parejas si se trata de más

Tabla 19.1

ÁMBITOS / ELEMENTOS	FAMILIA	PROPIEDAD	EMPRESA
OBJETIVOS	• Mantenimiento de la armonía familiar. • Desarrollo personal de sus miembros.	• Mantenimiento de la armonía accionarial. • Gestión eficaz del patrimonio familiar. • Mantenimiento y mejora de la posición competitiva.	• Máximas eficacia y eficiencia. • Mejora del clima organizativo. • Continuo desarrollo organizativo.
ACTIVIDADES CRÍTICAS	• Definición de la misión familiar. • Redacción y guarda del protocolo. • Diseño y gestión de los órganos de gobierno. • Gestión de los conflictos familiares.	• Diseño del plan estratégico de la empresa. • Diseño y gestión de los órganos de gobierno accionariales. • Diseño y gestión del consejo de administración. • Gestión de conflictos entre accionistas. • Selección del sucesor.	• Diseño de la estructura organizativa. • Gestión del cambio y la innovación. • Política de recursos humanos.
ÓRGANOS DE GOBIERNO	• Foro familiar. • Consejo familiar.	• Junta de accionistas. • Consejo de administración. • Consejo financiero y de inversiones.	• Comite de dirección. • Otros comités funcionales.

FUENTE: Autores citados. Elaboración propia.

de un fundador), educación y formación de los hijos bajo la tutela paterna, su incorporación a la empresa y, por último, la emancipación de los hijos (que crean su propia unidad familiar).

En el **ámbito de la propiedad** se distinguen tres **etapas** en su ciclo: propiedad única (del o los fundadores), comunidad de hermanos (hijos del o de los fundadores) y consorcio de parientes.

Por último, en el ciclo de la **empresa** también se distinguen tres **etapas:** creación, expansión y madurez.

Una parte importante de los problemas a los que se enfrenta la EF tiene que ver directamente con la existencia de diferentes grupos de intereses. Este modelo nos permite, de acuerdo con los tres ámbitos que ha definido, identificar estos grupos de intereses en función a su pertenencia o adscripción a alguno o varios de dichos ámbitos o círculos (tabla 19.1).

En cada ámbito se distinguen dos grupos principales: en el ámbito familiar entre ser (F) o no (F') miembro de la familia, en el de la propiedad de la empresa el participar (P) o no (P') en ella, y en el empresarial el trabajar (T) o no (T') en la empresa. Haciendo las distintas combinaciones surgen ocho grupos distintos, cada uno con sus propios intereses y perspectivas. Siete de ellos se corresponden con las áreas señaladas en la superposición de los círculos.

La identificación y clasificación de los distintos grupos que conviven en una EF es el paso previo imprescindible para poder redactar el protocolo familiar y diseñar la estructura del consejo de familia (cuya clasificación se recoge en la tabla 19.2).

Tabla 19.2

GRUPOS DE INTERÉS EN LA EMPRESA FAMILIAR	SÍ ES MIEMBRO DE LA FAMILIA (F)		NO ES MIEMBRO DE LA FAMILIA (F')	
	SÍ PARTICIPAN EN LA PROPIEDAD (P)	NO PARTICIPAN EN LA PROPIEDAD (P')	SÍ PARTICIPAN EN LA PROPIEDAD (P)	NO PARTICIPAN EN LA PROPIEDAD (P')
SÍ TRABAJA EN LA EMPRESA (T)	FPT (3)	FP'T (2)	F'PT (6)	F'P'T (5)
NO TRABAJA EN LA EMPRESA (T')	FPT' (4)	FP'T' (1)	F'PT' (7)	F'P'T' (8)

FUENTE: Autores reseñados. Elaboración propia.

Para lograr la armonía familiar y que la marcha de la empresa no se vea interferida por los problemas de la familia y de la propiedad, es conveniente conocer las peculiaridades e intereses de cada uno de estos grupos.

1. FP'T'

Está compuesto por aquellos miembros de la familia (F) que aún no trabajan en la empresa (T') y que tampoco tienen participación en su propiedad (P'). Dentro de este grupo podemos encontrar varios subgrupos diferentes: familiares directos que no desean trabajar en la empresa y que además no tienen aún participación en su capital (hijos, cónyuges); familiares directos que por determinadas circunstancias aún no están en disposición de trabajar ni poseen participación en la propiedad (hijos menores o estudiando; otros familiares, como hermanos, cuñados, etc., a los que no se les ha dado opción de trabajar, o no la han querido, y que no participan en la propiedad...). Dentro de este grupo aquellos subgrupos más estrechamente ligados con los propietarios actuales (hijos y cónyuges principalmente) serán los que tengan más influencia.

2. FP'T

Familiares (F) no propietarios (P') que trabajan en la empresa (T). Aquí también pueden decantarse varios subgrupos: los familiares que trabajan pero que nunca llegarán a participar en la propiedad (hermanos, sobrinos, etc.) y los que actualmente trabajan y en un futuro podrán llegar a ser propietarios (hijos y cónyuges principalmente); e incluso dentro de cada uno de éstos podemos distinguir subgrupos según el lugar del organigrama que ocupa en la empresa o si es un simple operario. Su peso e influencia también varía al igual que sus intereses.

3. FPT

Familiares (F) propietarios (P) que trabajan en la empresa (T). Su peso vendrá determinado por el grado de participación, por su liderazgo dentro de la familia, cargos que ocupen en la empresa, etc. Representan las distintas ramas de propietarios o fundadores.

4. FPT'

Familiares (F) que no trabajan (T') pero que sí son propietarios (P). Velan mucho por sus intereses económicos y su influencia depende tanto de su participación en el capital (poder económico) como de su liderazgo familiar. Son muy susceptibles de entrar en conflicto con el grupo anterior (3).

5. F'P'T

Forman el personal de la empresa (T) ajeno a la familia (F') y a la propiedad (P'). Es personal independiente, pero que sí tiene sus propios intereses según se trate de operarios, directivos o cuadros. Pueden chocar con cierta frecuencia con los grupos de familiares y/o propietarios que trabajan en la empresa debido a la posibilidad de agravios comparativos desde la perspectiva profesional.

6. F'PT

Personas ajenas a la familia (F') que participan en la propiedad (P) de la empresa y que, quizá en virtud de esta circunstancia, trabajan en ella (T). Aquí pueden encuadrarse grupos muy heterogéneos: personas que en su momento fueron familiares y ya no lo son por diversos motivos (divorcio, viudedad, etc.), herederos no familiares, empleados que han adquirido una participación en el capital por cualquier circunstancia, o simples inversores externos. Es muy común que haya fricciones en general con los familiares que trabajan en la empresa.

7. F'PT'

Este grupo suele responder a inversores (P, T') ajenos a la familia (F'), principalmente preocupados por la marcha de la empresa y la salvaguardia y rentabilidad de sus inversiones.

8. F'P'T'

Ni pertenecen a la familia (F') ni trabajan (T') en la empresa ni tienen intereses en su propiedad (P'). Aquí englobaríamos a grupos externos tan distintos como proveedores, clientes, administraciones públicas, etc.

La identificación de estos grupos y conocer sus perspectivas e intereses particulares es de vital importancia a la hora de establecer el protocolo familiar, donde se recogerán una serie de normas de especial trascendencia para los miembros de la familia y los propietarios actuales y futuros.

No cabe plantear soluciones estándar a los posibles conflictos que puedan darse entre los distintos grupos antes identificados. No obstante sí es conveniente, antes de plantear unas líneas de actuación en el protocolo familiar, tener presentes algunos de los elementos que han distinguido a las empresas familiares que han tenido éxito en su gestión y continuidad y que ya hemos visto.

4. Procedimiento de resolución de la problemática empresa-familia

¿Cómo resolver la problemática empresa-familia?, ¿qué pasos hay que dar? Obviamente cada binomio empresa-familia tiene sus propias características y singularidades, por lo que no caben soluciones universales, tanto más cuanto que se trata de conciliar intereses de personas y, por agregación, de entidades.

No obstante, sí podemos plantear un esquema de trabajo que facilite a cada emprendedor la resolución de su problemática particular. Este esquema es un proceso genérico que tiene varias fases consecutivas que concluirán con la redacción e implantación por consenso de un protocolo familiar y el nombramiento de un consejo cuya misión principal será implantar el protocolo y velar por su aplicación y cumplimiento. Gráficamente las fases de este proceso las recogemos en la figura 19.2.

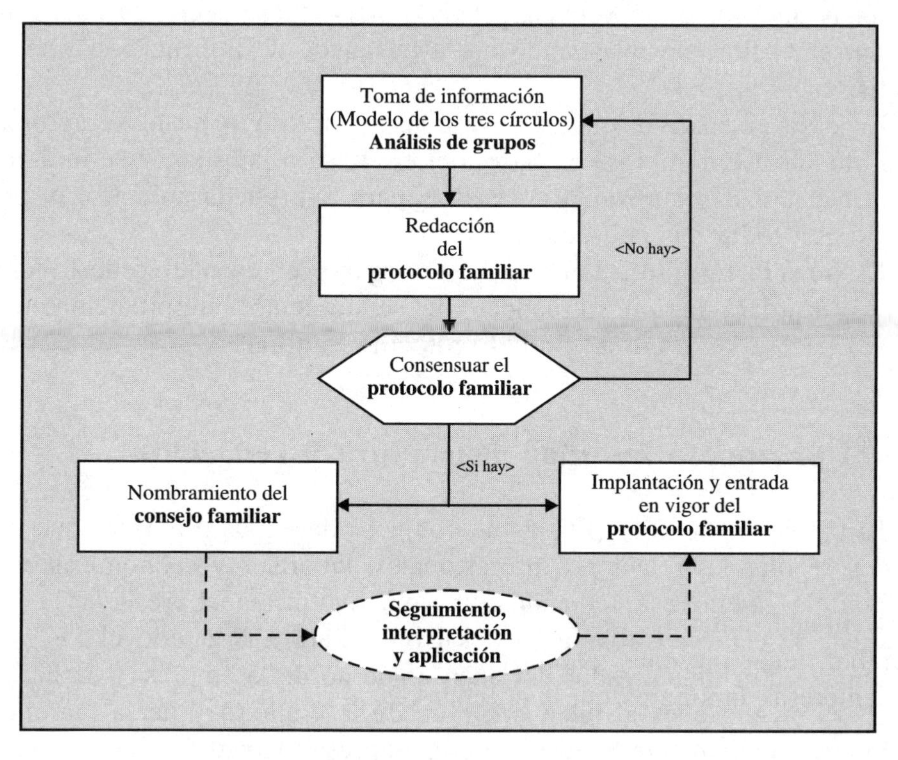

Figura 19.2

El **primer paso** consistirá en tomar toda la información posible de la empresa, de la familia y de la propiedad, y analizar la misma a fin de identificar y analizar cada uno de los grupos familiares (y no familiares) que entran en liza: sus componentes, situación, intereses e inquietudes, expectativas, etc.

Esta tarea inicial debe asignarse a un grupo cuyos miembros representen lo mejor posible a las distintas facciones que en ese momento se encuentran conviviendo en la empresa, la familia y la propiedad, y cuyos intereses están de una manera u otra intrincados unos con otros. Para ello utilizaremos el modelo que acabamos de exponer (de los tres círculos).

El **segundo paso** será la redacción del protocolo familiar. Este mismo grupo, o parte de sus miembros, debe encargarse de la redacción, aunque lo más sensato sería encargárselo a algún experto, quien con la colaboración de los miembros del grupo dará la estructura y redacción formales más convenientes, a fin de que quede claro y surta el efecto deseado.

Este primer protocolo se someterá, **tercer paso,** al consenso de las personas que por él se verán afectadas. Si no fuese aceptado habrá que comenzar el proceso insistiendo en la búsqueda de información y en su análisis.

En caso afirmativo, que sí haya consenso, **cuarto paso,** se aprobará el protocolo, se nombrará en base a él el consejo familiar, y se le dotará de la capacidad y autoridad necesarias para que pueda aplicarse el protocolo con todas sus consecuencias.

El **consejo familiar,** como máximo órgano representativo de la familia, se encargará durante su mandato del seguimiento, interpretación cuando sea necesaria, y aplicación del protocolo familiar.

5. El protocolo familiar. Estructura y redacción

El protocolo familiar (PF) es un conjunto de reglas o normas que pretenden regular las relaciones profesionales, laborales y económicas entre la familia y la empresa, teniendo como objetivo principal preservar la continuidad de ésta y ayudar a su desarrollo. Pero sobre todo el PF es el principal factor dinamizador del buen gobierno de la empresa familiar.

El PF ayuda pues al buen gobierno de la empresa y de la familia, y mejora sustancialmente la gestión de la empresa. A medida que las empresas familiares crecen se hace cada vez más necesaria y urgente la separación de los ámbitos familiar y empresarial. Pero no basta la diferenciación; también hay que lograr una adecuada coordinación entre ambos, ya que esto permitirá una mejora en los niveles de profesionalización de la empresa y el establecimiento de unos objetivos estratégicos claros, factores que influyen directamente en la viabilidad a largo plazo de la empresa y en la estabilidad de la armonía y el consenso familiar.

La intensidad en el compromiso por parte de los miembros de la familia y de la empresa que consiga el PF depende en gran medida de la finalidad que se persiga con éste y de la naturaleza que se le otorgue. Así, un PF puede consistir en un simple pacto entre caballeros que no tendrá más que la fuerza moral que deseen darle sus firmantes. También se le puede dotar de una naturaleza contractual, de manera que aquéllos que lo acatan asumen la existencia de una fuerza legal entre las partes que hay que respetar y cumplir; no obstante, en España aún se carece de una legislación suficiente sobre empresas familiares que consolide de manera efectiva el carácter contractual del PF. Por último, y como complemento de los anteriores, el PF también puede tener un carácter institucional en el sentido de tener fuerza legal también frente a terceros no miembros de la familia pero sí implicados en la actividad de la empresa y/o en la propiedad.

En cuanto a la estructura y contenidos del PF no existe normativa alguna que los regule, como sí sucede en el caso de los estatutos de las sociedades mercantiles, que han de recogerse en escritura pública. Tampoco existe la obligatoriedad de darle al protocolo un carácter público, con la imprescindible intervención de un fedatario público (notario), ni de publicitarlo, con su registro público (en el Registro Mercantil). Pero sí sería muy conveniente la existencia de una legislación concreta que permitiese a los interesados dotar a su PF del carácter legal, similar al estatuto societario, necesario para que alcanzase la eficiencia deseada en cuanto a su cumplimiento y a la posibilidad de aplicación con las consecuencias en él previstas.

De entre los muchos modelos en que podemos inspirarnos para elaborar un PF vamos a seguir el que responde al siguiente esquema (cuadro 19.2) por considerarlo el más completo y más adaptable a cualquier situación.

En esta estructura las normas se agrupan en siete capítulos, dentro de cada uno de los cuales se regularán, a través del articulado necesario, aspectos concretos de la empresa, la familia y la propiedad.

I. Ámbito y naturaleza

En primer lugar hay que señalar cuáles son los **principios inspiradores** de la empresa y la familia: cultura, tradiciones familiares, unidad y consenso, profesionalidad y solidaridad, liderazgo y transparencia, etc. A continuación se definirán el **ámbito subjetivo** (personas que van a estar sujetas al PF, las reglas para incluirlas en esta categoría en el momento de redacción del mismo y establecer cómo habrán de producirse las futuras adhesiones)

Cuadro 19.2

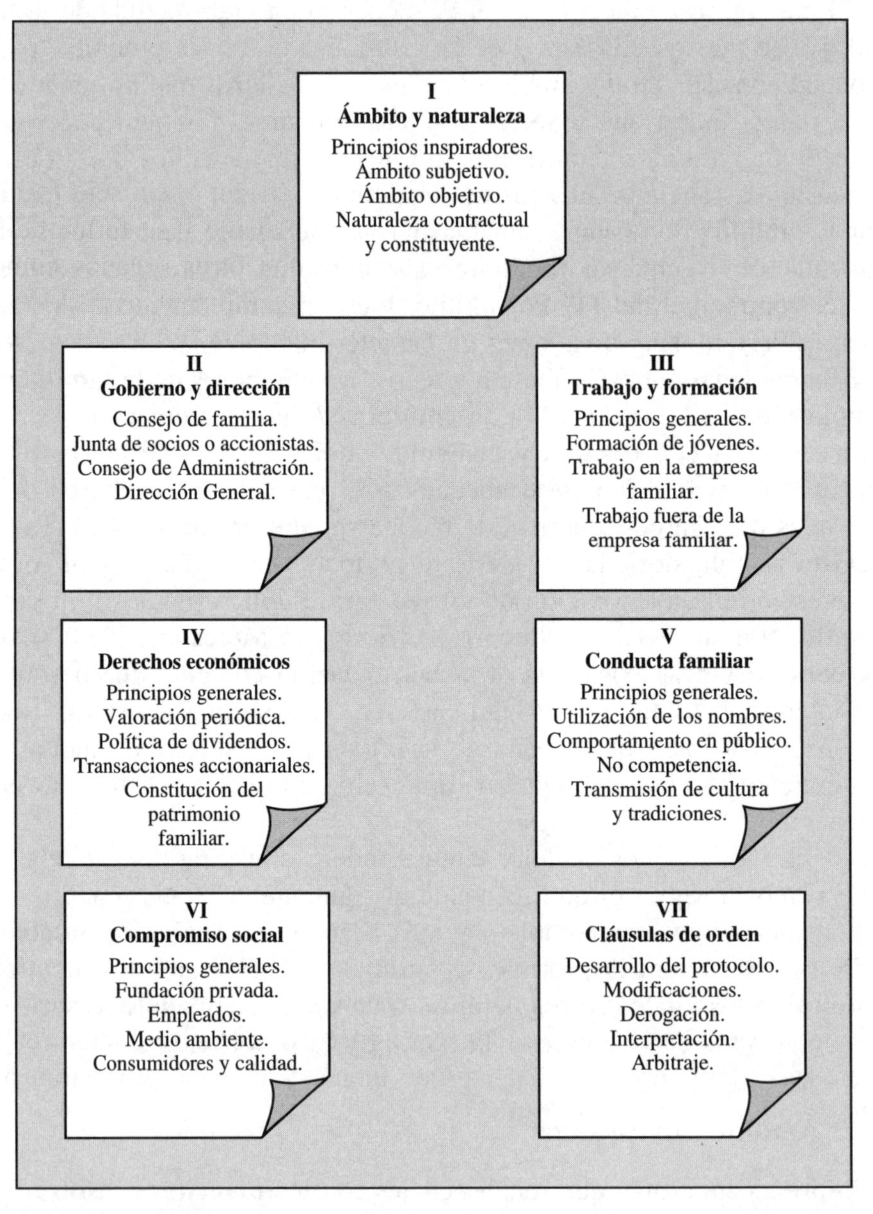

FUENTE: CUATRECASAS. Elaboración propia.

y el **ámbito objetivo** (el patrimonio y las empresas que se verán afectos a este protocolo, así como prever cómo se efectuarán posibles incorporaciones). También se delimitará la **naturaleza contractual y constituyente** del

PF; es decir, cómo vincula a los afectados y si existe algún desarrollo jurídico complementario como pudieran ser capitulaciones matrimoniales, testamentarías, estatutos de la empresa como sociedad mercantil, etc.

II. Gobierno y dirección

Habrán de establecerse los criterios para pertenecer al **consejo familiar** y cuáles son las funciones y misión de este organismo y su forma de funcionamiento. De análoga forma se procederá con otros órganos como la **junta de accionistas,** indicando además bajo qué circunstancias podrán celebrarse reuniones especiales; el **consejo de administración,** señalándose cuáles serán sus deberes éticos, su misión, funcionamiento y requisitos para pertenecer, y la **dirección general,** definiendo los distintos cargos en cuanto a tareas y competencias, su misión, así como los sistemas de acceso a estos puestos y su componente ético.

III. Trabajo y formación

Principios generales, cuáles serán las capacidades necesarias para trabajar en la empresa, la retribución y las circunstancias propias para colocar familiares; sistemas de **formación de jóvenes;** cómo se desarrollará el **trabajo en la EF** y si será o no preciso para los familiares haber **trabajado fuera de la EF** con anterioridad.

IV. Derechos económicos

Se señalarán los **principios generales** que inspiran éstos en cuanto a transparencia, confianza familiar, etc., así como la **valoración periódica** de estos derechos de los sujetos, sus criterios, agentes valoradores, etc.; cuál será la **política de dividendos** de la empresa, cómo se podrán realizar las **transacciones accionariales,** y qué bienes y derechos formarán parte del **patrimonio familiar común.**

V. Conducta familiar

Los **principios generales** que la inspiran, que se basarán en valores tales como el respeto, la confidencialidad, la lealtad, etc. Bajo qué circunstancia y por qué podrá llevarse a cabo la **utilización de nombres** relacionados con la empresa y la familia; las líneas que marcarán el **comporta-**

miento en público (no ventilar diferencias en público, lealtad a la empresa y la familia, etc.); cuándo se considera que se está actuando con **competencia** respecto a la empresa y la familia, y cuáles han de ser las vías preferentes para la **transmisión de la cultura y tradiciones** familiares: reuniones y convenciones familiares, etc.

VI. Compromiso social

La EF, como una empresa que es, debe cumplir una función social, es decir, tiene una serie de responsabilidades y compromisos para con la sociedad, sus empleados, clientes y el medio ambiente. En este sentido, el PF recogerá cuál ha de ser su objeto y ámbito; las condiciones laborales, respeto, remuneración y prevención para con los **empleados;** la calidad de los productos, las políticas de atención y otros aspectos que atañen a los **consumidores,** así como todo lo relacionado con el **medio ambiente.**

VII. Cláusulas de orden

En este apartado se recogerán las normas relativas al **desarrollo del protocolo,** su forma de aprobación, su seguimiento por parte de un comité de expertos, etc.; las circunstancias y la forma en que podrán introducirse posibles **modificaciones** y **derogaciones;** cómo han de efectuarse las **interpretaciones** del PF y quiénes, en su caso, están autorizados para imponer una interpretación, y por último se recogerán los procedimientos de **arbitrajes de controversias** por si éstas surgiesen.

Señalar que el PF así concebido no es un punto y final sino un comienzo, el comienzo de una nueva era en la vida de la empresa y de la familia. Además no puede pretenderse que con la implantación del PF vayan a terminarse los problemas; el PF lo que hace es contribuir eficazmente a su resolución. Pero para que una EF se beneficie del PF es preciso que éste se mantenga plenamente eficaz y vivo a través del análisis y revisión periódicos de la realidad familiar y empresarial.

6. Los órganos de gobierno. Consejo familiar y consejo de administración

En las empresas familiares hay que hablar necesariamente de dos tipos de gobierno complementarios: el empresarial y el familiar. Una empresa que reconoce esta dualidad y crea instrumentos como el PF y el consejo familiar, que permiten estructurar ambos gobiernos, tiene mayores garantías de futuro y alcanzará un valor añadido en el mercado.

El **consejo de administración,** y sobre éste la junta general de socios, es el órgano por antonomasia del gobierno de la empresa como corporación, y su función principal es la de orientar la política de la empresa, controlar su marcha y ser nexo de conexión con sus propietarios. Por su parte, el **consejo familiar** ha de ser el órgano de gobierno de la familia, y tiene una misión más flexible que la del consejo de administración, pues ha de adaptarse al caso concreto de cada empresa y familia. Con carácter general, su misión principal es cuidar y asegurar la buena comunicación y convivencia entre los familiares propietarios, principalmente, y demás familiares involucrados en la empresa y la familia, con el fin de garantizar la continuidad de la empresa y la armonía familiar.

El CF tiene una serie de **funciones específicas** que cumplir y que en cada caso se desarrollarán como más se adecuen a sus particularidades:

— Desarrollo y control del PF.
— Velar por la armonía familiar.
— Administración, desarrollo y gerencia del patrimonio familiar común.
— Propiciar un foro de discusión para los aspectos familiares relacionados con la empresa: formación, orientación profesional, etc.
— Recoger y canalizar la información empresarial y familiar.
— Consulta y depositario de los aspectos emocionales de los miembros de la familia.

En suma, está llamado a ser el máximo responsable de la marcha armoniosa entre la empresa y la familia, y a ser la autoridad de referencia y efectiva para todos los implicados directa e indirectamente en esta dinámica. Pero siempre separando claramente sus funciones con las del consejo de administración, evitando posibles ingerencias.

Desde una perspectiva legal, las funciones y competencias del consejo de administración están plenamente legisladas y por tanto bien definidas y delimitadas. Sin embargo, no ocurre así con las correspondientes al consejo familiar. Tan sólo en la Ley de Sociedad Limitada Nueva Empresa se recoge marginalmente alguna mención al Protocolo Familiar. Esto es así porque con carácter general el concepto de Gobierno Familiar no está lo suficientemente maduro en España como para incluir la figura del consejo familiar en nuestro ordenamiento jurídico.

La misión principal del consejo de administración u órgano equivalente es asegurar la viabilidad futura de la empresa manteniendo y acrecentando en lo posible su capacidad de competir en el mercado y el valor de su patrimonio.

De forma más específica sus **funciones** son:

— Definir y orientar la estrategia y política empresarial.
— Conciliar los intereses de la empresa con los planes de los gestores.
— Servir de enlace entre la propiedad y las instancias de gestión.
— Designar, evaluar y sustituir a los directivos y apoderados de la empresa y ejercer la supervisión general de sus actividades.
— Las establecidas por ley.

PARTE SÉPTIMA
Instituciones de interés empresarial

20 Instituciones de interés empresarial

1. Las cámaras de comercio

Las **Cámaras Oficiales de Comercio, Industria y Navegación** son corporaciones de derecho público creadas para la representación, promoción y defensa de los intereses generales del comercio, la industria y la navegación, y para la prestación de servicios a las empresas, que son quienes la gestionan.

Las cámaras administran recursos públicos y realizan funciones público-administrativas, pero, como hemos dicho, gestionadas por las propias empresas con criterios empresariales, si bien sometidas a un control público de su gasto por los Tribunales de Cuentas y las administraciones tutelantes (central, autonómica y local).

Al ser corporaciones de derecho público han de ser creadas por ley, y por ley deben dotarse de sus competencias, si bien no forman parte, en un sentido estricto, de las administraciones públicas, aun participando de su naturaleza.

Tienen personalidad jurídica propia por imperativo legal, en atención a la importancia social y económica de sus fines. Igualmente, la ley establece la adscripción automática y obligatoria de todas las empresas y empresarios a las cámaras.

Las cámaras se constituyen en España bajo el principio de territorialidad, de manera que cada una de las 85 cámaras existentes en nuestro país tiene capacidad de actuación y autonomía de funcionamiento en su respectiva demarcación territorial. De esta manera se pretenden acercar más los servicios que prestan a las empresas allí donde se detectan necesidades concretas de las mismas. Para reforzar este acercamiento existe además una red de más de 50 delegaciones y oficinas de servicio a las empresas.

Las cámaras promueven y defienden los intereses económicos y generales del conjunto de las empresas de su demarcación y en general de la economía de ésta. Representan a todas las empresas de su ámbito territorial de competencia, integrando en su seno a los representantes de los diversos sectores económicos existentes, teniendo en cuenta su importancia econimica relativa, y siendo elegidos democráticamente por todas las empresas.

Las cámaras prestan muy diversos **servicios** a las empresas de su demarcación, que podemos agrupar en seis grandes **áreas:**

1. **Representación de los intereses generales de las empresas.** Actuando como órganos consultivos y de colaboración con las administraciones públicas, a través de:

   — **La función consultiva de las administraciones públicas,** en una doble vertiente de *consulta activa* y de *consulta pasiva.* En cuanto a la primera, la *consulta activa,* las cámaras propondrán a las administraciones cuantas reformas crean necesarias o convenientes para fomentar el comercio y la actividad empresariales; la *consulta pasiva* se manifiesta con la emisión de informes a solicitud de las propias administraciones, sobre proyectos de normas o posibles futuras acciones que puedan afectar directa o indirectamente a los intereses generales de las empresas.

   — **La función de colaboración,** que se concreta en la gestión de servicios públicos relacionados con las empresas, la tramitación de programas públicos de ayudas, la colaboración con entidades públicas educativas, etc.

   — **Las relaciones institucionales.** Gracias a su tupida y extensa red, las cámaras ejercen ante las más diversas instituciones la representación, promoción y defensa de los intereses generales de las empresas.

2. **Internacionalización y fomento exterior de las empresas,** a través de planes y acciones concretos de gran efectividad, gracias a los cuales no pocas empresas han podido acceder al mercado exterior. Estos planes pueden ser muy diversos y se recogen en el denominado *Plan Cameral de Promoción de las Exportaciones,* donde se incluyen todas las actividades orientadas a promover la adquisición en el exterior de bienes y servicios producidos en España. Estas acciones se dirigen tanto a los mercados exteriores, promocionando directamente los productos españoles en el exterior, como en el interior, creando las bases para facilitar las condiciones

propicias para mejorar la competitividad exterior de nuestras empresas. El objetivo final es conseguir un incremento de las exportaciones y estimular a aquellas empresas potencialmente exportadoras para que se decidan a entrar en los mercados foráneos.

3. **Formación empresarial,** de manera muy especial colaborando con las instituciones educativas competentes, para que así puedan tener relación con el fomento de una cultura empresarial y emprendedora: centros de formación profesional, universidades, escuelas taller, etc.
4. **Promoción y fomento del desarrollo económico en su demarcación,** analizando su situación y estudiando y proponiendo acciones que cubran las necesidades presentes y futuras de su población y de sus empresas.
5. **Información y asesoramiento a las empresas,** a fin de hacerlas más competitivas. Esta información debe ser lo más actual posible, y elaborarse y transmitirse con los adecuados soportes de comunicación que permitan la mayor inmediatez. En este sentido, la dotación y uso de nuevas tecnologías es una constante en las cámaras.
6. **Apoyo a las empresas** en aspectos muy diversos, pero en especial en lo que concierne a:

— **Creación de empresas,** con un asesoramiento general y de apoyo a las empresas en sus diferentes etapas de desarrollo.

— **Arbitraje comercial.** Promoviéndolo como método ágil, asequible y eficaz para la resolución de conflictos. Las *Cortes de Arbitraje* establecidas en cada cámara, y la ***Corte Española de Arbitraje,*** dependiente del Consejo Superior de cámaras de comercio, fomentan activamente esta alternativa para el mejor desarrollo de las relaciones empresariales tanto a nivel nacional como internacional.

— **Recopilación y certificación de los usos y costumbres mercantiles.** A este respecto son los órganos idóneos, prestando así un nuevo servicio a la dinamización y ordenación de las actividades empresariales.

— **Otros servicios,** tales como la promoción, normalización y certificación de la calidad; adaptación de las empresas a la normativa medioambiental; adecuación al nuevo marco de prevención de riesgos laborales; acercamiento a las nuevas tecnologías, etcétera.

2. Las organizaciones empresariales

Las **organizaciones empresariales** y las **cámaras de comercio** realizan funciones muy similares, a veces idénticas, y a simple vista podría parecer que a veces entran en conflicto y hasta compiten. La realidad es que la coincidencia de funciones y objetivos debe llevar a una complementariedad, ya que existen diferencias entre ambas.

En primer lugar, las cámaras de comercio son corporaciones de derecho público, mientras que las organizaciones empresariales no son corporaciones, sino asociaciones, también con personalidad jurídica pero dentro del marco del derecho privado y no del público.

En segundo lugar, la adscripción a las cámaras es obligatoria para todas las empresas y empresarios, quienes podrán voluntariamente asociarse o no a alguna organización empresarial.

En tercer lugar, las cámaras representan, promueven y defienden los intereses generales de todas las empresas, cada Cámara las de su demarcación, con independencia del sector de actividad al que pertenezca, su tamaño o forma jurídica; mientras que las organizaciones empresariales sólo defienden y representan los de las empresas que voluntariamente pertenecen a ellas.

Por tanto, los fines últimos de representación y prestación de funciones de las cámaras y organizaciones empresariales pueden diferir, pero son complementarios, respondiendo ambos a las necesidades de las empresas.

Esta complementariedad queda también reflejada y reforzada con el hecho de que la Ley de Cámaras dispone que entre el 10 y el 15 por 100 de los vocales de los plenos de las cámaras sean elegidos por los miembros electos por sufragio directo entre personas de reconocido prestigio en la vida económica de la circunscripción de cada cámara, propuestas por las organizaciones empresariales a la vez intersectoriales y territoriales más representativas.

3. Los sindicatos

Los sindicatos son a los trabajadores lo que las asociaciones empresariales a las empresas y patronos. Son órganos de representación de los trabajadores reconocidos por la ley, y de adscripción voluntaria por parte de éstos.

La actual organización sindical española, libre y democrática, hunde sus raíces en la Ley de Sindicatos de 1977, en los albores de la transición política, y se refuerza con el reconocimiento del derecho de libre sindicación en la constitución actual (1978).

Todo sindicato legalmente constituido tiene personalidad jurídica propia; es el máximo exponente que permite el ejercicio del derecho a sindicarse que tiene todo trabajador, al igual que ejercer la actividad sindical, con las limitaciones que impone la ley a algunos colectivos (los militares y miembros de las Fuerzas Armadas e institutos armados de carácter militar están excluidos de este derecho, y lo tienen limitado otros colectivos: miembros de los Cuerpos y Fuerzas de Seguridad del Estado, jueces, magistrados y fiscales, etc.).

El objetivo principal de los sindicatos es el de la promoción y defensa de los intereses económicos y sociales de los trabajadores a los que representa, y que encuentra su máximo exponente en la participación en la negociación colectiva.

El funcionamiento interno de los sindicatos se rige por principios democráticos, de forma que los afiliados podrán elegir libremente a sus representantes dentro de cada sindicato.

La acción sindical se desarrolla en un doble sentido: hacia las administraciones públicas y hacia las empresas.

Respecto a **la acción sindical en las administraciones públicas,** las organizaciones sindicales que tengan la consideración de sindicatos más representativos[1] a nivel estatal o de comunidad autónoma gozarán de capacidad representativa en su correspondiente ámbito territorial para:

- Ostentar la representación institucional ante las administraciones públicas u otras entidades públicas.
- Negociación colectiva.
- Participar como interlocutores en la determinación de las condiciones de trabajo en las administraciones públicas.
- Participar en los sistemas no jurisdiccionales de solución de conflictos de trabajo.
- Promover elecciones de representantes de los trabajadores.
- Participar en la planificación, programación, organización y control de la gestión relacionada con la mejora de las condiciones de tra-

[1] A nivel estatal, los sindicatos más representativos son los que acrediten el 10 por 100 o más del total de delegados de personal, de los miembros de los comités de empresa y de los correspondientes órganos de las administraciones públicas. A nivel autonómico, aquellos que en dicho ámbito acrediten al menos el 15 por 100 en los mismos conceptos anteriores.

bajo y la protección de la seguridad y salud de los trabajadores en el trabajo, con las administraciones públicas competentes.
— Obtener cesiones temporales del uso de inmuebles patrimoniales públicos.

En lo que se refiere a **la acción sindical en la empresa,** los trabajadores afiliados a un sindicato podrán en el ámbito de la empresa o centro de trabajo:

— Constituir secciones sindicales (en empresas con más de 250 trabajadores) de conformidad con lo establecido en los estatutos del sindicato; teniendo los siguientes **derechos** aquellas secciones de los sindicatos más representativos y los que tengan representación en los comités de empresa:

- A la negociación colectiva en los términos previstos en la legislación vigente.
- A disponer de un tablón de anuncios para facilitar la información que pueda interesar a sus afiliados y trabajadores.
- A la utilización de un local adecuado para desarrollar sus actividades.

— Celebrar reuniones, previa comunicación al empresario, recaudar cuotas y distribuir información sindical fuera de las horas de trabajo y sin perturbar la actividad normal de la empresa.
— Recibir la información que le remita su sindicato.

En aquellas empresas que por el tamaño de su plantilla no pueda haber sección sindical, pueden elegir los trabajadores afiliados un delegado sindical, con unas funciones similares a las de la sección, y que puede participar en los órganos de representación de los trabajadores en la empresa: delegados de personal y comités de empresa.

Los principales sindicatos españoles (UGT y CC.OO.) se organizan de forma confederada: por actividades y territorios. Están llamados a jugar un papel cada vez más activo y de colaboración, alejado de la confrontación, con la patronal, a fin de garantizar la actividad económica, el empleo y la calidad de éste.

Bibliografía

Allen, M. (2002): *El emprendedor visionario*. Barcelona: Empresa Activa.

Amit, R., Glosten, L. y Muller, E. (1993): «Challenges to Theory Development in Entrepreneurship Research», *Journal of Management Studies,* vol. 10, pp. 815-834.

Argyris, C. (1985): *Strategy, Change and Defensive Routines*. Boston MA: Pitman.

Ayerbe, M. y Larrea, I. (1995): *La actitud de ser empresario*. Edición de las Diputaciones de Guipúzcoa y Álava y del Gobierno Vasco, San Sebastián.

Belley, A. (1989): «Opportunités d'affaires: objet négligé de la recherche sur la Creation d'Enterprises», *Revue PMO*, vol. 4, n.° 1, pp. 33 y ss.

Bhide, A. (2000): «The Origin and Evolution of New Business», *Oxford University Press.*

Bhide, A. (1996): «The Questions Every Entrepreneurs Must Answer», *Harvard Business Review*, noviembre-diciembre.

Bird, B. (1989): *Entrepreneurial Behavior*. Illinois: Scoth, Foresman & Company.

Block, Z. y McMillan, I. (1993): *Corporate Venturing*. Boston, Ma: Harvard Business School Press.

Borello, A. (2000): *El plan de negocio*. Madrid: McGraw-Hill.

Brandt, S. C. (1982): *Entrepreneursing*. New York: New American Library.

Brenner, O. C. (1982): «Relationship of Education to Sex. Managerial Status and the Managerial Stereotype», *Journal of Applied Psychology,* vol. 67, n.° 3, pp. 380-383.

Brenner, O. C. y Pringle, Ch. D. (1991): «Perceived Fulfillment of Organizational Employment versus Entrepreneurship: Work Values and Career Intentions of Business College Graduates», *Journal Small Business Management,* vol. 29, n.° 3, pp. 62-74.

Brockhaus, R. H. (1982): «The Psychology of the Entrepreneur», en C. A. Kent, D. L. Sexton y K. H. Vesper (eds.), *Encyclopedia of Entrepreneurship*. Englewood Cliffs: Prentice-Hall, cap. 3, pp. 39-71.

Brockhaus, R. H. y Horwitz, P. S. (1986): «The Psychology of the Entrepreneur», en D. L. Sexton y R. W. Smilor (eds.), *The Art an Science of Entrepreneurship*. Cambridge: Bellinger Publishing Company, pp. 25-48.

Bueno, E. (1997): «El aprendizaje: una clave competitiva en la economía actual», *Iniciativa Emprendedora y Empresa Familiar,* n.° 7, pp. 32-38.

Bueno, E. y de Pablo, I. (1996): *La aventura de emprender: ¿una carrera de obstáculos?* Madrid: CEIM.

Burgelman, R. A. (1985): «Managing the New Venture Division: Research Findings and Implications for Strategic Management», *Strategic Management Journal,* vol. 6, n.º 1, pp. 39-54.

Burgelman, R. A. (1984): «Designe for Corporate Entrepreneurship», *California Management Review,* vol. 26, n.º 2, pp. 154-166.

Burgelman, R. A. (1983): «Corporate Entrepreneurship and Strategic Management: Insights from a Process Study», *Management Science,* vol. 29, n.º 12, pp. 1349-1364.

Buzan, T. (1984): *Un tête bien fait.* París: Les Éditions d'Organization.

Cachón, L. (1999a): «Los nuevos yacimientos de empleo», *Cuadernos de Información Económica,* n.º 151, pp. 85-93, octubre.

Cachon, L. (1999b): «Sobre el desarrollo local y nuevos yacimientos de empleo», *Política y Sociedad,* n.º 31, pp. 121-134.

Cachón, L., Collado, J. C. y Martínez, I. (1998): *Nuevos yacimientos de empleo en España.* Madrid: Ministerio de Trabajo y Asuntos Sociales.

Cachón, L. y Centro de Estudios Económicos de la Fundación Tomillo (1999): *Nuevos yacimientos de empleo en España. Potencial de crecimiento y desarrollo futuro.* Madrid: Ministerio de Trabajo y Asuntos Sociales.

Calori, R., Johnson, G. y Sarnin, P. (1994): «CEO's cognitive maps and the scope of the organization», *Strategic Management Journal,* 15.

Cámaras de Comercio, Industria y Navegación de España e INCYDE (2001): *La creación de empresas en España. Análisis por regiones y sectores.* Madrid: Servicio de Estudios.

Campos, M. (1997): «La función de la empresa y del empresario en la sociedad moderna», *Economistas Colegio de Madrid,* n.º 73, pp. 100-104.

Cañadas, M. (1996): *Cómo crear empresas rentables.* Barcelona: Gestión 2000.

Carrier, C. (2000): «L'exploration d'une idée d'affaires: premièr stratégie à maîtriser par le future entrepreneur», *Cahier de Recherche,* CR-00-10.

Centro de Estudios Económicos de la Fundación Tomillo (2000a): *Los nuevos yacimientos de empleo. Guía práctica para conocerlos.* Madrid: Grupo Santillana Ediciones.

Centro de Estudios Económicos de la Fundación Tomillo (2000b): *Informe sobre posibilidades de crecimiento de empleo en el sector servicios.* Madrid: Ministerio de Asuntos Sociales.

Chung, L. H. y Gibbons, P. T. (1997): «Corporate Entrepreneurship: the Roles of Ideology and Social Capital», *Group and Organization Management,* vol. 22, n.º 1, pp. 10-30.

Cohem, D. J., Graham, R. J. y Shils, E. B. (1986): «La Brea Tar Pits Revisited: Corporate Entrepreneurship and the A. T. & T dinosaur», *Frontiers of Entrepreneurship Research.*

Comisión de las Comunidadades Europeas (2003a): *Libro Verde. El espíritu empresarial en Europa,* COM(2003)27 final. Bruselas, 21 de enero de 2003.

Comisión de las Comunidades Europeas (2003b): *Comunicación de la Comisión. Optar por el crecimiento: conocimiento, innovación y trabajos en una sociedad cohesiva. Informe para el Consejo Europea de primavera de 21 de marzo*

de 2003 sobre la estrategia de Lisboa relativa a la renovación económica, social y del medio ambiente, COM(2003)5.
Comisión de las Comunidades Europeas (2001): *Construir una Europa empresarial. Actividades de la Unión a favor de la pequeña y mediana empresa.* Informe de la Comisión al Consejo, al Parlamento Europeo, al Comité Económico y Social y al Comité de las Regiones, COM(2001)98 final. Bruselas, 1 de marzo de 2001.
Comisión de las Comunidades Europeas (2000a): *The European Observatory for SMEs.Sixth Report.* Oficina de Publicaciones Oficiales de las Comunidades Europeas, Luxemburgo.
Comisión de las Comunidades Europeas (2000b): *El Observatorio Europeo para las PYME. Sexto Informe. Resumen ejecutivo.* Oficina de Publicaciones Oficiales de las Comunidades Europeas, Luxemburgo.
Comisión de las Comunidades Europeas (2000c): *Informe sobre la ejecución del plan de acción para promover el espíritu empresarial y la competitividad.* Documento de Trabajo de los Servicios de la Comisión. SEC(2000) 1825-Tomo I. Bruselas, 27 de octubre de 2000.
Comisión de las Comunidades Europeas (1998): *Fomento del espíritu empresarial en Europa: prioridades para el futuro.* Comunicado de la Comisión al Consejo, COM(98) 222. Bruselas, 7 de abril de 1998.
Comisión de las Comunidades Europeas (1997): *Sobre la mejora y simplificación de las condiciones para la creación de empresas.* Recomendación de la Comisión, C(97)1161 final, Bruselas.
Comisión de las Comunidades Europeas (1993): *Crecimiento, competitividad y empleo. Retos y pistas para entrar en el siglo XXI. Libro Blanco,* Bruselas-Luxemburgo.
Comisión Europea (1997a): «Las mujeres agentes del desenvolvimiento regional», Documento, Servicio de Publicaciones Oficiales de las Comunidades Europeas, Luxemburgo.
Comisión Europea (1997b): *Premier rapport sur les iniciatives locales de développement et d'emploi. Des leçons pour les pactes territoriaux et locaux pour l'emploi,* SEC(96)2061.
Comité Económico y Social Europeo (2003a): INT/174 *Pequeñas empresas y microempresas.* Dictamen del Comité sobre el tema «El papel de las pequeñas empresas y microempresas en la vida económica y en el tejido productivo europeo», Bruselas.
Comité Económico y Social Europeo (2003b): INT/178 *El espíritu empresarial en Europa.* Dictamen del Comité sobre el tema «Libro Verde-Espíritu empresarial en Europa», Bruselas.
Comité Económico y Social Europeo (2003c): SOC/142 *Directrices para las políticas de empleo.* Dictamen del Comité sobre la «Propuesta de decisión del consejo relativa a las directrices para las políticas de empleo de los Estados miembros», Bruselas.
Consejo de Europa (2001): *Carta Europea de la Pequeña Empresa,* Lisboa.
Consejo Superior de las Cámaras de Comercio, Industria y Navegación de España (1998): *¿Qué son las Cámaras de Comercio? Guía práctica,* CAMERDATA, Madrid.

Cossette, P. (1994): *Cartes Cognitives et Organizations*. Quebéc: Les Presses de l'Université Laval, Editions Eska.

Covin, J. G. y Miles, M. P. (1999): «Corporate Entrepreneurship and the Pursuit Competitive Advantage», *Entrepreneurship Theory and Practice,* vol. 23, n.º 3, pp. 47-63.

Covin, J. G. y Slevin, D. P. (1995): «New Ventures and Total Competitiveness: A Conceptual Model, Empirical Results and Case Study Examples», en B. Kirchhoff, W. Long, W. E. McMullan, K. H. Vesper y H. Wetzler Jr. (eds.), *Frontiers of Entrepreneurship Research,* pp. 323-361. Wellesley, MA: Center for Entrepreneurial Studies, Babson College.

Covin, J. G. y Slevin, D. P. (1990): «New Venture Strategic Posture, Structure and Perfomance: an Industry Life Cycle Analysis», *Journal of Business Venturing,* n.º 5, pp. 123-135.

Covin, J. G. y Slevin, D. P. (1989): «The Strategic Management of Small Firms in Hostil and Bening Environment», *Strategic Management Journal,* vol. 10, n.º 1, pp. 75-87.

De Geus, A. (1990): «Strategy as Learning», *London Business School.*

Defeyt, P., Singer, V. y Lambert, F. (1997): *Mieux comprendre les services de proximité pour soutenir leur developpment. Rapport de synthèse européen.* Bruselas: Fondation Roi Baudouin.

Díez de Castro, E. C. (1984): *Planificación y control de la fuerza de ventas*. La Rábida (Huelva): Publicaciones del Colegio Universitario de La Rábida.

Díez de Castro, E. C. y Landa Bercebal, J. (2000): *Merchandising. Teoría y práctica*. Madrid: Pirámide.

Diputación de Sevilla (2001): *Cuadernos para emprendedores y empresarios. Recursos para emprender*. Sevilla: Siglo XXI.

Drucker, P. (1999): *Management Challenges for 21st Century*. Oxford: Butterworth Heinemann.

Drucker, P. (1997): «Toward the New Organization», *Executive Excellence,* vol. 14, n.º 2, febrero, pp. 7-18.

Drucker, P. (1996): «Innovation Imperative», *Executive Excellence,* vol. 13, n.º 12, diciembre, pp. 7-18.

Drucker, P. (1989): *The New Realities: in Government and Politics, in Economic and Business, in Society and World View.* New York: Harper & Row Publishers.

Drucker, P. (1985): *Innovation and Entrepreneurship*. New York: Harper & Row Publishers.

Durbán Oliva, S. (1983): *La selección de inversiones en estructura.* Sevilla: Manuales Universitarios. Publicaciones de la Universidad de Sevilla.

Entrialgo Suárez, M. (1997): «Función empresarial, capacidades empresariales y competitividad de las nuevas empresas», *XI Congreso Nacional y VII Congreso Hispano-Francés de AEDEM,* Lleida.

Entrialgo, M., Fernández, E. y Vázquez, C. J. (2001): «El efecto de las características de la organización en el comportamiento emprendedor», *Revista Europea de Dirección y Economía de la Empresa,* vol. 10, n.º 3, pp. 25-40.

Filion, L. J. (1999): *Réaliser son projet d'entreprise* (2.ª edición). Montreal: Les Éditions Transcontinental Inc.

Finney, M. y Mitroff, I. I. (1986): «Strategic Plan Failures. The Organization as its worst enemy», en H. P. Sims y D. A. Gioia (eds.), *The Thinking Organization.* San Francisco: Jossey-Bass Inc., pp. 317-335.

Floyd, S. W. y Wooldridge, B. (1999): «Knowledge Creation and Social Networks in Corporate Entrepreneurship: the Renewal of Organizational Capability», *Entrepreneurship Theory and Practice,* vol. 23, n.º 3, pp. 123-143.

Gales, S. (1996): *Todo lo que usted necesita saber para crear su propia empresa.* Barcelona: Infobook's.

Garavan, T. N. y O'Cinneide, B. (1994): «Entrepreneurship Education and Training Programmes: a Review ND Evoluting. Part I», *Journal of European Industrial Training,* n.º 18, pp. 3-12.

García Erquiaga, E. (2000): «Aprendiendo de los errores del emprendedor: claves para evitar el fracaso. La lógica darwinista de la creación empresarial», *Harvard Deusto Business Review,* 13.

Gártner, W. B. et al. (1989): «A Taxonomy of New Business Ventures», *Entrepreneurship Theory and Practice,* vol. 14, n.º 1.

Gartner, W. B. (1985): «A conceptual Framework for Describing the Phenomenon of New Venture Creation», *The Academy of Management Review,* vol. 10, n.º 4, pp. 696-706, octubre.

Gasse, Y. (1986): «The Development of New Entrepreneur: a Balief-Based Approach», en D. L. Sexton y R. W. Smilor (eds.), *The Art and Science of Entrepreneurship.* Cambridge: Ballinger Publishing Company, pp. 49-60.

Genesca, G. E. y Veciana, V. J. M. (1984): «Actitudes hacia la creación de empresas», *ICE,* julio, pp. 147-155.

Gibb, A. A. (1990): «Entrepreneurship and Intrapreneurship. Exploring the Differences», en R. Doncklels y A. Miettinen (eds.), *New Findings and Perspectivas in Entrepreneurship.* Aldershot: Avebury Gower Publishing Group, pp. 33-67.

Gibb, A. A. (1988): *Simulating Entrepreneurship and New Business Development.* Ginebra: Oficina Internacional del Trabajo.

Goleman, D. (1997): *Inteligencia emocional* (19.ª ed.). Barcelona: Kairós.

González Domínguez, F. J. (2002): *Creación de empresas. Guía para el desarrollo de iniciativas empresariales* (2.ª ed.). Madrid: Pirámide.

González Domínguez, F. J. (2001): *Sistema financiero y financiación bancaria. Guía para negociar con la Banca.* Sevilla: Edición Digital@tres.

González Domínguez, F. J. (1998): «Relaciones laborales y empleo en el siglo XXI: un nuevo modelo global. El caso europeo», en *Revista do Instituto Superior Politecnico Portucalense,* número especial, vol. 1, Porto.

González Domínguez, F. J. (1997): «Globalización: futuro presente», en *AEDEM,* número especial ponencias XI Congreso Nacional VII Hispano Francés de Dirección de Empresas, Lleida.

Gray y Cyr (1993): *Cómo evaluar su potencial como emprendedor: guía de planificación para pequeñas empresas.* Barcelona: Cuadernos Granica.

Green, P., Brush, C. y Hart, M. (1999): «The Corporate Venture Champion: a Resource-based Approach to Role and Process», *Entrepreneurship Theory and Practice,* vol. 23, n.º 3, pp. 103-122.

Greenberger, D. B. y Sexton, D. L. (1988): «An Interactive Model of New Venture Initiation», *Journal of Small Business Management,* vol. 26, n.º 3, pp. 1-7.

Guth, W. D. y Ginsberg, A. (1990): «Guest Editor's Introduction: Corporate Entrepreneurship», *Strategic Management Journal,* vol. 11, n.º 1 especial verano, pp. 5-15.

Guth, W. D., Kumaraswamy, A. y McErlean, M. (1991): «Cognition, enactment and learning in the entrepreneurial process», *Frontiers of Entrepreneurship Research,* pp. 242-253.

Hawkins, K. y Turla, P. (1987): *Compruebe sus dotes de emprendedor.* Bilbao: Ediciones Deusto.

Hernández, E. M. (1995a): «Les Caracteristiques du Travail du Créateur d'Enterprise», *Direction et Gestion des Enterprises,* n.º 154, julio-agosto, pp. 13-20.

Hernández, E. M. (1995b): «L'entrepreneuriat comme processus», *Revue International P.M.E.,* vol. 8, n.º 1, pp. 107-119.

Herron, L. y Robinson, R. B. Jr. (1993): «A Structural Model of the Effects of Entrepreneurial Characteristics on Venture Performance», *Journal of Business Venturing,* vol. 8, n.º 3, pp. 281-294.

Hoselitz, B. F. (1952): «Entrepreneurship and the Economic Growth», *The American Journal of Economic and Sociology,* vol. 12, n.º 1, pp. 101 y ss.

Hoselitz, B. F. (1951): «The Early History of Entrepreneurial Theory». *Explorations in Entrepreneurial History,* vol. 3.

Jarillo Mossi, J. C. (1986): *Entrepreneurship and Growth. The Strategic Use of External Resources.* Boston MA: Pitman.

Jennings, D. F. y Lumpkin, J. R. (1989): «Funtioning Modeling Corporate Entrepreneurship: An Empirical Integrative Analysis», *Journal of Management,* vol. 15, n.º 3, pp. 485-502.

Jiménez, E., Barreiro, F. y Sánchez, J. E. (1998): *Los nuevos yacimientos de empleo. Los retos de la creación de empleo desde el territorio.* Barcelona: Fundación CIREM.

Kanter, R. M. (1984): *The Change Master.* New York: Simon & Schuster.

Kantis, H., Ishida, M. y Komori, M. (2002): *Empresarialidad en economías emergentes: creación y desarrollo de nuevas empresas en América Latina y el Este de Asia.* México: Informe para el Banco Interamericano de Desarrollo. Biblioteca Felipe Herrera.

Kantis, H., Angelelli, P. y Gatto, F. (2001): *Nuevos emprendimientos y emprendedores: ¿de qué depende su creación y supervivencia? Explorando el caso argentino.* México: Informe para el Banco Interamericano de Desarrollo. Biblioteca Felipe Herrera.

Karagozoglu, N. y Brown, W. B. (1988): «Adaptive Responses by Conservative and Entrepreneurial Firms», *Journal of Product Innovation Management,* vol. 5, pp. 269-281.

Ketz de Vries, M. F. R. (1977): «The Entrepreneurial Personality: a Person at the Crossroads», *Journal of Management Studies,* vol. 14, n.º 1, pp. 34-57.

Kham, A. M. (1986): «Entrepreneurs Characteristics and the Prediction of New Venture Success», *International Journal of Management Science,* vol. 14, n.º 5, pp. 365-372.

Khandwalla, P. N. (1987): «Generators of Pioneering-Innovative Management: Some Indian Evidence», *Organization Studies,* vol. 18, n.º 1, pp. 39-59.

Koh, H. C. (1996): «Testing Hypotheses of Entrepreneurial Characteristics: a Study of Hong Kong MBA Students», *Journal of Managerial Psychology,* n.º 11, pp. 1-11.

Kotter, J. P. (1991): «El directivo como líder y como ejecutivo: la simbiosis del éxito», *Harvard-Deusto Business Review,* 1.er trimestre, pp. 3-12.

Kunkel, S. W. (1991): *Dissertation Abstracts International*, pp. 52-60, n.º 2025.

Lafuente, A. y Salas, V. (1989): «Types of Entrepreneurs and Firms: The Case of New Spanish Firms», *Strategic Management Journal,* vol. 10, n.º 1, pp. 17-30.

Lerner, M. y Haber, S. (2000): «Perfomance Factors of Small Tourism Ventures: the Interface of Tourism, Entrepreneurship and the Enviroment», *Journal of Business Venturing,* n.º 16, pp. 77-100.

Lessem, R. (1986): *Intrapreneurship: How to be a Successful Individual in a Succesfull Business.* Aldershot: Gower.

Lumpkin, G. T. y Dess, G. G. (1996): «Clarifying the Entrepreneurial Orientation Construct and Linking in to the Performance», *Academy of Management Review,* vol. 21, n.º 1, pp. 135-172.

Maqueda, F. J. (1990): *Cómo crear y desarrollar una empresa.* Bilbao: Ediciones Deusto.

March, I. (1998): «El perfil emprendedor innovador», *Iniciativa Emprendedora y Empresa Familiar,* n.º 11, pp. 10-19.

Marchesnay, M. (1999): «Diversité des Pédagogies de l'Entrepreneuriat: l'exemple de Montpellier», *Actes du Premier Congrès de l'Académie de l'Entrepreneuriat. Entrepreneuriat et Enseignement: Rôle des institutions de formation, programmes, méthodes et outils,* Lille, France, octubre, pp. 274-285.

Marina, J. A. (1994): *Teoría de la inteligencia creadora* (4.ª ed.). Barcelona: Anagrama.

Mariotti, S., Towle, T. y de Salvo, D. (1996): *The Young Entrepreneurs. Guide to Starting and Running a Business.* USA: Times Business.

Martínez, A. y Urbina, O. (1998): «Entrepreneurship networks and high technology firms: the case of Aragon», *Technovation,* n.º 18, pp. 335-345.

McClelland, D. C. (1968): *La sociedad ambiciosa.* Madrid: Ediciones Guadarrama.

McClelland, D. C. y Winter, D. G. (1969): *Motivayting Economic Achievement.* New York: The Free Press.

McGrath, R. G. et al. (1992): «Desirable Disappointments: Capitalizing on Failures in New Corporate Venture», *Frontiers of Entrepreneurship Research.*

McMillan, I. C., Siegel, R. y Subba Narasimha, P. N. (1985): «Criteria Used by Venture Capitalist to Evaluate New Venture Proposals», *Journal of Business Venturing,* vol. 1, n.º 1, pp. 119-128.

Miller, D. (1983): «The Correlates of Entrepreneurship in three types of Firms», *Management Science,* n.º 29.

Miller, D. y Friesen, P. H. (1978): «Archetypes of Strategy Formulation», *Management Science,* n.º 15.

Mintzberg, H. (1998): «Ideology and the Missionary Organization», en *The Strategy Process.* London: Prentice-Hall.

Mintzberg, H. (1973): «Strategy Making in three Modes», *California Management Review,* invierno.

Monroe, S. R., Allen, K. R. y Price, C. (1995): «The Impact of Entrepreneurial Training Programs on Transitioning Workers: The Public Policy Implications», *Frontiers of Entrepreneurship,* 1995-edition.

Moore, D. y Buttner, H. (1997): *Women Entrepreneurs: Moving beyond the Glass Ceiling.* London: Sage Publications.

Morris, M. H. y Paul, G. W. (1987): «The Relationship Between Entrepreneurship and Marketing in Established Firms», *Journal of Business Venturing,* vol. 2, pp. 247-259.

Mulder, E. de y Cubeiro, J. C. (1997): «Emprendedores e intraemprendedores: ¿hay diferencia?», *Iniciativa Emprendedora y Empresa Familiar,* n.º 7, pp. 69-73.

Mullins, J. W. y Forlani, D. (1998): «Differences in Perceptions and Behavior: a Comparative Study of New Venture Decisions of Managers and Entrepreneurs», en P. D. Reynols (ed.), *Frontiers of Entrepreneurship Research.* Massachusetts: Babson College, pp. 103-118.

Muñoz, A. (1997): «La iniciativa empresarial en la universidad española», *Iniciativa Emprendedora y Empresa Familiar,* n.º 7, pp. 49-53.

Muzyka, D. F. (1988): «The Management of Faliure: A Key to Organizational Entrepreneurship», en *Frontiers of Entrepreneurship.*

Naman, J. L. y Slevin, D. P. (1993): «Entrepreneurship and the Concept of Fit. A Model and Empirical Test», *Strategic Management Journal,* vol. 14, n.º 2, pp. 137-153.

Neck, P. A. (1978): *Desarrollo de pequeñas empresas: políticas y programas.* Ginebra: Oficina Internacional del Trabajo.

North, D. C. (1990): *Institutions, Institutional Change and Economic Performance.* Cambridge (UK): Cambridge University Press.

Nueno, P. (1997): «Crear una empresa cambia a una persona», *Nueva Empresa,* n.º 417, pp. 12-16.

Nueno, P. (1994): *Emprendiendo: el arte de crear empresas y sus artistas.* Bilbao: Ediciones Deusto.

Olamendi, G. (1998): *Cómo crear una empresa y triunfar en el intento.* Bilbao: Olamendi Eds.

Ontiveros, E. (1997): «Las empresas españolas en el fin de siglo», *Economistas. Colegio de Madrid,* n.º 73, pp. 6-15.

Ortega Martínez, E. (1990): *El nuevo diccionario de marketing (y disciplinas afines),* vol. 6. Área Editorial para *Expansión.*

Osborn, A. F. (1988): *Créativité: l'imagination constructive.* Paris: Dunod.

Pinchot, G. (1985): *Intrapreneuring: Why You don't have to Leave the Company to Become and Entrepreneur.* New York: Harper & Row.

Rabbior, G. (1990): «Elements of a successful entrepreneurship/economics/education program», *Entrepreneurship Education: Current Developments, Future Directions.* New York: Quorum Books.

Reich, R. B. (1991): «Entrepreneurship Reconsidered: the Team as Hero», en Harvard Business Review (ed.), *Entrepreneurship: Creativity at Work.* Boston: Harvard Business School Press, pp. 127-133.

Reid, G. C. y Jacobsen, L. R. (1988): *The Small Entrepreneurial Firm.* Aberdeen: Aberdeen University Press.

Ripolles Melia, M. (1995): «El emprendedor y sus mitos». *Dirección y Organización. Revista de Dirección y Organización de Empresa,* n.º 15, pp. 36-44.

Roberts, E. B. (1991): *Entrepreneur in High Technology: Lesson from Mit and Beyond.* New York: Oxford University Press.

Robinson, S. L. (1996): «Trust and Breach of the psychological contract», *Administrative Science Quarterly,* n.º 41, pp. 574-599.

Ronstadt, R. C. (1985): «Training Potential Entrepreneurs», *Entrepreneurship: What it is and How to Teach it,* pp. 191-204.

Rule, E. G. y Irwin, D. W. (1988): «Fostering Intrapreneurship the New Competitive Edge», *The Journal of Business Strategy,* vol. 9, n.º 3, pp. 44-47.

Sandberg, W. R. y Hofer, C. W. (1987): «Improving New Venture Perfomance: The Role of Strategy, Industry Structure and the Entrepreneur», *Journal of Business Venturing,* vol. 2, n.º 1, pp. 5-28.

Sandberg, W. R. y Hofer, C. W. (1986): «The Effects of Strategy and Industry Structure on New Venture Perfomance», en R. C. Ronstadt, J. A. Hornaday, R. Peterson y K. H. Vesper (eds.), *Frontiers of Entrepreneurship Research,* pp. 244-266. Wellesle, MA: Center for Entrepreneurial Studies, Babson College.

Scherer, R. F. (1987): *A Social Learning Explanation for the Development of Entrepreneurial Characteristics and Career Selection.* Ann Arbor: University of Mississippi.

Scholhammer, H. (1982): «Internal Corporate Entrepreneurship», en C. A. Kent, D. L. Sexton y K. H. Vesper (eds.), *Encyclopedia of Entrepreneurship.* Englewood Cliffs, NJ: Prentice-Hall, pp. 209-229.

Schumpeter, J. A. (1982): *Historia del análisis económico* (2.ª ed.). Madrid: Ariel.

Schumpeter, J. A. (1944): *Teoría del desenvolvimiento económico.* México: Fondo de Cultura Económica.

Senge, P. (1991): *La cinquième discipline. L'art et la manièr des organizations qui apprennent.* Paris: FIRST.

Sexton, D. L. y Bowman-Upton, N. (1991): *Entrepreneurship: Creativity and Growth.* New York: McMillan.

Sexton, D. L. y Bowman-Upton, N. (1990): «Female and Male Entrepreneurs: Psychological Characteristics and Their Role in Gender Related Discrimination», *Journal of Business Venturing,* vol. 5, n.º 1, pp. 29-36.

Sexton, D. L. y Bowman-Upton, N. (1987): «Evaluation of an Innovative Approach to Teaching Entrepreneurship», *Journal of Small Business Management,* pp. 35-43.

Sexton, D. L. y Bowman-Upton, N. (1984): «Entrepreneurship Education: suggestion for increasing effectiveness», *Journal of Small Business Management,* abril.

Sharma, P. y Chrisman, J. (1999): «Toward a Reconciliation of the Definitional Issues in the Field of Corporate Entrepreneurship», *Entrepreneurship Theory and Practice,* vol. 23, n.º 3, pp. 11-27.

Smith, N. R. y Miner, J. B. (1983): «Type of Entrepreneur, Type of Firm and Managerial Motivation: Implications for Organizational Life Cycle Theory», *Strategic Management Journal,* vol. 4, pp. 325-340.

Stearns, T. M. y Hills, G. (1996): «Entrepreneurship and New Firm Development: a Definitional Introduction», *Journal of Business Research,* n.° 36, pp. 1-4.

Stevenson, H. H. y Jarillo, J. C. (1990): «A Paradigme of Entrepreneurship: Entrepreneurial Management», *Strategic Management Journal,* vol. 11, pp. 17-27.

Stevenson, H. H., Roberts, M. J., Grousbeck, H. F. y Bhide, A. (1999): *New Business Venture and the Entrepreneur* (5.ª edición). USA: Irwin-McGraw-Hill.

Stopford, J. M. y Baden-Fuller, C. W. (1994): «Creating Corporate Entrepreneurship», *Strategic Management Journal,* vol. 15, n.° 7, pp. 521-536.

Stuart, R. W. y Abetti, P. A. (1988): «Field Study on Technical Ventures-Part III», en B. Kirchhoff, W. Long, W. E. McMullan, K. H. Vesper y W. Wetzel Jr. (eds.), *Frontiers of Entrepreneurship Research,* pp. 177-194. Wellesley, MA: Center of Entrepreneurial Studies, Babson College.

Stuart, R. W. y Abetti, P. A. (1987): «Start-up Ventures: Towards the Predictions of Inicial Success», *Journal of Business Venturing,* vol. 2, pp. 215-230.

Szyperski, N. y Klandt, H. (1984): «An Empirical Analysis of Venture Management Activities by German Industrial Firms», en *Futurth Annual Entrepreneurship Research Conference.*

Timmons, J. A. (1999): *New Venture Creation: Entrepreneurship for the 21st Century.* Boston: Irwin-McGraw-Hill.

Timmons, J. A. (1990): *New Venture Creation: Entrepreneurship in the 1990s.* Homewood: Irwin.

Timmons, J. A. (1989): *The Entrepreneurial Mind.* Andover: Brick House Publishing Company.

Timmons, J. A., Swollen, L. E. y Dingee, A. L. M. (1986): *New Venture Creation.* Homewood: Irwin.

Urbano, D. y Veciana, J. M. (2001): *Marco institucional formal de la creación de empresas en Catalunya,* Document de treball n.° 2001/9. Departament d'economia de l'empresa. Universitat Autònoma de Barcelona.

Veciana Vergés, J. M. (1999): «Creación de empresas como programa de investigación científica», *Revista Europea de Dirección y Economía de la Empresa,* vol. 8, n.° 3, pp. 11-36.

Veciana Vergés, J. M. (1997a): «¿Emprendedor o empresario?», *Innovando, Boletín del Centro de Desarrollo del Espíritu Empresarial de la Universidad de ICESI,* n.° 17, diciembre, Colombia.

Veciana Vergés, J. M. (1997b): «Emprender con excelencia. Factores de éxito de las nuevas empresas», *Iniciativa Emprendedora y Empresa Familiar,* n.° 5, pp. 45-48.

Veciana Vergés, J. M. (1996): «Generación y desarrollo de nuevos proyectos innovadores: "Venture Management" o "Corporate Entrepreneurship"», *Economía Industrial,* n.° 310, pp. 79-90.

Veciana Vergés, J. M. (1988): «Empresario y proceso de creación de empresas», *Revista Económica de Catalunya,* n.° 8, mayo-agosto.

Veciana, K. H. (1990): *New Venture Strategies,* Second Edition. Englewood Cliffs, NJ: Prentice-Hall.

Vesper, K. H. y Holmdahl, T. G. (1973): «How Venture Management Fares in Innovative Companies», en *Research Management,* mayo.

Vestraete, T. (1997): «Cartographie Cognitive et Accompagnement du Créateur d'Enterprise», *Revue Internacional PME,* n.º 10.

Weber, A. (1928): *Die städtische grundrente.* Viena: Edg III.

Zahra, S. A. (1996): «Governance, Ownership and Corporate Entrepreneurship: The Moderating Impact of Industry Technological Opportunities», *Academy of Management Journal,* vol. 39, n.º 6, pp. 1713-1735.

Zahra, S. A. (1995): «Corporate Entrepreneurship and Financial Perfomance: the Case of Management Leveraged Buyouts», *Journal of Business Venturing,* vol. 10, n.º 3, pp. 225-247.

Zahra, S. A. (1993): «A Conceptual Model of Entrepreneurship as Firm Behavior: A Critique and Extension», *Entrepreneurship Theory and Practice,* vol. 17, n.º 4, pp. 5-21.

Zahra, S. A. (1991): «Predictors and Financial Outcomes of Corporate Entrepreneurship: An Exploraty Study», *Journal of Business Venturing,* vol. 6, n.º 4, pp. 259-285.

Zahra, S. A y Covin, J. G. (1995): «Contextual Influences on the Corporate Entrepreneurship-Performance Relationship: A Longitudinal Analysis», *Journal of Business Venturing,* vol. 10, n.º 1, pp. 42-58.

Zahra, S. A., Nielsen, A. P. y Bogner, W. C. (1999): «Corporate Entrepreneurship, Knowledge and Competence Development», *Entrepreneurship Theory and Practice,* vol. 23, n.º 3, pp. 169-189.